Java

松浦健一郎／司 ゆき 著

［完全］入門

SB Creative

本書に関するお問い合わせ

この度は小社書籍をご購入いただき誠にありがとうございます。小社では本書の内容に関するご質問を受け付けております。本書を読み進めていただきます中でご不明な箇所がございましたらお問い合わせください。なお、お問い合わせに関しましては下記のガイドラインを設けております。恐れ入りますが、ご質問の際は最初に下記ガイドラインをご確認ください。

ご質問の前に

小社Webサイトで「正誤表」をご確認ください。最新の正誤情報をサポートページに掲載しております。

▶ **本書サポートページ**

URL https://isbn2.sbcr.jp/19244/

上記ページの「正誤情報」のリンクをクリックしてください。なお、正誤情報がない場合、リンクをクリックすることはできません。

ご質問の際の注意点

- ご質問はメール、または郵便など、必ず文書にてお願いいたします。お電話では承っておりません。
- ご質問は本書の記述に関することのみとさせていただいております。従いまして、○○ページの○○行目というように記述箇所をはっきりお書き添えください。記述箇所が明記されていない場合、ご質問を承れないことがございます。
- 小社出版物の著作権は著者に帰属いたします。従いまして、ご質問に関する回答も基本的に著者に確認の上回答いたしております。これに伴い返信は数日ないしそれ以上かかる場合がございます。あらかじめご了承ください。

ご質問送付先

ご質問については下記のいずれかの方法をご利用ください。

> ▶ **Webページより**
> 上記のサポートページ内にある「お問い合わせ」をクリックすると、メールフォームが開きます。要綱に従って質問内容を記入の上、送信ボタンを押してください。
>
> ▶ **郵送**
> 郵送の場合は下記までお願いいたします。
>
> 〒105-0001
> 東京都港区虎ノ門2-2-1
> SBクリエイティブ　読者サポート係

はじめに

　本書はプログラミング言語のJava（ジャバ）について、詳しく解説する入門書です。初めてJavaを学ぶ方にもお使いいただけます。特に「Javaがいまひとつわからない」と感じている方には、Javaを深く理解して、自信を持って使えるようになるために、本書をおすすめできます。

　本書では、Javaの根底にある仕組みや考え方を、平易かつ詳細に解説します。すぐに使える書き方を紹介しつつ、なぜその機能があるのか、どのような場面で役立つのか、他の機能とどう使い分けるのか、といった背景にも踏み込みます。「書き方を知っている」レベルではなく、「自信を持って書ける」レベルに到達することを目指しています。

　本書は基礎編と実践編に分かれています。基礎編では、Javaの基本的な文法について学びます。一見簡単そうな内容ですが、式・演算子・型・変数などの仕組みを深く理解しておくことが、後の全ての部分に効いてきます。

　実践編では、オブジェクト指向プログラミングについて学びます。本書では、カラーの紙面を活かした豊富な概念図と、各機能の本質を簡潔にまとめたプログラム例を使って、Javaの中核をなすオブジェクト指向プログラミングをわかりやすく解説します。

　また、コレクション・ファイル入出力・関数型プログラミングについても学びます。Javaの技術は多岐に渡っており、開発の対象によって使う技術がまったく異なります。本書では、どんな開発にも役立ちそうな、ぜひ理解しておくべき技術を厳選しました。

　本書のプログラム例は、そのまま読むことも、演習問題として使うこともできます。各プログラム例を書くために必要な知識を事前に提示するので、自分でプログラムを書いてみてから、本書のプログラム例と見比べる、という学び方も可能です。

　本書はかなり読み応えがありますが、できるだけ軽快に読み進められるように工夫しました。用語・記法・入力・コメントなどを色分けしたので、関心があるポイントに注目して読むこともできます。言語のキーワードや、ライブラリのクラス名・メソッド名などについては、発音の例をカタカナで示しました。発音することを通じて、記憶や理解が進むことや、他の技術者との意思疎通がスムーズになることを狙っています。

　仕事・研究・学業・趣味などでJavaをお使いの方が、本書で知識や技術を磨き、目標を達成されることを心から願っています。本書を通じて、どんな課題をクリアできたか、Javaをどんなふうに使いこなせるようになったかといったことを、書籍レビューなどを通じてお知らせいただけたら、とても嬉しいです。

松浦健一郎　司ゆき

Contents

基礎編

Chapter 1　Javaを学ぶための準備

Chapter 2　Javaプログラミングを始めよう

Chapter 3 　式を計算して結果を出力する

Chapter 4　**後で必要な値は変数に格納しておく**

Chapter 5 実行の流れを変えるif文・switch文

Chapter 6 処理を繰り返すfor文・while文・do while文

Chapter 7　配列を使って多数の値を管理する

実践編

Chapter 10　特定の場面で役立つ特殊なクラス

Chapter 11　例外処理で不測の事態から復帰する

Chapter 12　関連するクラスをパッケージにまとめる

Chapter 13　**コレクションでデータをいろいろな形にまとめる**

─── ▱📖 サンプルファイルの使い方 📖▱ ───

サンプルファイルは、下記のWebページよりダウンロードすることができます。

https://www.sbcr.jp/support/4815617805/

ダウンロード

『**Java[完全]入門**』**サンプルファイル**

2024.01.30

対象書籍

Java[完全]入門

サンプルファイルは、以下のリンクよりダウンロードすることができます。

‥‥‥‥‥‥‥‥‥‥‥‥‥‥‥‥‥‥‥‥‥‥‥

サンプルファイル : JavaSample.zip ◀─────────────── JavaSample.zip をクリック

‥‥‥‥‥‥‥‥‥‥‥‥‥‥‥‥‥‥‥‥‥‥‥

サンプルファイルの各フォルダには、本書内に掲載したサンプルプログラムが収録されています。サンプルファイルはZIP形式で圧縮されているので、ダウンロード後は、任意のフォルダに展開してご利用ください。

サンプルファイルの各フォルダには、本書内に掲載したサンプルプログラムが収録されています。サンプルファイルはZIP形式で圧縮されているので、ダウンロード後は、任意のフォルダに展開してご利用ください。

Javaを学ぶための準備

Javaを学ぶための準備をしましょう。まずは、Javaの用途や歴史を紹介し、他の
プログラミング言語との比較も行います。Javaを学ぶとどんなメリットがあるの
かが理解できると、何を目標に学べばよいのかや、どこまで詳しく学べばよいの
かが、イメージしやすくなります。
次に、Javaプログラムが動く仕組みを学びます。同じプログラムがいろいろな環
境で動作するというJavaの特長が、どのように実現されているのかを知ります。
そして、Javaプログラムの作成や実行に必要な、開発環境をインストールします。
Windows/macOS/Linuxのそれぞれについてインストール方法を紹介するので、お
使いの環境に合わせてセットアップを実施してください。

本章の学習内容

❶ Javaの特長
❷ オブジェクト指向プログラミングとは何か
❸ オブジェクト・フィールド・メソッド・クラス・インスタンス
❹ Javaプログラムが動く仕組み
❺ 開発環境のインストール

01 まずはJavaの特長を理解する

Javaの特長を知るために、Javaの用途や歴史を紹介します。また、Javaとの関係が深い他の言語について、Javaとの比較を行います。さまざまな角度からの情報をヒントに、Javaとはどのような言語なのかをイメージしてみてください。

Javaはいろいろな目的に使える

これからJavaを学ぶ皆さんは、「仕事・研究・学業・趣味などにJavaを活用したい」という希望をお持ちかと思います。Javaが何に使えるのかを知っておくと、より楽しくJavaを学ぶことができるでしょう。次のように、Javaはいろいろな目的に使えるプログラミング言語です。

● オブジェクト指向プログラミングの学習

Javaはプログラミングの学習に使えます。特に、オブジェクト指向プログラミングを学ぶのに向いています。

オブジェクト指向プログラミングは、広く使われているプログラミング手法の1つで、大規模なプログラムの開発で威力を発揮します。Javaのように、オブジェクト指向プログラミングに対応したプログラミング言語のことを、オブジェクト指向プログラミング言語と呼びます。

● デスクトップアプリケーションの開発

Javaはパソコンにインストールして利用する、デスクトップアプリケーションの開発に使えます。Javaには、同じプログラムがいろいろな環境で動くという特長があります。そのため、Windows/macOS/Linuxといった異なるOSに対応したアプリケーションを、比較的容易に開発できます。

Javaで開発されたデスクトップアプリケーションの例としては、開発環境のEclipse（エクリプス）、WebコンテナのTomcat（トムキャット）、ゲームのMinecraft（マインクラフト）などが有名です。

● Webアプリケーションの開発

JavaはWeb（ウェブ）アプリケーションの開発に使えます。Webアプリケーションとは、Webを基盤にしたアプリケーションソフトウェアのことで、主にWebブラウザを介して利用します。

掲示板・ブログ・メール・ウィキ・SNS・ショッピング・銀行・オークションなど、Webアプリケーションには多くの種類があります。Javaは、Webアプリケーションに必要なサーバやデータベースとの連携機能や、開発を支援する各種のライブラリやフレームワークを備えています。

● Androidアプリの開発

Javaはスマートフォンやタブレットなどで動作する、Android（アンドロイド）アプリの開発に使えます。Androidアプリを開発するためのプログラミング言語としては、Javaとの連携が可能なKotlin（コトリン）も広く使われています。Javaを学んでおけば、もしKotlinを使いたくなったときにも、スムーズに開発が始められます。

本書ではJavaの言語仕様、オブジェクト指向プログラミングの考え方、基本的なライブラリの使い方について、詳しく学びます。皆さんがJavaを学ぶ目的はさまざまかと思いますが、本書で習得した知識や技術は、Javaを使ったあらゆるプログラミングに役立つはずです。例えば、WebアプリケーションやAndroidアプリを開発したくなったら、本書を読んだ後に、これらの開発に特化した書籍などを読んでみてください。

ここでは、Javaがいろいろな目的に使えることを学びました。次はJavaの歴史を学びましょう。

Javaは1990年代に生まれた

Javaは、サン・マイクロシステムズ（Sun Microsystems）社のジェームズ・ゴスリン（James Gosling）氏らによって、1990年代に開発されました。Javaの開発環境であるJDK（Java Development Kit、Java開発キット）の正式版が、最初に公開されたのは1996年です。その後、2010年にオラクル（Oracle）社がサン・マイクロシステムズ社を買収したため、現在はオラクル社がJavaの商標を保持しています。

次のようにJavaは、何度もバージョンアップを重ねてきました。その過程で、呼

称がJDKからJ2SE（Java 2 Platform, Standard Edition）、Java SE（Java Platform, Standard Edition）のように変化しています。

▼ Javaのバージョン

年	バージョン	概要
1996	JDK 1.0	最初に公開されたバージョン（開発中のα版とβ版は1995年に公開）
1997	JDK 1.1	バージョンアップ
1998	J2SE 1.2	J2SE（Java 2 Platform, Standard Edition）に改称
2000	J2SE 1.3	バージョンアップ
2002	J2SE 1.4	バージョンアップ
2004	J2SE 5.0	バージョン番号の付け方を変更
2006	Java SE 6	Java SE（Java Platform, Standard Edition）に改称
2011	Java SE 7	オラクル社による最初のメジャーバージョンアップ
2014	Java SE 8（LTS）	LTS（Long-Term Support）は長期サポート版のこと
2017	Java SE 9	このバージョン以後は、毎年3月と9月にメジャーバージョンアップを実施
2018	Java SE 10	このバージョン以後は、試作段階の機能も提供するようになる
2018	Java SE 11（LTS）	このバージョン以後は、無償の「OpenJDK」と、商用利用が有償の「Oracle JDK」を提供
2019	Java SE 12	バージョンアップ
2019	Java SE 13	バージョンアップ
2020	Java SE 14	バージョンアップ
2020	Java SE 15	バージョンアップ
2021	Java SE 16	バージョンアップ
2021	Java SE 17（LTS）	バージョンアップ（LTS版）
2022	Java SE 18	バージョンアップ
2022	Java SE 19	バージョンアップ
2023	Java SE 20	バージョンアップ
2023	Java SE 21（LTS）	本書で使用するバージョン（LTS版）

　J2SEやJava SEの「SE」は、Javaの標準エディション（Standard Edition）を表します。他のエディションには、Webアプリケーション向けのJakarta EE（旧称は

Java EE)や、組み込みシステム向けのJava ME、ICカード向けのJava Cardがあります。本書では標準エディション(Java SE)を使います。

　ここでは、Javaには30年近くの歴史があることを学びました。次はJavaと他の言語を比較してみましょう。

🍐 **column**

Javaとコーヒー

　Javaという言葉は、「インドネシアのジャワ島」や「ジャワ産のコーヒー」を意味します。Java関連の技術にも、ジャワ島やコーヒーに関連する名前が付いたものがあります。例えば、JavaBeans(ジャバ・ビーンズ)は「コーヒー豆」で、「Jakarta EE」のJakarta(ジャカルタ)は「ジャワ島にあるインドネシアの首都」です。Javaのロゴにも、湯気を立てているコーヒーカップの絵が使われています。

▼Javaのロゴのコーヒーカップ(https://www.oracle.com/java/より)

🔥 Javaと他の言語を比較すると

　Javaとの関係が深い、いくつかのプログラミング言語について、Javaとの比較を行います。他の言語と比較することで、Javaの特長をより理解することが目的です。
　また、本書で学ぶJavaの知識は、他の言語を学ぶ際にも活かせる場合があります。逆に、他の言語を学んだことがある方は、その言語の知識をJavaの学習に活かせる場合があります。

● **C/C++(シー /シー・プラス・プラス)**
　Cは1972年、C++は1983年に登場した言語です。CとC++を合わせてC/C++とも表記します。

　C/C++の特長は、高速なプログラムが書けることと、ハードウェアの制御に適しています。C++はCを拡張した言語で、オブジェクト指向プログラミングが可能です。C/C++はOSからアプリケーションソフトウェアまで、さまざまなプログラムの開発に使われています。

　Javaの文法は、C/C++に似ています。C/C++を学んだことがあると、Javaの文法を覚えるのが容易になるでしょう。逆にJavaを学んだ後には、C/C++を習得するのも楽になります。特にC++は難解なので、Javaでオブジェクト指向プログラミングを学んでからC++に進むと理解しやすくなります。

● JavaScript（ジャバ・スクリプト）

　Javaと同時期の1995年に登場した言語です。当初はLiveScript（ライブスクリプト）という名称でしたが、Javaが話題を集めていたためJavaScriptに改称されました。JavaScriptはWebブラウザ上やWebサーバ上で動作する言語で、Webアプリケーションの開発に広く使われています。

　JavaScriptは、言語の名称には「Java」が入っていますが、文法はJavaとは異なります。一方、Javaで学んだオブジェクト指向プログラミングの知識は、JavaScriptでも役立ちます。

● Kotlin（コトリン）

　2011年に登場した言語です。KotlinはJVM（Java Virtual Machine、Java仮想マシン）と呼ばれる、Javaと共通の実行環境で動作します。KotlinはJavaと同様に、Androidアプリの開発に使えます。また、KotlinのプログラムはJavaScriptに変換できるので、Webアプリケーションの開発も可能です。

　KotlinはJavaよりも簡潔にプログラムを書くことを狙って設計されています。Javaとは文法が異なりますが、Javaで学んだオブジェクト指向プログラミングの知識は活かせます。また、KotlinからJavaの機能を呼び出せるので、Kotlinに先立ってJavaを学んでおいても損はありません。

● Scala（スカラ）

　2004年に登場した言語です。Scalaの特長は、Javaと同様にオブジェクト指向プログラミングが可能な一方で、関数型プログラミングと呼ばれる手法も使えることです。Kotlinと同様に、ScalaはJVM上で動作し、Javaの機能を呼び出せます。また、

ScalaからJavaScriptへの変換も可能です。

　Scalaが持つ関数型プログラミングの機能を使うと、大量のデータに対する処理などを簡潔なプログラムで書いたり、効率良く実行したりできます。実はJava SE 8（2014年）以降は、Javaでも似た機能が使えるようになりました。詳しくは本書のChapter15で学びます。

● Python（パイソン）

　1991年に登場した言語です。Pythonは流行の言語なので、学んだことがある方や、興味を持っている方も多いでしょう。大学の講義などでも、以前はCやJavaを学ぶことが多かったのですが、現在ではPythonを学ぶことも増えています。Pythonはいろいろな開発に使われますが、近年は特にAI（人工知能）の分野で注目されています。

　Pythonの文法はJavaとは異なりますが、Javaと同様にC/C++には似ています。また、Javaで学んだオブジェクト指向プログラミングの知識は、Pythonでも役立ちます。Pythonのプログラムは、内部ではJavaに似た方式で実行され、速度もJavaのプログラムに比較的近いと言えます。

　Javaの特長を理解するために、Javaの用途と歴史を学び、他の言語との比較も行いました。次は、Javaの特長の1つであるオブジェクト指向プログラミングとは、一体どんな手法なのかを学びましょう。

02 オブジェクト指向プログラミング とは何か

プログラミングにはいろいろな手法がありますが、その中でもオブジェクト指向プログラミングは、とても広く使われているものの1つです。オブジェクト指向プログラミングは、大規模なプログラムを開発するときに、特に役立ちます。大規模なプログラムの開発にはどんな問題があるのか、オブジェクト指向プログラミングを適用するとどんな効果があるのかを学びましょう。

大規模なプログラムを分割する

プログラムが大規模になると、プログラムの全体を把握することが難しくなります。例えば、どこでどんな処理をしているのかや、処理同士がどのように連携しているのかがわかりにくくなります。このような状態になると、プログラムに機能を追加することも、不具合を修正することも困難になってしまいます。

この問題に対処する方法の1つは、プログラムを部品に分割することです。例えば、自動車や航空機のように複雑な機械は、いくつもの部品に分割されています。これらの部品同士を結合し、連携させることによって、自動車や航空機の全体を構成しています。

プログラムも同様です。プログラムを部品に分割する1つの方法は、プログラムが含む処理を分割することです。例えば「計算」や「表示」といった、まとまった処理ごとに分割して部品にします。そして、部品化された処理同士を連携させることで、プログラムの全体を構成します。

▼プログラムが含む処理を分割する

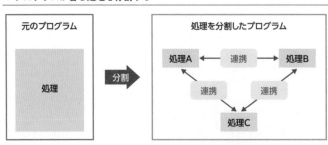

この方法を使うと、大規模なプログラムの開発にも対応できますが、実はまだ問題が残っています。プログラムが含む処理だけではなく、プログラムが扱うデータについても考える必要があります。もし、処理を分割しただけで、データを分割しないと、あちこちの処理からデータを読み書きするため、プログラムの動作を把握しにくくなってしまいます。

▼データを分割しない場合の問題

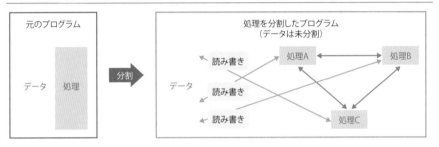

　この問題に対処する方法の1つが、オブジェクト指向プログラミングです。次はオブジェクト指向プログラミングの基本である、オブジェクトとは何かを学びます。

オブジェクトはデータと処理をカプセル化したもの

　オブジェクト指向プログラミングでは、プログラムが含む処理を分割するだけではなく、プログラムが扱うデータも分割することで、プログラムを部品に分割します。具体的には、あるデータと、そのデータに関連する処理をまとめて、オブジェクト(object)という部品にします。このように関連するデータと処理をまとめる手法を、カプセル化と呼びます。

　オブジェクトは「物体」や「対象」を意味する言葉です。Javaでは、オブジェクトに属するデータをフィールドと呼び、オブジェクトに属する処理をメソッドと呼びます。オブジェクトに属するフィールドやメソッドなどをまとめて、メンバと呼びます。

▼オブジェクトはデータと処理をまとめたもの

　オブジェクト指向プログラミングでは、部品化されたオブジェクト同士を連携させることで、プログラムの全体を構成します。処理を部品化するだけではなく、データと処理を組み合わせて部品化することで、プログラムの動作を把握しやすくすることが狙いです。

▼オブジェクト同士を連携させる

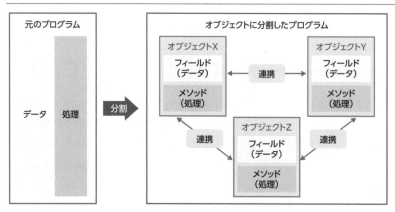

　どのようなオブジェクトを作成するのかは、プログラムによって異なります。オブジェクトによっては、フィールドだけがある（メソッドがない）場合や、メソッドだけがある（フィールドがない）場合もあります。

　例えば食品のオブジェクトならば、「名前・価格・カロリー」などのフィールドがありそうです。また、例えば図形のオブジェクトならば、「座標・サイズ・色」などのフィールドと、「拡大・縮小・回転・描画」などのメソッドがありそうです。

　このようにオブジェクトにはいろいろな種類があります。次はこれらのオブジェクトを設計するために必要な、クラスについて学びましょう。

🖱 column

オブジェクト指向プログラミングの用語

　オブジェクト指向プログラミングで使う用語は、プログラミング言語によって異なることがあります。例えばJavaでは「フィールド」と「メソッド」という用語を使いますが、C++では「メンバ変数」と「メンバ関数」、Pythonでは「インスタンス変数」と「メソッド」という用語を使います。

　もし複数の言語を学ぶ場合には、言語ごとに用語を使い分けるのがおすすめです。本書ではJavaの用語を使います。

🔥 クラスはオブジェクトの設計図

　オブジェクトにどんなフィールドやメソッドがあるのかを指定するには、クラスを使います。クラス（class）は「種類」や「階級」を意味する言葉です。「オブジェクトの種類を表すのがクラス」と理解してもよいでしょう。

　Javaプログラマは、クラスを自分で新しく書くことも、Javaが提供する既存のクラスを使うこともあります。必要なクラスを記述しつつ、あらかじめ用意されているクラスを上手に利用すると、さまざまな処理を行うプログラムを効率良く開発できます。

　クラスはオブジェクトの設計図に相当し、オブジェクトはクラスに基づいて作った製品に相当します。オブジェクトという用語は広い意味に使われるので、クラスに基づいて作ったオブジェクトのことを明確に示すために、インスタンスという用語を使います。

▼ クラスとインスタンス

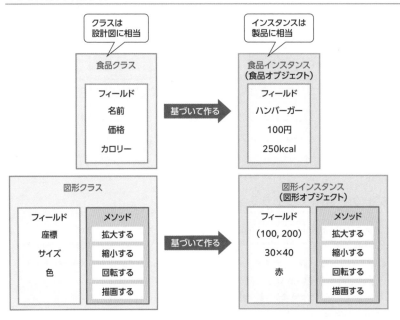

　インスタンスを作ることは、インスタンスを「生成する」と表現します。1枚の設計図から数多くの製品を生産できるように、1つのクラスから複数のインスタンスを生成できます。これらのインスタンスは、同じクラスに基づいているので、フィールドやメソッドの構成は同じです。

　フィールドの値については、インスタンスごとに異なっていても構いません。例えば図形のオブジェクトならば、「座標・サイズ・色」といったフィールドの値は、インスタンスごとに変えられます。メソッドについては、全てのインスタンスに共通です。

▼ 複数のインスタンスを生成する

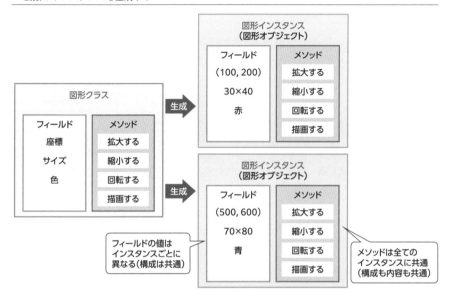

　フィールドはインスタンスごとに値が異なる可能性があるので、インスタンスごとに設置する必要があります。しかし、メソッドのプログラムは全てのインスタンスに共通なので、インスタンスごとに設置（コピー）する必要がありません。そこで、Javaを含む実際のオブジェクト指向プログラミング言語では、フィールドはインスタンスごとに設置し、メソッドのプログラムは1箇所だけに設置して、このプログラムを各インスタンスに適用する方式を採用しています。

▼ 実際のインスタンスの構造

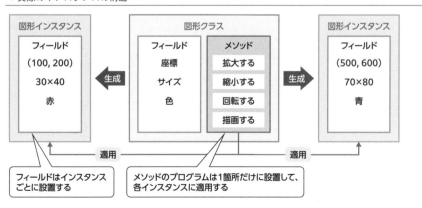

　オブジェクト指向プログラミングにはいろいろな概念がありますが、その中でも最も基本的で重要な、オブジェクト・フィールド・メソッド・クラス・インスタンスについて学びました。他の概念については、本書のChapter8〜10で詳しく学びます。次はJavaプログラムが動く仕組みを学びましょう。

 column

オブジェクト指向プログラミングと生物の分類

　クラスという言葉は、生物の分類における階級の1つである「綱」も意味します。綱の例としては、哺乳綱・鳥綱・両生綱・昆虫綱などがあります。実はオブジェクト指向プログラミングには、生物の分類から着想したと思われるアイディアが、数多く含まれています。

03 Javaプログラムが動く仕組み

Javaには、同じプログラムがいろいろな環境で動くという特長があります。この特長がどんな方法で実現されているのかを知るために、Javaプログラムが動く仕組みを学びましょう。

多くのプログラムは特定の環境で動く

私たちが普段使っているソフトウェアの多くは、特定の環境で動くように作られており、いろいろな環境では動きません。例えばWebブラウザやゲームといったソフトウェアは、WindowsやmacOSといった環境ごとに、別々のプログラムが提供されています。Windows用のプログラムをmacOSで動かしたり、macOS用のプログラムをWindowsで動かしたりすることは、エミュレータ（他の環境を再現するためのソフトウェア）などを使わない限り、通常は不可能です。

▼多くのプログラムは特定の環境で動く

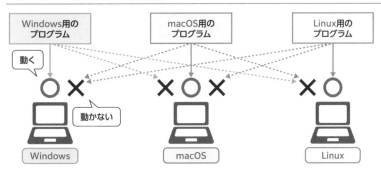

プログラムが特定の環境以外で動かないことには、いくつかの理由があります。1つの理由は、プログラムが特定のCPU（Central Processing Unit、中央処理装置）用に作られているためです。例えばC/C++などで書かれたプログラムは、機械語（CPUが直接実行できる言語）のプログラムに変換されてから、提供されます。あるCPU用の機械語プログラムは、別のCPUでは動きません。例えば、Intel（インテル）社のCPU用の機械語プログラムを、Apple（アップル）社のCPUでそのまま動かすことはできません。

▼ プログラムは特定のCPUで動く

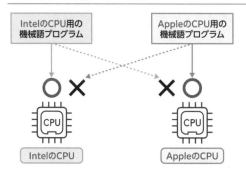

　もう1つの理由は、プログラムが特定のOS向けに作られているためです。例えば、Windows用に書かれたプログラムは、Windowsに特有の機能を呼び出しています。仮にCPUが一致していても、このプログラムはmacOSやLinuxでは動きません。macOSやLinuxには、Windowsに特有の機能がなかったり、似た機能があっても呼び出しの方法が異なるためです。

▼ プログラムは特定のOSで動く

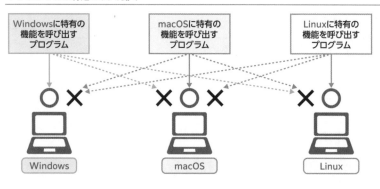

　このように特定のCPUやOSで動くように作られたプログラムには、CPUやOSごとの特性を活用できるという利点があります。一方、プログラムを開発する側としては、環境別にプログラムを開発する必要があるので、開発の負担が大きくなるという欠点もあります。

　多くのプログラムは特定の環境以外では動かない、ということを学びました。次は、Javaプログラムがなぜいろいろな環境で動くのか、その仕組みを学びましょう。

Javaプログラムはいろいろな環境で動く

　Javaプログラムはいろいろな環境で動きます。同じプログラムを異なる環境で動かすためには、CPUやOSの違いを乗り越える必要があります。Javaでは、JVM（Java Virtual Machine、Java仮想マシン）というソフトウェアを使って、CPUやOSの違いを克服します。

　C/C++などのプログラムは、コンパイラというソフトウェアを使って、記述したプログラムを機械語プログラムにコンパイル（変換）します。一方、Javaプログラムは、Javaコンパイラというソフトウェアを使って、Javaバイトコードにコンパイルします。

　機械語プログラムはCPUが直接実行できます。一方、JavaバイトコードはCPUが直接実行できないので、JVMが解釈して実行します。Javaバイトコードは、JVMという仮想的なCPU向けの機械語プログラムだとも言えます。

▼機械語とJavaバイトコードの違い

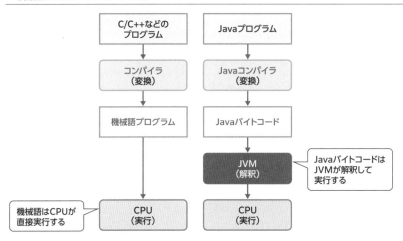

　JVM自体は一般に機械語プログラムなので、CPUが直接実行できます。いろいろなCPUやOSごとに別々のJVMが提供されていて、これらのJVMがCPUやOSの違いを吸収するので、Javaプログラムはいろいろな環境で動きます。Javaのこのような性質については、「write once, run anywhere」（一度書けば、どこでも動く）というキャッチフレーズで語られています。

▼Javaプログラムはいろいろな環境で動く

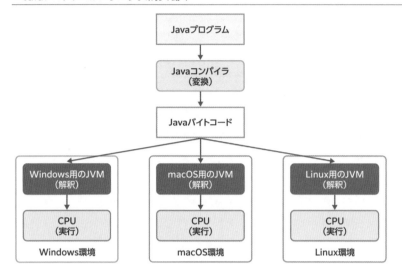

　なお、JVMを使うKotlinやScalaのプログラムも、いろいろな環境で動きます。
これらのプログラムは、各言語用のコンパイラを使ってJavaバイトコードに変換し
た後に、JVMを使って実行します。

▼JVMを使う言語のプログラムはいろいろな環境で動く

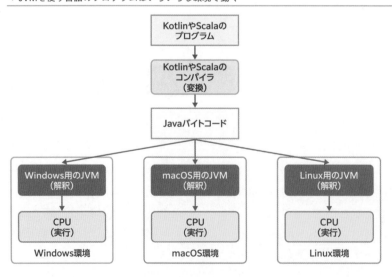

一方、Android用のJavaプログラムは、いろいろな環境では動きません。Androidでは JVM のかわりに、ART（Android Runtime、Androidランタイム）と呼ばれる独自のソフトウェアを使います。AndroidアプリはJavaを使って開発できますが、実行用のソフトウェアが独自で、ライブラリ（プログラムがよく使う処理を集めたソフトウェア）も独自なので、通常のJavaプログラムとは互換性がありません。

ここでは、Javaプログラムがいろいろな環境で動く仕組みを学びました。次は、Javaプログラムを動かすためには、どんなソフトウェアが必要なのかを学びましょう。

コンパイラとインタプリタ

機械語のようにハードウェアに近いプログラミング言語のことを、低水準言語と呼びます。一方、Javaのように人間が読み書きしやすいプログラミング言語のことを、高水準言語と呼びます。C/C++・JavaScript・Kotlin・Scala・Pythonなども、高水準言語に分類されます。

高水準言語で書かれたプログラムを実行するには、コンパイラやインタプリタと呼ばれるソフトウェアを使います。プログラミング言語によって、コンパイラ方式を採用するか、インタプリタ方式を採用するかが異なります。

コンパイラは、高水準言語で書かれたプログラムを、「機械語プログラムやバイトコードに変換」するソフトウェアです。コンパイラによる変換処理のことは、コンパイルと呼びます。コンパイラ方式の利点は、機械語プログラムに変換した場合はCPUが直接実行できるため、処理が高速なことです。

インタプリタは、高水準言語で書かれたプログラムを、「解釈しながら実行する」ソフトウェアです。インタプリタ方式の利点は、コンパイルの作業が不要なので、プログラムを手軽に実行できることです。

Javaはコンパイラとインタプリタを組み合わせたような方式を採用しています。JavaプログラムをJavaコンパイラでJavaバイトコードに変換した後に、JVMが解釈して実行します。JVMはJavaバイトコードのインタプリタだと言えます。

▼コンパイラとインタプリタ

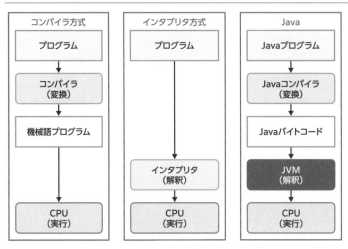

　なお、コンパイラやインタプリタに入力するプログラムのことを、ソースプログラムやソースコードと呼びます。これらをファイルに保存したものは、ソースファイルと呼びます。

Javaプログラムを動かすために必要なソフトウェア

　Javaプログラムを動かすには、前述のようにJavaコンパイラやJVMが必要です。これらを導入するには、次のソフトウェアをインストールします。

● JRE（Java Runtime Environment、Java実行環境）

　JREは、Javaプログラムを実行するために必要なソフトウェア群です。コンパイル済みのJavaバイトコードを実行したい場合には、JREをインストールすれば十分です。JREにはJVMや各種のライブラリが含まれています。

● JDK（Java Development Kit、Java開発キット）

　JDKは、Javaプログラムを開発するために必要なソフトウェア群です。JREに加えて、Javaプログラムをコンパイルするためのコンパイラや、開発に役立つ各種のツールが含まれています。

本書では既存のJavaプログラムを動かすだけではなく、新規にJavaプログラムを開発するので、JDKをインストールします。JDKに含まれているJavaコンパイラを使ってJavaプログラムをコンパイルし、JVMを使ってJavaバイトコードを実行します。

ここでは、Javaプログラムがなぜいろいろな環境で動くのか、その仕組みを学びました。次はJavaの開発環境である、JDKをインストールしましょう。

🖱 column

サンプルファイルの使い方

本書のサンプルファイルは、以下のWebページからダウンロードできます。

サンプルファイルのダウンロード
`URL` https://www.sbcr.jp/support/4815617805/

サンプルファイルの各フォルダには、本書に掲載したサンプルプログラムが収録されています。サンプルファイルはZIP形式で圧縮されているので、任意のフォルダに展開して利用してください。展開方法は次の通りです。

● Windows
ダウンロードしたサンプルファイル（JavaSample.zip）を、エクスプローラで開きます。その中にあるJavaSampleフォルダをコピーした後に、任意のフォルダに貼り付けます。

● macOS
ダウンロードしたサンプルファイル（JavaSample.zip）を、Finder（ファインダー）で開きます。展開に成功すると、サンプルファイルと同じ場所にJavaSampleフォルダが作成されます。

● Linux
ダウンロードしたサンプルファイル（JavaSample.zip）を保存したフォルダで、ターミナルを使って「**unzip download.zip**」を実行します。展開に成功すると、サンプルファイルと同じ場所にJavaSampleフォルダが作成されます。

04 開発環境をインストールする

Javaプログラムを開発するために、JDKをインストールしましょう。JDKにはオラクル社が提供する「OpenJDK」や「Oracle JDK」だけではなく、他社が提供するJDKもあります。

本書では無償で利用できる**OpenJDK**（オープンJDK）を使用します。お使いのOS（Windows/macOS/Linux）ごとに、以下の手順に沿ってJDKをインストールしてください。

JDKのインストール（Windows）

Windowsの場合は、次の手順でJDK（バージョン21）をインストールしてください。もし、他のバージョンのJDKをインストールしたい場合は、以下のURLやパス（ファイルやフォルダの場所を表す文字列）に含まれる「21」の部分を、該当するバージョン番号に変えてください。

①JDKのダウンロード

WebブラウザでOpenJDKのダウンロードページを開き、「Builds」以下にある「Windows/x64」の「zip」をクリックします。なお、他のバージョンを入手したい場合は、ページ左上の「GA Releases」に一覧があります。

OpenJDKのダウンロードページ
URL https://jdk.java.net/21

▼ OpenJDKのダウンロード（Windows）

①Windows/x64
のzipをクリック

●②JDKの展開

　ダウンロードしたファイルをエクスプローラなどで開き、その中にある「jdk–21
…」（…はバージョン番号）フォルダをコピーして、Cドライブの直下に貼り付けて
ください。なお、貼り付け先は変更することもできます。

　貼り付け後に、以降の作業を簡単にするために、貼り付けたフォルダの名前を
「jdk–21…」から「jdk–21」に変更してください。

●③環境変数の作成

　スタートメニューで「env」または「環境」を検索し、表示された「環境変数を編集」
をクリックして、「環境変数」ダイアログを開きます。

　「ユーザー環境変数」の「新規」をクリックして、「新しいユーザー変数」ダイアロ
グを開きます。そして、「変数名」に「JAVA_HOME」、「変数値」に「c:¥jdk–21」と
入力し、「OK」をクリックします。②で貼り付け先を変更した場合は、「c:¥jdk–21」
を貼り付け先のパスに変更してください。

▼ 環境変数の作成

● ④パスの設定

　「ユーザー環境変数」で「Path」を選択した状態で「編集」をクリックして、「環境変数名の編集」ダイアログを開きます。

　「環境変数名の編集」ダイアログで「新規」をクリックして、「%JAVA_HOME%¥bin」と入力してから、「上へ」を繰り返しクリックして、「%JAVA_HOME%¥bin」を最上段に移動してください。最後に「OK」をクリックします。

▼Path環境変数の編集

「ユーザー環境変数」に「Path」がない場合は、「新規」をクリックして、「新しいユーザー変数」ダイアログを開きます。「変数名」に「Path」、「変数値」に「%JAVA_HOME%bin」と入力し、「OK」をクリックします。

⑤動作の確認

　インストールしたJDKの動作を確認します。スタートメニューで「cmd」を検索し、表示された「コマンドプロンプト」をクリックして、コマンドプロンプトを起動します。

　コマンドプロンプトで「**java -version**」と「**javac -version**」を実行します（コマンドを入力して Enter キーを押す）。インストールしたJDKのバージョン番号が表示されたら成功です。表示されない場合は②に戻って、手順を再実行してください。また、パソコンの再起動をお試しください。

▼バージョン番号の確認（Windows）

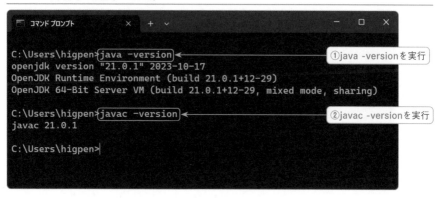

```
C:\Users\higpen>java -version        ①java -versionを実行
openjdk version "21.0.1" 2023-10-17
OpenJDK Runtime Environment (build 21.0.1+12-29)
OpenJDK 64-Bit Server VM (build 21.0.1+12-29, mixed mode, sharing)

C:\Users\higpen>javac -version        ②javac -versionを実行
javac 21.0.1

C:\Users\higpen>
```

column

\と¥

　歴史的な経緯から、\（バックスラッシュ）と¥（円記号）には、同じ文字コード（コンピュータが文字を識別するための数値）が割り当てられています。フォントの設定によって、\が表示される場合と¥が表示される場合がありますが、文字コードが同じなので、どちらも同じ文字として扱われます。例えば「c:\jdk-21」というパスは、「c:¥jdk-21」というパスと同じです。

　本書では主に「\」を使います。お使いのテキストエディタやコマンドプロンプトなどで「¥」が表示される場合は、「\」の部分を「¥」に読み替えてください。

column

Windowsの環境変数を編集せずにJDKを使う

　お使いのパソコンによっては、Windowsの環境変数を編集したくない場合もあるでしょう。この場合は、以下の手順でJDKをインストールしてください。

■1 「JDKのインストール（Windows）」の手順①に沿ってJDKをダウンロードし、手順②に沿って展開し、フォルダ名を変更します。

■2 本書のサンプルファイルをダウンロードし、エクスプローラで開きます。「JavaSample」フォルダにある「jdk.bat」ファイルをコピーした後に、JDKを展開したフォルダ（バージョン21の場合は、Cドライブの「jdk-21」フォルダ）に貼り付けます。

3 貼り付けた「jdk.bat」を、エクスプローラでダブルクリックして実行します。「jdk」というタイトルのコマンドプロンプトが起動すれば成功です。

4 開いたコマンドプロンプトで、「**java -version**」と「**javac -version**」を実行します。インストールしたJDKのバージョン番号が表示されたら成功です。

5 以後はこのコマンドプロンプトを、Javaプログラムのコンパイルや実行にお使いください。

上記のjdk.batは、一時的に環境変数を設定するバッチファイル（コマンドプロンプトで実行するコマンドを並べたファイル）です。設定はjdk.batで起動したコマンドプロンプトに対してのみ有効で、Windows全体には影響が及ばないので、安心してお使いください。

JDKのインストール（macOS）

macOSの場合は、次の手順でJDK（バージョン21）をインストールしてください。もし、他のバージョンのJDKをインストールしたい場合は、以下のURLやパス（ファイルやフォルダの場所を表す文字列）に含まれる「21」の部分を、該当するバージョン番号に変えてください。

①JDKのダウンロード

WebブラウザでOpenJDKのダウンロードページを開き、「Builds」以下にある「macOS/AArch64」（Appleシリコン用）または「macOS/x64」（Intelプロセッサ用）の「tar.gz」をクリックします。お使いのMacに合う方をクリックしてください。なお、他のバージョンを入手したい場合は、ページ左上の「GA Releases」に一覧があります。ダウンロードしたファイルは、ホームフォルダ（ホームディレクトリ）に保存してください。

OpenJDKのダウンロードページ
URL https://jdk.java.net/21

▼OpenJDKのダウンロード（macOS）

● ②JDKの展開

　以後の作業はターミナルで行います。Spotlight（ ⌘ ＋ Space キー）で「terminal」を検索し、ターミナルを起動してください。

　ターミナルで「**tar xvf openjdk….tar.gz**」を実行してください（コマンドを入力して Enter キーを押す）。「openjdk….tar.gz」の部分は、ダウンロードしたファイル名に合わせる必要がありますが、ファイル名の補完機能を利用するのがおすすめです。「openjdk」と入力して Tab キーを押すと、ファイル名が自動的に補完されます。

● ③展開したJDKのインストール

　「**sudo mv jdk….jdk /Library/Java/JavaVirtualMachines**」を実行してください。「jdk….jdk」（…はバージョン番号）の部分は、ファイル名の補完機能を利用して入力します。もしパスワードの入力を求められたら、macOSのパスワードを入力してください。

● ④動作の確認

　インストールしたJDKの動作を確認します。「**java -version**」と「**javac -version**」を実行してください。

インストールしたJDKのバージョン番号が表示されたら成功です。表示されない場合は②に戻って、手順を再実行してください。また、パソコンの再起動をお試しください。

▼バージョン番号の確認（macOS）

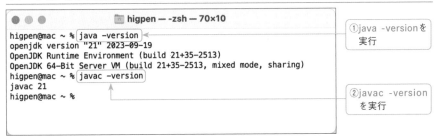

JDKのインストール（Linux）

Linuxの場合は、ディストリビューション（配布形態）によって、JDKのインストール方法が異なります。以下ではUbuntu（ウブントゥ）用の手順を説明します。手順の確認には、Ubuntu on WSL2（Windows Subsystem for Linux）を使いました。Ubuntuのバージョンは22.04、JDKのバージョンは21です。

●①パッケージ一覧のアップデート

作業は全てターミナルで行います。最初にターミナルを起動してください。

インストール可能なパッケージの一覧をアップデートします。「**sudo apt update**」を実行してください（コマンドを入力して Enter キーを押す）。もしパスワードの入力を求められたら、Linuxのパスワードを入力します。

●②パッケージの更新

インストール済みのパッケージを更新します。「**sudo apt upgrade -y**」を実行してください。この作業には時間がかかることがあります。

●③JDKのインストール

JDK（バージョン21）をインストールします。「**sudo apt install -y openjdk-21-jdk**」を実行してください。もし、他のバージョンのJDKをインストールしたい

場合は、「21」の部分を変更して実行します。

　利用可能なJDKのバージョンは、Ubuntuのバージョンによって異なります。こ
こでエラーが表示された場合は、バージョン番号を変更したうえで再実行してくだ
さい。利用可能なバージョンの一覧は、「sudo apt search --names-only
'openjdk-.*-jdk$'」を実行すると表示できます。

● ④動作の確認

　インストールしたJDKの動作を確認します。「java -version」と「javac -version」
を実行してください。インストールしたJDKのバージョン番号が表示されたら成功
です。表示されない場合は③に戻って、手順を再実行してください。

▼バージョン番号の確認（Linux）

使いやすい開発環境を選ぶ

　JDK以外に必要なのは、Javaプログラムを編集するためのテキストエディタです。
文字エンコーディングのUTF-8に対応したテキストエディタを用意してください。
普段お使いのテキストエディタがUTF-8に対応している場合は、そのまま使っても
大丈夫です。手元に適切なテキストエディタがない場合は、Windowsのメモ帳、
macOSのテキストエディット、Linuxのvi（vim）なども使えます。

　高機能な統合開発環境を使う方法もありますが、本書ではシンプルにテキストエ
ディタとJDKを使って、Javaプログラムを開発する方法を紹介します。他の開発環
境としては、例えば以下のような選択肢があります。インストール方法や使用方法
の詳細は、各製品のWebサイトなどを参照してください。本書で学んだJavaの知識
は、いずれの開発環境でも活用できます。

● Eclipse（エクリプス、イクリプス）

EclipseはJavaプログラムの開発に、長年使われてきた統合開発環境です。Java
プログラムの編集や実行に加えて、入力補完やデバッグなどの機能も備えています。
以下のWebサイトから、無償でダウンロードできます。

Eclipse Foundation
URL https://www.eclipse.org/

● Pleiades（プレアデス）

PleiadesはEclipseの日本語版です。いろいろな機能を拡張するプラグインや、
JDKが同梱されていて、手軽に開発を始められます。以下のWebサイトから、無償
でダウンロードできます。

MergeDoc Project
URL https://willbrains.jp/

● Visual Studio Code（ビジュアル・スタジオ・コード、VS Code）

Microsoft（マイクロソフト）社が提供するVisual Studio Codeは、各種のプログ
ラミング言語に対応したテキストエディタです。テキストエディタの機能に加え
て、プログラムの実行・入力補完・デバッグといった、統合開発環境のような機能
も備えています。以下のWebサイトから、無償でダウンロードできます。

Visual Studio Code
URL https://code.visualstudio.com/

column

文字コードと文字エンコーディング

　文字コードと文字エンコーディングは近い概念なのですが、少し意味が異なります。文字コードとは、コンピュータで文字を扱うために、文字に対して割り当てた数値のことです。文字エンコーディングとは、文字コードをコンピュータで実際に扱うデータにする方法のことです。

　半角の英数字や記号を表すためには、ASCII（アスキー）という文字コードを使います。日本語の漢字や仮名なども含めた、世界中のいろいろな文字を統一的に扱うには、Unicode（ユニコード）という文字コードが便利です。Unicodeについては、UTF-8・UTF-16・UTF-32という複数の文字エンコーディングがあります。

　本章ではJavaを学ぶための準備として、Javaの特長を知り、オブジェクト指向プログラミングとは何かを学びました。また、Javaプログラムが動く仕組みを学び、開発環境のJDKをインストールしました。

　次章ではいよいよ、最初のJavaプログラムを作成して実行します。

Chapter 2

Javaプログラミングを
始めよう

開発環境の準備もできたので、さっそくJavaプログラムを書いてみましょう。まずは簡単なJavaプログラムを入力し、実行してみます。Windows/macOS/Linuxの各環境について、コンパイルと実行の方法を説明します。

次は、最初のプログラムを題材に、Javaプログラムの基本形を解説します。クラスの宣言、mainメソッドの宣言、値の出力、インデントについて学びます。

続いて、最初のプログラムを改造してみましょう。複数の文を並べたり、日本語を出力したり、コメントを書いたりしてみます。改造を通じて、Javaプログラムに対する理解を深めることが目的です。

最後に、コンパイルや実行の際に発生する、エラーや警告への対処法を紹介します。問題に落ち着いて対処できれば、プログラミングがとてもスムーズに進みます。

本章の学習内容

- ❶ Javaプログラムのコンパイルと実行
- ❷ クラスとmainメソッドの宣言
- ❸ 値の出力
- ❹ インデント
- ❺ 日本語の扱い方
- ❻ コメント
- ❼ エラーや警告への対処法

最初のJavaプログラムを
実行する

Javaプログラムを入力し、実行してみましょう。ここで入力するのは、「Hello」と出力（表示）するだけの、とても簡単なプログラムです。コンパイルにはJavaコンパイラ（javacコマンド）を使い、実行にはJVM（javaコマンド）を使います。

Javaプログラムの入力と保存

Javaプログラムを入力し、ファイルに保存してみましょう。Javaプログラムのソースファイル（コンパイルする前のファイル）は、拡張子を「.java」にします。

入力にはテキストエディタを使います。**問題❶ 以下のプログラムを入力し、「Hello.java」というファイル名で保存**してください。入力を省略したい場合は、サンプルファイルのchapter2フォルダにある「Hello.java」を使っても大丈夫です。

▼Hello.java

```
1  public class Hello {
2      public static void main(String[] args) {
3          System.out.println("Hello");
4      }
5  }
```

ここでは、次のフォルダに保存するものとします。他のフォルダに保存する場合には、以後の説明におけるフォルダ名を、保存先のフォルダ名に変えてください。

Windows：デスクトップの「JavaSample\chapter2」フォルダ
macOS/Linux：ホームフォルダの「JavaSample/chapter2」フォルダ

上記のプログラムを入力する際には、次の点に注意してください。

● **半角文字で入力する**
日本語入力機能をオフにして、全て半角文字で入力します。

● **英字の大文字と小文字を区別する**
大文字と小文字を正確に区別して、本書の通りに入力します。

● 括弧の種類を区別する

（）（丸括弧、小括弧）、{}（波括弧、中括弧）、[]（角括弧、大括弧）を正確に区別
して、本書の通りに入力します。

　行頭にあるインデント（字下げ）は、タブ（ Tab キー）か空白（ Space キー）を使っ
て入力します。本書ではインデントの入力にタブを使い、タブ1個あたり半角空白4
個分の幅で掲載しています。タブや空白の個数は任意なので、完全に本書の通りに
入力しなくても大丈夫です。インデントの詳細については後述します。

　プログラムの入力と保存ができたら、次はコンパイルと実行に進みましょう。

Javaプログラムのコンパイルと実行

　入力したプログラムをコンパイルし、実行してみましょう。コマンドプロンプト
（Windows）やターミナル（macOS/Linux）を使って、以下の手順で操作します。今
回のプログラムにおけるファイル名（Hello.javaなど）や操作方法も、あわせて図示
しました。

▼Javaプログラムのコンパイルと実行

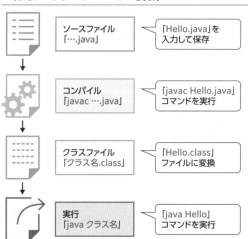

　Javaプログラムをコンパイルするには、ソースファイル（….java）を保存したフォ
ルダで、コマンドプロンプトやターミナルを使って、javacコマンドを実行します。
「javac」の後にはソースファイルを指定してください。「Hello.java」ファイルをコ

ンパイルする場合は、「**javac Hello.java**」とします。

▌ Javaプログラムのコンパイル

```
javac ソースファイル名
```

エラーが表示されなければ、コンパイルは成功です。成功した場合は、ソースファイルと同じフォルダに、「クラス名.class」というクラスファイルが生成されます。このクラスファイルには、Javaバイトコードが書き込まれています。

コンパイルに失敗した場合は、エラーが表示され、クラスファイルは生成されません。典型的なエラーへの対処法は、本章の最後で紹介します。

「クラス名.class」のクラス名は、Javaプログラムで宣言したクラスの名前です。クラスの宣言については後述します。「Hello.java」の場合は「Hello」クラスを宣言しているので、「Hello.class」というクラスファイルが生成されます。

コンパイルに成功したら、Javaプログラムを実行できます。実行するには、クラスファイルと同じフォルダで、コマンドプロンプトやターミナルを使って、javaコマンドを実行します。

▌ Javaプログラムの実行

```
java クラス名
```

指定するのはクラス名だけで、拡張子の「.class」は付けないことに注意してください。「Hello.class」の場合は、クラス名の「Hello」だけを指定して、「**java Hello**」とします。

実際に「Hello.java」をコンパイル・実行してみましょう。お使いのOS（Windows/macOS/Linux）ごとに、まずは以下の手順に沿って、コマンドプロンプトやターミナルの準備をしてください。

コマンドプロンプトの準備（Windows）

Windowsでは、コンパイルと実行にコマンドプロンプトやPowerShellを使います。本書ではコマンドプロンプトを使いますが、PowerShellでも操作方法はほぼ同じです。

コマンドプロンプトの準備には、いくつかの方法があります。次の方法の中から、操作しやすい方法を選んで使ってください。以下はいずれも、デスクトップの「JavaSample\chapter2」フォルダに「Hello.java」を保存した場合の操作方法です。

もし、以下の方法が上手く動作しない場合は、お使いの環境に合わせてフォルダ名などを調整してみてください。

● 方法①

1 スタートメニューで「cmd」を検索し、コマンドプロンプトを起動します。

2 コマンドプロンプトで「**cd Desktop\JavaSample\chapter2**」を実行します。cd (change directory) は、カレントディレクトリ (作業中のフォルダ) を変更するコマンドです。

● 方法②

1 「Hello.java」を保存したフォルダを、エクスプローラで開きます。

2 右クリックメニューの「ターミナルで開く」を実行し、ターミナル (コマンドプロンプトまたはPowerShell) を起動します。

● 方法③(本書の「jdk.bat」を使う場合)

1 本書のサンプルファイルの「JavaSample」フォルダにある「jdk.bat」を実行し、コマンドプロンプトを起動します。

2 コマンドプロンプトで「**cd Desktop\JavaSample\chapter2**」を実行します。

　以下はコンパイルと実行の準備ができたコマンドプロンプトです。「C:\Users\ユーザ名\Desktop\JavaSample\chapter2>」のような、プロンプト (入力を促す文字列) に注目してください。プロンプトにはカレントディレクトリが表示されています。このカレントディレクトリが、ソースファイル (今回はHello.java) を保存したフォルダと一致している必要があります。

▼ 準備ができたコマンドプロンプト

これでコマンドプロンプトの準備は完了です。コンパイルと実行に進んでください。

ターミナルの準備 (macOS/Linux)

macOS/Linuxでは、コンパイルと実行にターミナルを使います。次のように操作して、ターミナルの準備をしてください。以下は、ホームフォルダの「JavaSample/chapter2」フォルダに「Hello.java」を保存した場合の操作方法です。

1 ターミナルを起動します。

2 ターミナルで「**cd JavaSample/chapter2**」を実行します。cd (change directory) は、カレントディレクトリ (作業中のフォルダ) を変更するコマンドです。

これでターミナルの準備は完了です。コンパイルと実行に進んでください。

コンパイルと実行 (Windows/macOS/Linux)

コマンドプロンプトやターミナルを使って、プログラムをコンパイル・実行しましょう。javacコマンドでHello.javaをコンパイルし、javaコマンドで実行してください。次のように「Hello」と出力されれば成功です。なお、本書の実行例では、表記を簡単にするために、プロンプトを「>」だけで示しています。

```
> javac Hello.java    ← コンパイル(javacコマンド)
> java Hello          ← 実行(javaコマンド)
Hello                 ← Javaプログラムの出力
```

もし、コンパイル (javacコマンド) の後にエラーが表示されたら、Hello.javaを修正してください。本書に掲載したHello.javaや、サンプルファイルに収録したHello.javaと比較して、異なる箇所を修正します。修正後にHello.javaを上書き保存したら、再びコンパイルと実行を試みてください。

Javaプログラムを入力・保存・コンパイル・実行する方法を学びました。次は、このHello.javaを題材に、Javaプログラムの基本形を学びましょう。

02 Javaプログラムの基本形を読み解く

　Javaプログラムの基本形を学びましょう。Javaプログラムには、クラスの宣言や、mainメソッドの宣言が含まれています。プログラムで値を出力する方法や、プログラムを見やすくするためのインデントについても学びます。

　以下にHello.javaを再掲します。各行の意味を、順に詳しく読み解いてみましょう。

▼Hello.java（再掲）

```
1  public class Hello {
2      public static void main(String[] args) {
3          System.out.println("Hello");
4      }
5  }
```

クラスの宣言

　クラスはオブジェクトの設計図に相当します（Chapter1）。クラスの詳細な内容を記述することを、Javaでは「クラスを宣言する」と表現します。一般にJavaプログラムを書くときには、クラスを宣言する必要があります。

　Hello.javaの1行目にある「public class Hello…」は、Helloクラスの宣言です。クラスの宣言は、class（クラス）というキーワード（プログラミング言語において特別な意味を持つ語句）を使って、以下のように書きます。クラスの内部には、フィールドやメソッドなどの宣言を書きます。

クラスの宣言

```
public class クラス名 {
    宣言
    …

}
```

　classの前にあるpublic（パブリック）は、アクセス修飾子の一種です。アクセス修飾子には、クラス・フィールド・メソッドなどが利用可能な範囲を決める働きがあります。アクセス修飾子の詳細はChapter8とChapter12で学びます。

　上記のクラス宣言と、Hello.javaを見比べてみてください。Hello.javaの全体が、Helloクラスの宣言になっています。このように、1個のソースファイル（….java）に1個のクラスを宣言し、ファイル名を「クラス名.java」とするのが基本です。

　1個のソースファイルに複数個のクラスを宣言することも可能ですが、本書ではクラスごとにソースファイルを分けることにします。その方が、どのソースファイルでどのクラスを宣言しているのかが明確になり、どのソースファイルをコンパイルすればよいのかもわかりやすくなるからです。

　一般にJavaプログラムは、1個または複数個のクラスから構成されます。本書ではしばらくの間（Chapter7まで）、ソースファイルが1個だけで、クラスも1個だけのシンプルなJavaプログラムを書きます。

　クラスを宣言する方法を学びました。次はクラスの中にある、mainメソッドの宣言について学びます。

mainメソッドの宣言

　Hello.javaの2行目にある「public static void main…」は、main（メイン）メソッドの宣言です。mainメソッドは、クラスの宣言の中で、以下のように宣言します。

▌mainメソッドの宣言

```
public class クラス名 {
    public static void main(String[] args) {
        宣言や文
        …
    }
}
```

　mainメソッドは、クラスを実行したときに最初に実行されるメソッドです。javaコマンドで実行するクラスには、mainメソッドを宣言する必要があります。

　mainの前にあるpublicとstaticは、いずれも修飾子です。Javaではこのように、クラス・フィールド・メソッドなどに対していろいろな修飾子を付けることにより、対象の性質を変更します。static（スタティック）には、メソッドをクラスメソッド（クラスに属するメソッド）にする働きがあります。クラスメソッドの詳細はChapter8で学びます。

　mainの前にあるvoid（ボイド）は、mainメソッドの戻り値です。戻り値とはメソッドが返すデータのことです。voidは戻り値が無いことを表します。戻り値の詳細はChapter3で学びます。

　mainの後にある()の中は、mainメソッドの引数です。引数とはメソッドに渡すデータのことです。mainメソッドの引数は「String[] args」で、これは文字列の配列を表します。引数と文字列の詳細はChapter3で、配列の詳細はChapter7で学びます。

　{と}で囲まれた部分はブロックと呼びます。ブロックの内部には宣言や文を書きます。宣言や文は複数行にわたって書くことができ、上の行から順に実行されます。

　文というのは、プログラムを構成する部品の一種で、処理の断片です。式を評価（計算）する文、条件に応じて処理を分岐する文、条件に応じて処理を繰り返す文など、いろいろな種類の文があります。文はステートメント（statement）とも呼ばれます。

　上記のmainメソッドの宣言と、Hello.javaを見比べてみてください。Hello.javaの2〜4行目が、mainメソッドです。Hello.javaの場合は、3行目の「System.out.println("Hello");」が、mainメソッドの中に書かれた文です。

　Hello.javaのように、クラスを宣言し、その中でmainメソッドを宣言するのが、Javaプログラムの基本形です。本書ではしばらくの間、この基本形を使います。1個のクラスに複数のメソッドを宣言することも可能ですが、その方法はChapter8で学びます。

　クラスやmainメソッドの宣言は、どのプログラムでも似たような記述になります。プログラムを手作業で入力する場合は、前に書いたプログラムをコピーして手直しすると、入力が楽になるのでおすすめです。

　mainメソッドを宣言する方法を学びました。次はmainメソッドの中で行う処理について学びます。

column

プログラムを唱えて覚えよう

　小さな声でも構わないので、プログラムを唱えながら読み書きすると、覚えやすくなります。唱えるためには、読み方を知っておくことが重要です。

　プログラムには英単語だけではなく、略語も含まれているので、読み方には複数の流儀があります。本書では読み方の一例を紹介するので、自分が唱えやすい読み方を探してみてください。

　Helloクラスの宣言については、例えば以下のように読みます。

パブリック　クラス　ハロー
　public　　　class　　Hello

　mainメソッドの宣言については、例えば以下のように読みます。

パブリック　スタティック　ボイド　メイン
　public　　　static　　　void　main

　mainメソッドの引数は、例えば以下のように読みます。argsはarguments（アーギュメンツ、引数）の略です。

ストリング　かっこかっこ　アーグズ
　　　String[]　　　　　　args

　括弧については、Javaでは以下の4種類を使います。種類を区別する必要がないときは一括して「かっこ」、区別する必要があるときは「まるかっこ」や「なみかっこ」などと読めばよいでしょう。また、括弧の開きと閉じを区別する必要がある場合は、「かっこひらき」や「かっことじ」などと読めばよさそうです。

▼括弧の種類

記号	名称
( )	丸括弧（まるかっこ）、小括弧（しょうかっこ）
{ }	波括弧（なみかっこ）、中括弧（ちゅうかっこ）
[ ]	角括弧（かくかっこ）、大括弧（だいかっこ）
< >	山括弧（やまかっこ）

値を出力する

Hello.javaの3行目にある「System.out.println("Hello");」は、式を評価（計算）する文で、式文と呼ばれます。式文の末尾には、このように;（セミコロン）を書く必要があります。

式文には、演算子（Chapter3）、変数（Chapter4）、メソッド呼び出し（Chapter3）などを含む式が書けます。上記の式文では、式としてメソッド呼び出しを書いています。メソッドはオブジェクトに属する処理です（Chapter1）。

メソッドを実行することを、Javaでは「メソッドを呼び出す」と表現します。Javaでは、あらかじめ用意されたメソッド、あるいは自分で宣言したメソッドを呼び出すことで、さまざまな処理を行います。

上記の式文では、System.out.println（システム・アウト・プリントエルエヌ）という、画面に値を出力するメソッドを呼び出しています。このメソッドは、あらかじめ用意されたメソッドです。printlnのprint（プリント）は出力を、lnはline（ライン、行）を意味します。System.out.printlnメソッドは、値を出力した後に改行するメソッドです。

System.out.printlnに含まれる.（ドット）は、オブジェクトに属するフィールドやメソッドを利用するための記号です。System.out.printlnの場合は、「System、に属するout、に属するprintln」を意味します。SystemはJavaが提供しているクラスの1つで、画面への出力、キーボードからの入力、環境変数の取得、現在時刻の取得といった、多くのプログラムが使う基本的な機能を備えています。.を使ったフィールドやメソッドの利用については、Chapter3やChapter8で詳しく学びます。

▎値の出力

```
System.out.println(値)
```

上記で値の部分は、System.out.printlnメソッドに渡す引数です。この部分には、「"Hello"」や「123」のような値の他、「1+2」のような式も書けます。式を書いた場合は、式を評価した結果の値が出力されます。

文字列の値を書く場合は、「"Hello"」のように"（ダブルクォート、ダブルクォーテーション）で囲んで書きます。このようにプログラム内に書いた文字列のデータのことを、文字列リテラルと呼びます。

┃ 文字列リテラル

```
"文字列"
```

　System.out.printlnメソッドと、文字列リテラルの使い方を確認してみましょう。
Hello.javaを参考に、 問題② 「Hello Java」と出力するプログラムを書いてください。

▼ Hello2.java

```
1  public class Hello2 {
2      public static void main(String[] args) {
3          System.out.println("Hello Java");
4      }
5  }
```

　Hello.javaにおける「"Hello"」の部分を、「"Hello Java"」に変更しました。また、
クラス名は「Hello2」にしました。このプログラムは次のように実行します。

```
> javac Hello2.java
> java Hello2
Hello Java
```

　値を出力するSystem.out.printlnメソッドについて学びました。次はプログラム
を見やすくするインデントについて学びます。

インデントでプログラムを見やすくする

　インデント（字下げ）とは、行頭にタブや空白を入れることです。プログラムの
構造に合わせてインデントすることで、プログラムを読みやすくできます。
　Javaの場合、インデントの方法はプログラマに任されています。チームによる開
発などでインデントの方法が指定されている場合には、その方法に従うとよいで
しょう。特に指定がない場合は、自分が読み書きしやすいインデントの方法を探し
てみてください。
　Hello.javaは、次のようにインデントしました。インデントによって「Helloクラス
の宣言の中にmainメソッドの宣言がある」という構造を示しています。{}（波括弧）
に注目してください。{（波括弧開き）の次の行でインデントが1段深くなり、}（波括
弧閉じ）の行でインデントが1段浅くなる、という法則があることに気づくでしょう。

```
                    public class Hello {
1段のインデント ───→ public static void main(String[] args) {
2段のインデント ───→───→ System.out.println("Hello");
1段のインデント ───→ }
                    }
```

インデントにはタブ（Tab キー）や空白（Space キー）を使います。どちらを使っても大丈夫ですが、空白を複数回入力するよりも、タブを1回入力する方が楽なので、タブを使うのがおすすめです。

　本書では1段のインデントを、1個のタブで表します。テキストエディタでタブの出力幅を設定できる場合は、タブ1個あたり半角空白4個分の幅に設定すると、本書に掲載したプログラムと同じ見た目にできます。

　実は、Javaではインデントを行わなくても、プログラムは問題なく動きます。試しに、問題❸ **Hello.javaのインデントを除去**したプログラムを書いて、実行してみてください。

▼ Indent.java

```
1  public class Indent {
2  public static void main(String[] args) {
3  System.out.println("Hello");
4  }
5  }
```

　上記のプログラムは、以下のように問題なく実行できます。しかし、元のインデントしたHello.javaの方が、プログラムの構造がわかりやすいかと思います。

```
> javac Indent.java
> java Indent
Hello
```

　また、Javaでは空白や改行を省いても、プログラムは問題なく動きます。問題❹ **Hello.javaから空白や改行を除去**したプログラムを書いて、実行してみてください。

　なお、「public class」のような部分は、「public」と「class」を分離する必要があるので「publicclass」とは書けません。「public class」のように、空白（1個以上の空白やタブ）を入れてください。

▼Indent2.java

```
1  public class Indent2{public static void main
2  (String[]args){System.out.println("Hello");}}
```

　上記のプログラムは、掲載する都合で「main」と「(String」の間に改行を入れましたが、この改行は省いても構いません。

```
> javac Indent2.java
> java Indent2
Hello
```

　Hello.javaを詳しく読み解くことで、Javaプログラムの基本形を学びました。次はHello.javaを改造して、さらに理解を深めましょう。

---

column

コーディングスタイル

　インデントの方法のように、プログラムの動作には影響しないけれども、ソースコードを見やすくすることを目的とした書き方の規則や指針のことを、コーディングスタイル（プログラミングスタイル）と呼びます。空白や改行の入れ方、括弧の位置、クラス名・フィールド名・メソッド名の付け方なども、コーディングスタイルに含まれます。適切なコーディングスタイルを使うことで、プログラムを理解しやすくしたり、エラーを防止したりする効果が期待できます。

　コーディングスタイルには個人差がありますが、もし職場で指定された場合や、顧客から要望を受けた場合には、そのコーディングスタイルに従いましょう。自分のコーディングスタイルにこだわりすぎず、仕事などで必要があれば、いつでも別のコーディングスタイルを採用できるようにしておくことがおすすめです。いろいろなコーディングスタイルについて、それぞれの利点を見つけて活かせるのが理想的です。

　特に指定や要望がないときには、自分が扱いやすいコーディングスタイルを採用するとよいでしょう。もし初めてJavaプログラミングを学んでいる場合には、本書のコーディングスタイルを一例として参考にしてみてください。

03 プログラムを改造してみよう

　ゼロからプログラムを書くのがまだ難しいときには、既存のプログラムを改造するのがおすすめです。最初のプログラム（Hello.java）の改造を通じて、Javaに対する理解を深めましょう。複数の文を並べる方法、日本語の文字列を出力する方法、コメントを書く方法を学びます。

複数の文を並べる

　メソッドの内部には、宣言や文を複数行にわたって書けます。試しに、System.out.printlnメソッドを呼び出す文を、複数並べて書いてみましょう。Hello.javaを参考に、**問題⑤**「Hello」と出力し、さらに「Java」と出力するプログラムを書いてください。文ごとに改行し、各文末には;（セミコロン）を付けます。

▼ Print.java

```
1  public class Print {
2      public static void main(String[] args) {
3          System.out.println("Hello");
4          System.out.println("Java");
5      }
6  }
```

```
> javac Print.java
> java Print
Hello
Java
```

　値を出力した後に改行したくない場合は、System.out.print（システム・アウト・プリント）メソッドを使います。printlnメソッドと同様に、値の部分には式も書けます。

値の出力（改行なし）

```
System.out.print(値)
```

printメソッドを使ってみましょう。上記のPrint.javaを参考に、**問題6** **printlnメソッドをprintメソッドに変更**したプログラムを書いてください。printメソッドは改行しないので、「HelloJava」と出力されます。

▼Print2.java

```
1  public class Print2 {
2      public static void main(String[] args) {
3          System.out.print("Hello");
4          System.out.print("Java");
5      }
6  }
```

```
> javac Print2.java
> java Print2
HelloJava
```

メソッド内に複数の文を書く方法と、System.out.printメソッドについて学びました。次は日本語の文字列を出力してみましょう。

日本語の文字列を出力する

Javaは日本語の文字列も扱えます。Hello.javaを改造して、**問題7** **「こんにちは」と出力**するプログラムを書いてください。

▼Japanese.java

```
1  public class Japanese {
2      public static void main(String[] args) {
3          System.out.println("こんにちは");
4      }
5  }
```

　日本語を含むプログラムを保存する際には、ソースファイルの文字エンコーディングにUTF-8を指定してください。BOM（Byte Order Mark、バイト・オーダー・マーク）の有無が選択できる場合は、「BOMなし」や「UTF–8N」を指定します。ファイルの文字エンコーディングを指定する方法は、テキストエディタによって異なります。お使いのテキストエディタの操作方法を確認してください。

　メモ帳（Windows）では、ファイルを保存する際に、文字エンコーディングを指定できます。

▼ Windowsのメモ帳における文字エンコーディングの指定

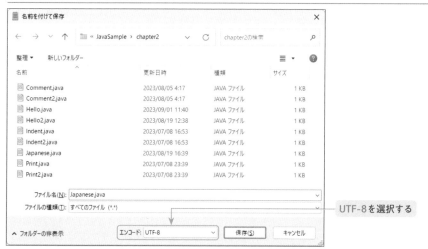

　テキストエディット（macOS）でも、ファイルを保存する際に、文字エンコーディングを指定できます。

▼ macOSのテキストエディットにおける文字エンコーディングの指定

　vi/vim (Linuxなど) では、「:set fileencoding=utf-8」と Enter キーを入力すると、ファイルを保存する際の文字エンコーディングをUTF-8に指定できます。

　Visual Studio Code (Windows/macOS/Linux) では、ファイルの文字エンコーディングは、設定の「Files:Encoding」の項目で指定できます。デフォルト (既定値) はUTF-8なので、指定を省略しても大丈夫です。

　文字エンコーディングの指定が適切な場合は、次のような実行結果になります。

```
> javac Japanese.java
> java Japanese
こんにちは
```

　文字エンコーディングの指定が不適切な場合は、例えば次のようなエラーが表示されます。以下はWindowsにおいて、文字エンコーディング (文字コード) にShift_JIS (シフト・ジス) を指定した場合の結果です。

```
> javac Japanese.java
Japanese.java:3: エラー:
この文字(0x82)は、エンコーディングUTF-8にマップできません
                System.out.println("????????");
                                   ^
```

　日本語を含むプログラムの扱い方について学びました。次はプログラムにコメントを書く方法を学びます。

プログラムにコメントを書く

　コメントとは、人間が読むための注釈のことです。プログラムの説明を書いたり、プログラムの一部を無効にするために使います。Javaコンパイラはコメントの部分を無視するので、プログラマが自由な内容を書けます。

　コメントには2種類の記法があります。//を使ったコメントは、//から行末までがコメントになります。このコメントは入力が簡単なので、1行のコメントを書く場合に便利です。

▌ //によるコメント

```
// コメント
```

/*と*/を使ったコメントは、/*から*/までがコメントになります。このコメント
は途中で改行できるので、複数行のコメントを書く場合に便利です。

▌ /*と*/によるコメント

```
/* コメント */
```

コメントを書いてみましょう。Hello.javaを改造し、 問題⑧ 「Hello」を出力する
処理に対して、「メッセージを出力」というコメントを付加してください。

▼ Comment.java

```
1  public class Comment {
2      public static void main(String[] args) {
3          // メッセージを出力
4          System.out.println("Hello");
5      }
6  }
```

上記では//を使いましたが、/*と*/を使っても構いません。この場合は1行のコメ
ントなので、//を使った方が簡単に書けます。

上記のプログラムは日本語のコメントを含むので、文字エンコーディングに
UTF-8を指定して保存してください。Javaコンパイラはコメントの部分を無視する
ので、実行結果はコメントを書く前と同じです。

```
> javac Comment.java
> java Comment
Hello
```

次はコメントアウトについて学びましょう。コメントアウトは、コメントを使っ
てプログラムの一部を無効にする手法です。

コメントアウトは、プログラムの記述を残しつつ、処理を無効にしたいときに便
利です。例えばプログラムを変更する際に、変更前の記述をコメントアウトして残
しておけば、もし変更後に不具合が起きても、簡単に変更前のプログラムに戻せます。

　コメントアウトを使ってみましょう。Hello.javaを改造して、**問題⑨**「Hello」を**出力する処理をコメントアウト**してください。

▼ Comment2.java

```
1  public class Comment2 {
2      public static void main(String[] args) {
3          // System.out.println("Hello");
4      }
5  }
```

　上記では//を使いましたが、/*と*/を使っても構いません。実行時に何も出力されなくなれば成功です。

```
> javac Comment2.java
> java Comment2
              ←何も出力されない
```

　1行をコメントアウトする場合は、//を使うのが簡単でしょう。複数行をコメントアウトする場合は、各行を//でコメントアウトするか、複数行をまとめて/*と*/で囲んでコメントアウトします。テキストエディタによっては、選択した範囲をコメントアウトする機能や、逆にコメントアウトを解除する機能があるので、利用してみてください。

　Hello.javaの改造を通じて、複数の文を並べる方法、日本語を扱う方法、コメントを書く方法を学びました。次は、エラーや警告が出たときの対処法を紹介します。

column

Javadocコメント

Javadoc（ジャバドック）は、Javaプログラムからドキュメントを生成するツールです。Javadocコメントと呼ばれる形式に沿って、Javaプログラムにコメントを書いておけば、Javadocを使ってドキュメントを生成できます。

Javadocコメントは以下のように書きます。Javadocコメントは文法的には、/*と*/を使ったコメントの一種です。

▍Javadocコメント

```
/**
 * 説明
 * …
 */
```

column

JavaのAPIドキュメント

Javaが提供するクラスについては、Javadocで生成されたドキュメントが、以下のWebページで公開されています。API（Application Programming Interface、アプリケーション・プログラミング・インタフェース）というのは、プログラムから呼び出せるいろいろな機能の集まりです。

Java SE APIドキュメント（バージョン21）
URL https://docs.oracle.com/javase/jp/21/docs/api/index.html

他のバージョンのドキュメントについては、以下の一覧から探してみてください。

Java SE ドキュメント一覧
URL https://www.oracle.com/jp/java/technologies/documentation.html

04 エラーや警告が出たときの対処法

プログラムをコンパイルすると、エラーや警告が出力されることがよくあります。そんなとき、闇雲にプログラムを手直ししては実行して…ということは、絶対にしないでください。エラーや警告の内容をよく理解したうえで、誤っている箇所をピンポイントで発見し、修正するのがおすすめです。

とはいえ、エラーや警告を自由に読み解けるようになるには、ある程度の知識と練習が必要です。前出の「Hello.java」を題材に、いろいろなエラーを読み解く練習をしてみましょう。

警告についても、対処法はエラーと同様です。警告が出ていても、プログラムは実行できますが、プログラムに潜在的な問題がある場合が多いので、必ず修正することをおすすめします。

最初のエラーや警告から解消しよう

エラーや警告は、複数まとめて出力されることがよくあります。こういった場合は、最初の（一番上に出力された）エラーや警告から、解消するのがおすすめです。最初のエラーや警告を解消すると、残りも解消されることが珍しくありません。

実際のプログラムで、誤っている箇所を発見してみましょう。**問題⑩ 次のプログラムと実行例を見て、プログラムの誤りを指摘**してください。

▼ Hello.java（誤り）

```
1  public clas Hello {
2      public static void main(String[] args) {
3          System.out.println("Hello");
4      }
5  }
```

```
> javac Hello.java
Hello.java:1: エラー：class, interface, enumまたはrecordがありません
public clas Hello {
       ^
```

```
Hello.java:2: エラー: class, interface, enumまたはrecordがありません
        public static void main(String[] args) {
                ^
Hello.java:4: エラー: class, interface, enumまたはrecordがありません
        }
        ^
エラー 3個
```

コンパイル時のエラーや警告は、以下の形式で出力されます。該当部分のプログラムと、エラーが発生した箇所も出力されます。

▎コンパイル時のエラーや警告の出力

ファイル名:行番号: 種別（エラーまたは警告）: 内容
該当部分のプログラム
エラーが発生した箇所（^で位置を表示）

上記の実行例では、3個のエラーが発生しています。最初のエラーに注目してみましょう。

```
Hello.java:1: エラー: class, interface, enumまたはrecordがありません
public clas Hello {
      ^
```

まずは、エラーが発生した箇所を確認してください。上記の場合は、Hello.javaの1行目、「clas」の先頭で発生しています。

次に、エラーの内容を確認します。上記の場合は、「class, interface, enumまたはrecordがありません」と指摘されています。このメッセージは、「ここにはclass（クラス）・interface（インタフェース）・enum（イニューム）・record（レコード）のいずれかが書かれている必要があるが、書かれていない」という意味です。

エラーや警告の内容を読み解くには、Javaの文法に関する知識が必要なので、はじめのうちは難しく感じるかもしれません。しかし、エラーや警告を解消するヒントが示されていることが多いので、必ず内容を確認してください。

上記の場合もエラーの内容がヒントになります。ここには「class」が必要なので、「clas」を「class」に修正するのが正解です。この修正によって、残りのエラーも解消します。このように、複数のエラーや警告が出力されたら、一番上から解消する

のがおすすめです。

次は、名前に関するエラーについて学びます。

✦ 名前を正しく入力しよう

クラス名やファイル名といった名前を正しく入力しないと、エラーになることがあります。スペル（綴り）を正しく入力することに加えて、大文字と小文字も正しく区別して入力してください。

実際のプログラムで練習してみましょう。 問題⑪ **次のプログラムと実行例を見て、プログラムの誤りを指摘**してください。

▼ Hello.java（誤り）

```
1  public class Hallo {
2      public static void main(String[] args) {
3          System.out.println("Hello");
4      }
5  }
```

```
> javac Hello.Java
Hello.java:1: エラー :
クラス Halloはpublicであり、ファイルHallo.javaで宣言する必要があります
public class Hallo {
       ^
エラー 1個
```

エラーの内容は、「publicなクラスは『クラス名.java』というソースファイルで宣言する必要がある」という意味です。Javaでは、1個のソースファイルに1個のクラスを宣言し、ファイル名を「クラス名.java」とするのが基本、と学んだのを思い出してください。クラス名（正確には、publicが指定されたクラス名）とファイル名が異なると、上記のようなエラーになります。

上記のエラーは、クラス名の「Hallo」を「Hello」に修正するのが正解です。もしクラス名を「Hallo」にするならば、ファイル名を「Hallo.java」にする必要があります。

仮にクラス名を「hello」、ファイル名を「Hello.java」にした場合も、上記と同様のエラーになります。Javaでは大文字と小文字を区別するので、「hello」と「Hello」

は別の名前として扱われます。

　名前を正しく入力する必要性について学びました。次は実行時のエラーについて学びます。

コンパイルはできても実行時にエラーになることがある

　プログラムに誤りがあっても、コンパイル時にはエラーにならず、実行時にエラーになることがあります。**問題⑫** **次のプログラムと実行例を見て、プログラムの誤りを指摘**してください。

▼ Hello.java（誤り）

```
1  public class Hello {
2      public static void man(String[] args) {
3          System.out.println("Hello");
4      }
5  }
```

```
> javac Hello.java
> java Hello
エラー： メイン・メソッドがクラスHelloで見つかりません。
次のようにメイン・メソッドを定義してください。
    public static void main(String[] args)
またはJavaFXアプリケーション・クラスは
javafx.application.Applicationを拡張する必要があります
```

　コンパイル時にはエラーが発生せず、実行時にエラーが発生しています。エラーの内容を見ると、mainメソッドの定義に問題があることがわかります。上記の場合は、2行目の「man」を「main」に修正するのが正解です。

　以下もコンパイル時ではなく、実行時にエラーが発生する例です。**問題⑬** **次のプログラムと実行例を見て、プログラムの誤りを指摘**してください。

▼ Hello.java（誤り）

```
1  public class Hello {
2      public static void main(String args) {
3          System.out.println("Hello");
4      }
5  }
```

実行結果は前問と同じで、mainメソッドに関するエラーが発生します。

一見すると正しそうですが、実は「String」を「String[]」に修正する必要があります。Javaでは括弧にも重要な働きがあるので、必要な括弧を欠かさないように注意してください。また、括弧の種類を区別して、正しい種類の括弧を書いてください。

実行時のエラーについて学びました。次は文字列に関するエラーを見てみましょう。

文字列と名前を区別しよう

文字列リテラル（プログラム内に書いた文字列データ）は、"（ダブルクォート）で囲む必要があります。"で囲まなかった場合は、文字列リテラルではなく、名前（クラス名など）として扱われます。

文字列リテラルと名前を混同すると、エラーになることがあります。**問題⑭ 次のプログラムと実行例を見て、プログラムの誤りを指摘**してください。

▼Hello.java（誤り）

```
1  public class Hello {
2      public static void main(String[] args) {
3          System.out.println(Hello);
4      }
5  }
```

```
> javac Hello.java
Hello.java:3: エラー： シンボルを見つけられません
        System.out.println(Hello);
                           ^
   シンボル：   変数 Hello
   場所： クラス Hello
エラー 1個
```

上記のエラーにある「シンボル」というのは、名前のことです。コンパイラは「Hello」を変数（Chapter4）の名前だと想定して、変数Helloの詳細を調べたのですが、情報が見つからないのでエラーを表示しました。

これは文字列リテラルを"で囲まずに、単に「Hello」と書いたことが原因です。「Hello」を「"Hello"」に修正すれば、エラーは解消します。

文字列と名前を区別する必要性について学びました。次はセミコロンに関するエラーを見てみましょう。

文末にはセミコロンを忘れずに

文にはいくつかの種類があり、種類によっては末尾に;(セミコロン)が必要です。

問題⑮ 次のプログラムと実行例を見て、プログラムの誤りを指摘してください。

▼Hello.java(誤り)

```
1  public class Hello {
2      public static void main(String[] args) {
3          System.out.println("Hello")
4      }
5  }
```

```
> javac Hello.java
Hello.java:3: エラー: ';'がありません
        System.out.println("Hello")
                                   ^
エラー 1個
```

上記は式文の例で、この場合はSystem.out.printlnメソッドを呼び出しています。エラーで指摘されている通り、式文の末尾には;が必要です。;を追加すれば、エラーは解消します。

このように、エラーで指摘されている通りにプログラムを修正すれば済む場合も多いので、エラーの内容はぜひ確認してください。

次は括弧に関するエラーを見てみましょう。

括弧の開きと閉じを正しく対応させよう

括弧を開いたら、閉じる必要があります。例えば {（波括弧開き）を書いたら、必ず }（波括弧閉じ）も書かなければなりません。逆に}を書いたら、対応する{も必要です。**問題⑯** **次のプログラムと実行例を見て、プログラムの誤りを指摘**してください。

▼Hello.java（誤り）

```
1  public class Hello
2      public static void main(String[] args) {
3          System.out.println("Hello");
4      }
5  }
```

```
> javac Hello.java
Hello.java:1: エラー: '{'がありません
public class Hello
                  ^
Hello.java:2: エラー: class, interface, enumまたはrecordがありません
    public static void main(String[] args) {
                  ^
Hello.java:4: エラー: class, interface, enumまたはrecordがありません
    }
    ^
エラー 3個
```

括弧の対応に誤りがある場合は、上記のように複数のエラーが発生しがちです。前述のように、最初（一番上）のエラーから解消を試みましょう。

上記の場合は、エラーで指摘されている通りに、「public class Hello」の後に「{」を追加すればエラーが解消します。残り2個のエラーも、最初のエラーに伴って発生していたので、最初のエラーを解消すれば一緒に解消できます。

一方、エラーで指摘されている通りに修正しても、問題が解消されない場合もあります。**問題⑰** **次のプログラムと実行例を見て、プログラムの誤りを指摘**してください。

▼Hello.java（誤り）

```
1  public class Hello {
2      public static void main(String[] args)
3          System.out.println("Hello");
4      }
5  }
```

```
> javac Hello.java
Hello.java:2: エラー: ';'がありません
    public static void main(String[] args)
                                          ^
Hello.java:5: エラー: class, interface, enumまたはrecordがありません
}
^
エラー 2個
```

　先ほどと同様に、最初のエラーから解消を試みましょう。エラーは「…main(String[] args)」の後に「;」がない、と指摘しています。しかし、実はこの場所に;を追加しても問題は解決しません。

　正解は「…main(String[] args)」の後に「{」を追加することです。括弧の対応に注目してください。1行目の {は、5行目の} に対応しています。同様に2行目の {は、4行目の} に対応します。

▼括弧の対応

　括弧の対応を間違えないためには、インデントを適切に行うことが有効な対策です。インデントの基本的な方針は次の通りです。

・{を書いたら、次の行からはインデントを1段深くする
・}を書くときには、インデントを1段浅くしてから書く

　本書のプログラムなどを参考に、適切なインデントを行う練習をしてみてください。テキストエディタによっては、インデントを支援する機能や、自動的にインデントを行う機能もあるので、これらを利用する方法もあります。

　括弧に関するエラーについて学びました。次は半角文字と全角文字に関するエラーを見てみましょう。

プログラムは半角文字で書こう

　プログラムを書くときには、半角文字を使うのが基本です。日本語のメッセージを出力する際や、コメントを書くときには全角文字を使うこともありますが、通常は日本語入力機能をオフにしておくことがおすすめです。

　実は、クラス名などの名前については、日本語などの全角文字を使うこともできます。しかし、半角文字で入力するべき名前を、うっかり全角文字で入力してしまうとエラーになる場合があります。**問題18** **次のプログラムと実行例を見て、プログラムの誤りを指摘**してください。

▼Hello.java（誤り）

```
1 public class Hello {
2     public static void main(String[] args) {
3         Ｓｙｓｔｅｍ.out.println("Hello");
4     }
5 }
```

```
> javac Hello.java
Hello.java:3: エラー: パッケージＳｙｓｔｅｍは存在しません
        Ｓｙｓｔｅｍ.out.println("Hello");
              ^
エラー 1個
```

　上記のエラーは、全角文字の「Ｓｙｓｔｅｍ」を、半角文字の「System」に直せば解消します。SystemはJavaが提供するクラスの1つですが、半角文字のSystemが正しい名前です。Javaでは半角文字と全角文字を区別するので、全角文字のＳｙｓｔｅｍではエラーになったというわけです。このように、プログラムは基本的に半角文字で書きます。

次はインデントにおいて、半角文字と全角文字が問題になる例を見てみましょう。

インデントにはタブか半角空白を使う

前述のように、プログラムは適切にインデントすることがおすすめです。適切なインデントによって、プログラムの論理的な構造が見やすくなり、括弧の対応に関する間違いなども防止できます。

インデントにはタブか半角空白を使います。もしインデントに全角空白を使ってしまうと、少しわかりにくいエラーになります。**問題⑲** **次のプログラムと実行例を見て、プログラムの誤りを指摘**してください。

▼ Hello.java（誤り）

```
1  public class Hello {
2      public static void main(String[] args) {
3          System.out.println("Hello");
4      }
5  }
```

```
> javac Hello.java
Hello.java:2: エラー : '\u3000'は不正な文字です
    public static void main(String[] args) {
 ^
Hello.java:2: エラー : '\u3000'は不正な文字です
    public static void main(String[] args) {
  ^
…
エラー 8個
```

上記のプログラムは、一見すると正しいようですが、コンパイルするとエラーになります。エラーで指摘されている「\u3000」は、Unicodeエスケープと呼ばれる記法で、この場合は全角空白を表しています。

実は上記のプログラムは、全角空白を使ってインデントされています（エラーを再現するにはインデントを全角空白で入力してください）。テキストエディタの設定によりますが、見た目ではタブや半角空白と区別がつかないので、エラーの原因がわかりにくいかもしれません。上記のように「不正文字です」というエラーが

表示されたら、プログラムに全角文字のような不適切な文字が含まれていないかどうかを確認してみてください。

　テキストエディタによっては、全角空白を特別な文字(例えば□のような白抜きの四角形など)で表示してくれる場合があります。うっかり全角空白を入力してしまうことが多い場合は、テキストエディタの操作方法を調べて、全角空白を特別な文字で表示させてみてください。

🖱 column

Unicodeエスケープ

　Unicodeエスケープというのは、文字コードであるUnicode (ユニコード)を使って、プログラムに文字を記述する方法です。次のように「\u」に続けて、4桁の16進数を書きます。

▌Unicodeエスケープ

```
\u????
```

　?は16進数で記述します。16進数は、0〜9とa〜f (A〜Fでもよい)を使って、16通りの値を表します。4桁の16進数は、65,536 (16の4乗)通りの値を表せます。
　「'\u3000'は不正な文字です」のように、JavaコンパイラはUnicodeエスケープを使ってエラーを表示することがあります。もし、示された文字がどのような文字なのかを詳しく知りたい場合は、文字コード(この場合は3000)を頼りに、WebでUnicodeの文字一覧表などを調べてみてください。

　本章ではJavaプログラムの入力・保存・コンパイル・実行の方法を学びました。そして最初のプログラムを題材に、Javaプログラムの基本形を学び、さらにプログラムの改造に挑戦しました。最後に、コンパイル時や実行時のエラーや警告への対処法を学びました。
　次章では、いろいろな式を計算してみます。

Chapter2の復習

□入力と保存

問題❶ 以下のプログラムを入力し、「Hello.java」というファイル名で保存したうえで、コンパイル・実行してください。

```java
public class Hello {
    public static void main(String[] args) {
        System.out.println("Hello");
    }
}
```

➡48ページ

□値の出力

問題❷ 「Hello Java」と出力するプログラムを書いてください。 ➡58ページ

□インデント

問題❸ Hello.javaのインデントを除去したプログラムを書いて、実行してみてください。 ➡59ページ

問題❹ Hello.javaから空白や改行を除去したプログラムを書いて、実行してみてください。 ➡59ページ

□複数の文を並べる

問題❺ 「Hello」と出力し、さらに「Java」と出力するプログラムを書いてください。 ➡61ページ

問題❻ 前問のプログラムで、printlnメソッドをprintメソッドに変更してください。 ➡62ページ

□日本語の出力

問題❼ 「こんにちは」と出力するプログラムを書いてください。 ➡62ページ

□コメント

問題⑧ Hello.javaにおいて、「Hello」を出力する処理に対して、「メッセージを出力」
というコメントを付加してください。　　　　　　　　　　　➡65ページ

問題⑨ 「Hello」を出力する処理をコメントアウトしてください。　➡66ページ

□エラーと警告

問題⑩ 次のプログラムと実行例を見て、プログラムの誤りを指摘してください。

```
public clas Hello {
    public static void main(String[] args) {
        System.out.println("Hello");
    }
}
```

```
> javac Hello.java
Hello.java:1: エラー: class, interface, enumまたはrecordがありません
public clas Hello {
       ^
Hello.java:2: エラー: class, interface, enumまたはrecordがありません
    public static void main(String[] args) {
                  ^
Hello.java:4: エラー: class, interface, enumまたはrecordがありません
    }
    ^
```

➡68ページ

問題⑪ 次のプログラムと実行例を見て、プログラムの誤りを指摘してください。

```
public class Hallo {
    public static void main(String[] args) {
        System.out.println("Hello");
    }
}
```

```
> javac Hello.Java
Hello.java:1: エラー:
```

```
クラス Halloはpublicであり、ファイルHallo.javaで宣言する必要があります
public class Hallo {
       ^
エラー 1個
```

→70ページ

問題⑫ 次のプログラムと実行例を見て、プログラムの誤りを指摘してください。

```
public class Hello {
    public static void man(String[] args) {
        System.out.println("Hello");
    }
}
```

```
> javac Hello.java
> java Hello
エラー： メイン・メソッドがクラスHelloで見つかりません。
次のようにメイン・メソッドを定義してください。
    public static void main(String[] args)
またはJavaFXアプリケーション・クラスは
javafx.application.Applicationを拡張する必要があります
```

→71ページ

問題⑬ 次のプログラムと実行例を見て、プログラムの誤りを指摘してください。

```
public class Hello {
    public static void main(String args) {
        System.out.println("Hello");
    }
}
```

```
> javac Hello.java
> java Hello
エラー： メイン・メソッドがクラスHelloで見つかりません。
次のようにメイン・メソッドを定義してください。
    public static void main(String[] args)
またはJavaFXアプリケーション・クラスは
javafx.application.Applicationを拡張する必要があります
```

→71ページ

問題⑭ 次のプログラムと実行例を見て、プログラムの誤りを指摘してください。

```
public class Hello {
    public static void main(String[] args) {
        System.out.println(Hello);
    }
}
```

```
> javac Hello.java
Hello.java:3: エラー： シンボルを見つけられません
        System.out.println(Hello);
                           ^
  シンボル：    変数 Hello
  場所： クラス Hello
エラー 1個
```

➡72ページ

問題⑮ 次のプログラムと実行例を見て、プログラムの誤りを指摘してください。

```
public class Hello {
    public static void main(String[] args) {
        System.out.println("Hello")
    }
}
```

```
> javac Hello.java
Hello.java:3: エラー： ';'がありません
        System.out.println("Hello")
                                   ^
エラー 1個
```

➡73ページ

問題⑯ 次のプログラムと実行例を見て、プログラムの誤りを指摘してください。

```
public class Hello
    public static void main(String[] args) {
        System.out.println("Hello");
    }
}
```

```
> javac Hello.java
Hello.java:1: エラー: '{'がありません
public class Hello
                  ^
Hello.java:2: エラー: class, interface, enumまたはrecordがありません
    public static void main(String[] args) {
                  ^
Hello.java:4: エラー: class, interface, enumまたはrecordがありません
    }
    ^
エラー 3個
```

➡74ページ

問題⑰ 次のプログラムと実行例を見て、プログラムの誤りを指摘してください。

```
public class Hello {
    public static void main(String[] args)
        System.out.println("Hello");
    }
}
```

```
> javac Hello.java
Hello.java:2: エラー: ';'がありません
    public static void main(String[] args)
                                          ^
Hello.java:5: エラー: class, interface, enumまたはrecordがありません
}
^
エラー 2個
```

➡74ページ

問題⑱ 次のプログラムと実行例を見て、プログラムの誤りを指摘してください。

```
public class Hello {
    public static void main(String[] args) {
        Ｓｙｓｔｅｍ.out.println("Hello");
    }
}
```

```
> javac Hello.java
Hello.java:3: エラー： パッケージＳｙｓｔｅｍは存在しません
        System.out.println("Hello");
              ^
エラー 1個
```

➡76ページ

問題⑲ 次のプログラムと実行例を見て、プログラムの誤りを指摘してください。

```
public class Hello {
    public static void main(String[] args) {
        System.out.println("Hello");
    }
}
```

```
> javac Hello.java
Hello.java:2: エラー： '\u3000'は不正な文字です
    public static void main(String[] args) {
^
Hello.java:2: エラー： '\u3000'は不正な文字です
    public static void main(String[] args) {
  ^
...
エラー 8個
```

➡77ページ

式を計算して結果を出力する

プログラムの基本は、式の計算です。プログラミングをしていると、式を書く機会が実に多くあります。式を正しく、スムーズに書けるようになることが、プログラミング上達の早道です。

まずは整数や浮動小数点数を使って、いろいろな式を計算してみましょう。式を正しく読み書きするために重要な、演算子の優先順位と結合性についても学びます。

次に、メソッドを計算に使う方法を学びます。Javaが提供する数多くのメソッドを活用すると、複雑な処理を短いプログラムで実現できます。値を指定した型に変換する、キャストという機能も紹介します。

最後に、文字や文字列について学びます。文字と文字列の違いや、文字コードの概念、特殊な文字を表すためのエスケープシーケンスなどを扱います。

本章の学習内容

- ❶ 整数と浮動小数点数
- ❷ 演算子の優先順位と結合性
- ❸ メソッドの引数と戻り値
- ❹ 文字と文字列
- ❺ エスケープシーケンス

01 整数を使って計算する

　整数・浮動小数点数・文字・文字列といった、値の種類を表す概念を、型と呼びます。Javaにはいろいろな種類の型があります。型によって、値をプログラムに書く方法や、値を計算したときの性質が異なります。

　まずは整数について学びましょう。整数は小数部分がない数値です。例えば、「0」「12」「−345」といった数値は、いずれも整数です。こういった整数は、そのままプログラム内に書くことができます。プログラムに書いた整数データのことを、整数リテラルと呼びます。

　整数を使った計算をしてみましょう。計算には、+や−のような演算子を使います。演算子とは、演算を表す記号のことです。加えて、式を正しく読み書きするために必要な、演算子の優先順位や結合性についても学びましょう。

算術演算子で四則演算を行う

　+や−のような四則演算（加減乗除）などを行う演算子を、算術演算子と呼びます。以下は四則演算に関する算術演算子です。一部の演算子については、算数や数学とは異なる記号が使われているので、注意してください。

▼算術演算子（四則演算）

演算子	読み方の例	機能	使い方	演算の結果
+	プラス	加算（足し算）	A+B	AとBの和
−	マイナス	減算（引き算）	A−B	AとBの差
*	アスタリスク	乗算（掛け算）	A*B	AとBの積
/	スラッシュ	除算（割り算）	A/B	AをBで割った商
%	パーセント	剰余（割り算の余り）	A%B	AをBで割った余り

　上記のように演算の対象（項）が2個の演算子のことを、二項演算子と呼びます。項（上記のAとB）には、12や−345といった値を書いても、値や演算子などを組み合わせた式を書いても構いません。

　+や−の記号は、符号を表す算術演算子としても使います。次のように演算の対

象が1個の演算子のことを、単項演算子と呼びます。

▼ 算術演算子（符号）

演算子	読み方の例	機能	使い方	演算の結果
+	プラス	正号（正の符号）	+A	Aと同じ値
−	マイナス	負号（負の符号）	−A	Aの符号を逆にした値

　式の値（式を計算した結果の値）を出力するには、System.out.printlnメソッド（Chapter2）が使えます。値を出力した後に改行したくない場合には、System.out.printメソッド（Chapter2）を使います。

| 式の値を出力

```
System.out.println(式)
```

　整数の計算をする式を書いて、結果を出力してみましょう。 問題❶ 「12+3」「12−3」「12*3」「12/3」「12%3」の値を出力するプログラムを書いてください。

▼ Int.java

```
1  public class Int {
2      public static void main(String[] args) {
3          System.out.println(12+3);
4          System.out.println(12-3);
5          System.out.println(12*3);
6          System.out.println(12/3);
7          System.out.println(12%3);
8      }
9  }
```

　上記でクラス名のIntは、integer（インテジャー、整数）の略です。Javaにおいて、int（イント）は整数を表す型の1つです。Javaが提供するIntegerクラスと名前が重複しないように、上記では「Int」としました。

```
> javac Int.java
> java Int
15   ← 12+3の結果
9    ← 12-3の結果
36   ← 12*3の結果
```

```
4    ← 12/3の結果
0    ← 12%3の結果
```

　整数に四則演算を適用してみました。次は除算や剰余について、もう少し詳しく調べてみましょう。

整数の除算は結果が整数になる

　整数に対する除算は、結果が整数になります。例えば5/2の値は、2.5ではなく、整数の2になります。実際に試してみましょう。**問題②**「5/2」と「5%2」の値を出力するプログラムを書いてください。

▼Int2.java

```
1  public class Int2 {
2      public static void main(String[] args) {
3          System.out.println(5/2);
4          System.out.println(5%2);
5      }
6  }
```

```
> javac Int2.java
> java Int2
2    ← 5/2の結果
1    ← 5%2の結果
```

　「5割る2は2、余りは1」という結果になりました。もし「5割る2は2.5」のような計算をしたい場合は、後述する浮動小数点数を使います。

　整数の除算や剰余を行う際には、0で割らないように注意してください。整数を0で除算したり、0による剰余を求めようとすると、実行時にエラーが発生します。試しに、**問題③**「5/0」の値を出力するプログラムを書いてみてください。

▼Int3.java

```
1  public class Int3 {
2      public static void main(String[] args) {
3          System.out.println(5/0);
4      }
5  }
```

　プログラムを実行すると、次のように「ゼロで除算した」というエラーが発生します。エラーは英語で出力されますが、本書では日本語訳を付記しました。

```
> javac Int3.java
> java Int3
Exception in thread "main" java.lang.ArithmeticException: / by zero
 (mainスレッドで例外java.lang.ArithmeticExceptionが発生：ゼロで除算)
    at Int3.main(Int3.java:3)
 (Int3クラスのmainメソッド、Int3.javaの3行目にて)
```

　上記の例外とは、Javaプログラムで何か例外的な事態が発生したことを通知するための機能です（Chapter11）。英語ではException（エクセプション）と呼びます。

　例外にはいろいろな種類があります。上記のArithmeticException（アリスメティック・エクセプション）は、算術演算で例外的な事態が発生したことを表します。

　整数を0で除算したり、0による剰余を求めようとすると、ArithmeticExceptionが発生します。試しに、上記のプログラム（Int3.java）で「5/0」を「5%0」に変更してみてください。「5/0」の場合と同様に、ArithmeticExceptionが出力されます。

　整数の除算と剰余について調べました。次は演算子の優先順位と結合性について学びましょう。

計算の順序は優先順位と結合性で決まる

　演算子には優先順位があります。例えば〇と△を何らかの演算子としましょう。優先順位とは、「A〇B△C」のように演算子が隣接しているときに、〇と△のどちらを先に計算するのかを決めるための順位のことです。〇と△の優先順位を比べ

て、優先順位が高い演算子を先に計算し、優先順位が低い演算子を後で計算します。

　優先順位の概念は、算数や数学でも馴染み深いものです。例えば「2+3*4」という式があったときに、+と*のどちらを先に計算するでしょうか。加算（足し算）と乗算（掛け算）では乗算を優先するので、「2+(3*4)」のように計算し、結果は14になります。Javaでも同様に、加算よりも乗算を優先するので、算数や数学と同じ結果になります。

　もし優先順位とは異なる順序で計算したい場合は、算数や数学と同様に、先に計算したい部分を()（丸括弧）で囲みます。例えば「2+3*4」において、「2+3」を先に計算したい場合は、「(2+3)*4」のように書きます。

　+と*の優先順位を確認してみましょう。 問題④ 「2+3*4」と「(2+3)*4」の値を出力するプログラムを書いてください。以下でファイル名の「Prec」は、precedence（優先順位）の略です。

▼ Prec.java

```
1  public class Prec {
2      public static void main(String[] args) {
3          System.out.println(2+3*4);
4          System.out.println((2+3)*4);
5      }
6  }
```

```
> javac Prec.java
> java Prec
14    ← 2+3*4の結果
20    ← (2+3)*4の結果
```

　これまでに紹介した演算子以外にも、Javaには数多くの演算子があります。全ての演算子について、以下に優先順位をまとめました。表の上にあるほど優先順位が高く（1が最高）、下にあるほど優先順位が低くなります（16が最低）。

　以下の表には、各演算子について解説している本書のChapterも示しました。本書では、ビット単位関連とシフト関連を除く、全ての演算子について学びます。

▼ 演算子の優先順位

優先順位	結合性	演算子	機能	本書のChapter
1	左結合	()	メソッド呼び出し	3
		[]	配列アクセス	7
		.	メンバアクセス	8
2	左結合	++	後置インクリメント	6
		--	後置デクリメント	6
3	右結合	++	前置インクリメント	6
		--	前置デクリメント	6
		+	正号	3
		-	負号	3
		~	ビット単位補数	-
		!	論理補数	5
		()	キャスト	3
		new	生成（配列、インスタンス）	7、8
4	左結合	*	乗算	3
		/	除算	3
		%	剰余	3
5	左結合	+	加算	3
		-	減算	3
		+	文字列連結	3
6	左結合	<<	左シフト	-
		>>	符号付き右シフト	-
		>>>	符号無し右シフト	-
7	左結合	<	より小さい	5
		>	より大きい	5
		<=	以下	5
		>=	以上	5
		instanceof	型の比較、パターンマッチング	9
8	左結合	==	等しい	5
		!=	等しくない	5

Chapter
3

01 整数を使って計算する

優先順位	結合性	演算子	機能	本書のChapter
9	左結合	&	AND（ビット単位、論理）	-
10	左結合	^	XOR（ビット単位、論理）	-
11	左結合	|	OR（ビット単位、論理）	-
12	左結合	&&	条件AND	5
13	左結合	||	条件OR	5
14	右結合	?:	条件演算子（三項演算子）	5
15	右結合	=	代入	4
		+=	複合代入（加算）	4
		−=	複合代入（減算）	4
		*=	複合代入（乗算）	4
		/=	複合代入（除算）	4
		%=	複合代入（剰余）	4
		<<=	複合代入（左シフト）	-
		>>=	複合代入（符号付き右シフト）	-
		>>>=	複合代入（符号無し右シフト）	-
		&=	複合代入（AND）	-
		^=	複合代入（XOR）	-
		|=	複合代入（OR）	-
16	右結合	->	ラムダ式	13、15

　上記の表に示した結合性は、優先順位とあわせて知っておきたい概念です。結合性は、例えば「A○B△C」のように演算子が隣接していて、しかも○と△の優先順位が等しいときに、どちらを先に計算するのかを決めます。左結合の場合は左側にある演算子を先に、右結合の場合は右側にある演算子を先に計算します。

　例えば「2−3+4」のような式において、−と+は優先順位が同じなので、結合性に基づいて計算の順序を決めます。−と+は左結合なので、「(2−3)+4」のように計算し、結果は3になります。これは算数や数学と同じ結果です。仮に−と+が右結合ならば、「2−(3+4)」のように計算し、結果は−5になります

　−と+の結合性を確認してみましょう。問題5 「2−3+4」の値を出力するプログラムを書いてください。

```
1  public class Prec2 {
2      public static void main(String[] args) {
3          System.out.println(2-3+4);
4      }
5  }
```

```
> javac Prec2.java
> java Prec2
3   ← 2-3が先に計算される
```

　演算子の優先順位や結合性を理解すると、式を簡潔に書いたり、式を正しく読み解いたりできます。先ほどの優先順位と結合性の表を覚えていると便利ですが、必要になったときに調べるのでも大丈夫です。また、例えば「代入はラムダ式以外の全ての演算よりも優先順位が低い」といったように、自分がよく使うポイントに注目して覚えるのもおすすめです。

　計算の順序を決める、演算子の優先順位と結合性について学びました。次は浮動小数点数を使った計算をしてみましょう。

02 浮動小数点数を使って計算する

例えば「0.0」「1.2」「-3.45」のように、小数部分がある数値を表現するには、浮
動小数点数を使います。浮動小数点数は、数学において連続した量を表す実数を、
コンピュータ上で近似的に表現する数値です。浮動小数点数という名前の通り、値
に応じて小数点の位置を移動することにより、幅広い範囲の数値を表します。

プログラムに書いた浮動小数点数データのことを、浮動小数点数リテラルと呼び
ます。0.0、1.2、-3.45といった数値は、このまま浮動小数点数リテラルとしてプ
ログラムに書けます。

整数を使った計算と同様に、浮動小数点数を使った計算もできます。整数と浮動
小数点数を混ぜた計算についても学びましょう。

浮動小数点数の計算をしてみよう

浮動小数点数の計算をしてみましょう。整数と同様に、浮動小数点数にも算術演
算子が使えます。式の値を出力するには、System.out.printlnメソッドやSystem.
out.printメソッドを使います。**問題⑥** 「1.2+0.3」「1.2−0.3」「1.2*0.3」「1.2/0.3」
「1.2%0.3」の値を出力するプログラムを書いてください。

▼ Dbl.java

```
1  public class Dbl {
2      public static void main(String[] args) {
3          System.out.println(1.2+0.3);
4          System.out.println(1.2-0.3);
5          System.out.println(1.2*0.3);
6          System.out.println(1.2/0.3);
7          System.out.println(1.2%0.3);
8      }
9  }
```

上記でクラス名のDblは、double（ダブル）の略です。Javaにおいて、doubleは浮
動小数点数を表す型の1つです。Javaが提供するDoubleクラスと名前が重複しない
ように、上記ではDblとしました。

```
> javac Dbl.java
> java Dbl
1.5                    ← 1.2+0.3の結果
0.8999999999999999     ← 1.2-0.3の結果
0.36                   ← 1.2*0.3の結果
4.0                    ← 1.2/0.3の結果
0.0                    ← 1.2%0.3の結果
```

　「1.2−0.3」の結果に注目してください。「1.2−0.3」は0.9のはずですが、0.899…
のように、本来の値とは微妙に異なる値になっています。このように浮動小数点数
では、本来の値との間に誤差が生じることがあります。わずかな誤差なので、通常
の計算では問題になることが少ないのですが、「浮動小数点数には誤差がある」と
いうことは覚えておいてください。

　浮動小数点数に四則演算を適用してみました。次は浮動小数点数の除算や剰余に
ついて、もう少し詳しく調べてみましょう。

浮動小数点数の除算は結果が浮動小数点数になる

　整数に対する除算は、結果が整数になりました。一方、浮動小数点数に対する除
算は、結果が浮動小数点数になります。実際に試してみましょう。問題7
「5.0/2.0」と「5.0%2.0」の値を出力するプログラムを書いてください。

▼Dbl2.java

```
1  public class Dbl2 {
2      public static void main(String[] args) {
3          System.out.println(5.0/2.0);
4          System.out.println(5.0%2.0);
5      }
6  }
```

```
> javac Dbl2.java
> java Dbl2
2.5   ← 5.0/2.0の結果
1.0   ← 5.0%2.0の結果
```

「5.0割る2.0は2.5」と「5.0割る2.0の余りは1.0」という結果になりました。剰余(余り)については、値は浮動小数点数の1.0ですが、整数の「5割る2の余りは1」と同じ結果です。

　整数の除算や剰余では、0で割るとエラーが発生しました。浮動小数点数の場合は、異なる結果になります。問題⑧ **「5.0/0.0」と「5.0%0.0」の値を出力**するプログラムを書いてください。

▼ Dbl3.java

```
1  public class Dbl3 {
2      public static void main(String[] args) {
3          System.out.println(5.0/0.0);
4          System.out.println(5.0%0.0);
5      }
6  }
```

```
> javac Dbl3.java
> java Dbl3
Infinity    ← 5.0/0.0の結果
NaN         ← 5.0%0.0の結果
```

　Infinity(インフィニティ)は無限大という意味です。NaN(ナン)はNot a Number(ノット・ア・ナンバー)の略で、数値として適切に表現できないことを意味します。したがって上記の結果は、「5.0割る0.0は無限大、余りは数値では表現できない」となります。

　浮動小数点数の除算と剰余について調べました。次は整数と浮動小数点数を混ぜて使ってみましょう。

整数と浮動小数点数を混ぜて計算する

　整数の計算は結果が整数に、浮動小数点数の計算は結果が浮動小数点数になりました。では、整数と浮動小数点数を混ぜて計算すると、どんな結果になるでしょうか。問題⑨ **「5/2」「5.0/2.0」「5/2.0」「5.0/2」の値を出力するプログラムを書き、結果を予想してから実行**してみてください。

```
1  public class Dbl4 {
2     public static void main(String[] args) {
3        System.out.println(5/2);
4        System.out.println(5.0/2.0);
5        System.out.println(5/2.0);
6        System.out.println(5.0/2);
7     }
8  }
```

```
> javac Dbl4.java
> java Dbl4
2     ← 5/2    (整数/整数)の結果
2.5   ← 5.0/2.0(浮動小数点数/浮動小数点数)の結果
2.5   ← 5/2.0  (整数/浮動小数点数)の結果
2.5   ← 5.0/2  (浮動小数点数/整数)の結果
```

　Javaは整数と浮動小数点数を混ぜた計算を、次のような手順で実行します。整数を浮動小数点数に変換してから計算することがポイントで、結果も浮動小数点数になります。

1 整数を浮動小数点数に変換します。

　　※「5/2.0」の場合は、5を5.0に変換して、「5.0/2.0」とする

　　　「5.0/2」の場合は、2を2.0に変換して、「5.0/2.0」とする

2 浮動小数点数同士で計算します。

　　※「5.0/2.0」を計算して、結果は「2.5」になる

　整数から浮動小数点数への変換は、拡大変換（かくだいへんかん）と呼ばれる変換の一種です。拡大変換のより細かい規則については、Chapter4で学びます。

　整数と浮動小数点数を混ぜて計算すると、結果が浮動小数点数になることを学びました。次は、いろいろなメソッドを使った計算について学びましょう。

03 メソッドを計算に活用する

　メソッドはオブジェクトに属する処理です（Chapter1）。Javaでは演算子を使っていろいろな計算が行えますが、メソッドを活用すると、さらに幅広い処理が可能になります。

　ここではメソッドを計算に活用する方法を学びましょう。メソッドの基本的な仕組みを学んでから、Javaが提供するメソッドを使って、平方根を求めたり、乱数を生成したりしてみます。あわせて、値の型を変換するキャストという機能も学びます。メソッドやキャストを組み合わせると、式の値を思い通りに加工できます。

メソッドは引数を受け取って戻り値を返す

　メソッドの仕組みについて、少し詳しく学んでみましょう。実はメソッドは、数学における関数に似ています。

　数学の関数には、入力として値を受け取り、出力として値を返す働きがあります。例えば「y=2x」という関数（一次関数の一種）は、入力（x）として受け取った値の、2倍の値を出力（y）として返します。

▼ 数学の関数

　メソッドも数学の関数に近い働きをします。Javaのメソッドは、入力として引数（ひきすう）を受け取って、指定された処理を行い、出力として戻り値（もどりち）を返します。メソッドを実行することは、メソッドを「呼び出す」と表現します。

　メソッドが返した戻り値は、画面に出力したり、別の計算に使ったりできます。メソッドが返した戻り値を、別のメソッドの引数として渡すことで、複雑な処理を実現する場合がよくあります。

▼ Javaのメソッド

　Javaのプログラマは、メソッドを自分で宣言（作成）することも、既存のメソッドを利用することもできます。Javaは数多くのメソッドを提供しているので、本書でもしばらくの間は、こういった既存のメソッドを利用します。自分でクラスを宣言する方法を学ぶ際に、メソッドを宣言する方法も学びます（Chapter8）。

　さて、メソッドにはクラスメソッドとインスタンスメソッドがあります。クラスメソッドはクラスに属するメソッドで、インスタンスメソッドはインスタンスに属するメソッドです。Javaが提供するメソッドにも、クラスメソッドとインスタンスメソッドの両方があります。

　クラスメソッドとインスタンスメソッドについて知っておきたいのは、呼び出しの方法が異なることです。以下の呼び出し方法を見比べてください。クラスメソッドはクラス名を使って呼び出し、インスタンスメソッドはインスタンスを使って呼び出します。.（ドット）演算子を使うことは共通です。

▎クラスメソッドの呼び出し

```
クラス名.メソッド名(引数，…)
```

▎インスタンスメソッドの呼び出し

```
インスタンス.メソッド名(引数，…)
```

　クラスメソッドとインスタンスメソッドの違いは、処理の対象となるインスタンスを指定するかどうかです。インスタンスメソッドは、指定されたインスタンスに対して処理を行います。例えば、インスタンスの内容を変更したり、インスタンスを他の型に変換したりします。

　JavaのAPIドキュメント（Chapter2）には、Javaが提供するクラス・フィールド・メソッドの一覧が記載されています。このAPIドキュメントを読めば、Javaでどんなメソッドが使えるのかがわかります。本書でもいろいろなメソッドの使い方を紹介しますが、もっと多くのメソッドを使いたくなったら、APIドキュメントを調べてみてください。

　メソッドの呼び出し・引数・戻り値と、クラスメソッド・インスタンスメソッドの呼び出し方法について学びました。次は、実際にメソッドを計算に活用してみましょう。

---

column

クラスメソッドとインスタンスメソッドの見分け方

　あるメソッドを呼び出すには、そのメソッドがクラスメソッドなのかインスタンスメソッドなのかを知る必要があります。実は両者の見分け方は簡単で、メソッドの修飾子にstatic（スタティック）が含まれていたらクラスメソッド、含まれていなければインスタンスメソッドです。APIドキュメントの場合は、メソッドの一覧表にある「修飾子と型」（Modifier and Type）の欄に注目してください。

---

column

System.out.printlnメソッドの戻り値

　System.out.printlnメソッドは、「System.out.println(値)」のように呼び出すと、値を画面に出力してくれます。呼び出しの際に渡す値が引数ですが、戻り値は何でしょうか。

　実は、System.out.printlnメソッドには戻り値がありません。「画面に出力する」と「戻り値を返す」は異なることに注意してください。System.out.printlnメソッドは、「引数の値を画面に出力する」という処理を行いますが、戻り値は返しません。

　Javaが提供するメソッドがどのような戻り値を返すのかは、APIドキュメントで確認できます。「修飾子と型」の欄に、void（ボイド）と書かれていたら、そのメソッドは戻り値を返しません。実は、今までに何度も宣言しているmainメソッドも、戻り値を返さないメソッドです。

平方根を求めてみよう

　メソッドを活用する例として、Javaが提供するMath（マス、数学）クラスを使ってみましょう。Mathクラスは数学関連の機能を集めたクラスで、計算に役立ついろいろなメソッドを備えています。

　ここではMath.sqrtメソッドを使ってみましょう。Math.sqrtメソッドは、指定

した値の平方根<ruby>平方根<rt>へいほうこん</rt></ruby>を求めます。sqrtはsquare root（スクエア・ルート、平方根）の略と思われます。以下で値の部分には、式を書くこともできます。

| 平方根の計算

```
Math.sqrt(値)
```

　Math.sqrtメソッドは、平方根を浮動小数点数で返します。平方根を出力するには、Math.sqrtメソッドの戻り値を、System.out.printlnメソッドなどに渡します。

| 平方根の出力

```
System.out.println(Math.sqrt(値))
```

　実際にMath.sqrtメソッドを呼び出してみましょう。問題⑩ 「2」「3」「5」の平方根を出力するプログラムを書いてください。

▼ Sqrt.java

```
1  public class Sqrt {
2      public static void main(String[] args) {
3          System.out.println(Math.sqrt(2));
4          System.out.println(Math.sqrt(3));
5          System.out.println(Math.sqrt(5));
6      }
7  }
```

```
> javac Sqrt.java
> java Sqrt
1.4142135623730951   ← 2の平方根
1.7320508075688772   ← 3の平方根
2.23606797749979     ← 5の平方根
```

　メソッドを活用する例として、まずは戻り値をそのまま出力してみました。次は乱数を生成するメソッドを呼び出してみましょう。

---

column

浮動小数点数の精度

　Javaの浮動小数点数には、32ビットのfloat（フロート）型と、64ビットのdouble（ダブル）型があります（Chapter4）。float型とdouble型は、それぞれ32桁と64桁の2進数で、浮動小数点数を表現します。

　いずれの型も桁数が有限なので、精度に限界があります。float型は10進数で7.22桁程度、double型は10進数で15.95桁程度の精度です。平方根を出力するプログラムにおいて、本来は無限に続くはずの平方根が、限られた桁数までしか出力されないのは、精度の限界が原因なのです。

乱数を生成してみよう

　乱数というのは、次に出てくる値が予測できないような数のことです。プログラミングでは乱数を使う機会が多くあります。サイコロやルーレットのようなゲームのプログラムに使う他、プログラムの挙動を予測しにくくして安全性を高めるようなセキュリティの目的にも使います。

　Math.random（マス・ランダム）メソッドを使うと、0.0以上1.0未満の乱数を生成できます。Math.randomメソッドには引数が無く、戻り値は浮動小数点数の乱数です。

乱数の生成

```
Math.random()
```

　Math.randomメソッドを使って、サイコロのプログラムを書いてみましょう。まずは、問題⑪ 0.0以上1.0未満の乱数を出力するプログラムを書いてください。Math.randomメソッドの戻り値を、そのままSystem.out.printlnメソッドに渡せば大丈夫です。

▼Dice.java

```
1 public class Dice {
2     public static void main(String[] args) {
3         System.out.println(Math.random());
4     }
5 }
```

上記ではクラス名をDice（ダイス、サイコロ）としました。プログラムを何度か実行して、ランダムな数が出力されることを確認してください。

```
> javac Dice.java
> java Dice
0.5502658707206832    ← 1回目の乱数
> java Dice
0.07071386894024156   ← 2回目の乱数
> java Dice
0.8838526878477143    ← 3回目の乱数
```

　乱数を生成し、とりあえず出力することができました。次は、よりサイコロらしくするために、メソッドの戻り値を加工してみましょう。

メソッドの戻り値を加工する

　メソッドの戻り値に、演算子や他のメソッドを適用すると、別の値に加工できます。ここではMath.randomメソッドの戻り値に、演算子を適用してみましょう。本物のサイコロのように、1から6までの乱数を生成することを目指します。

　Math.randomメソッドの戻り値は「0.0以上1.0未満の乱数」です。この戻り値に6を乗算すると「0.0以上6.0未満の乱数」になり、さらに1を加算すると「1.0以上7.0未満の乱数」になります。つまり「1.…」から「6.…」までの乱数が得られます。

　小数点以下の除去は後で行うことにして、**問題⑫** 「1.…」から「6.…」までの乱数**を出力する**プログラムを書いてください。Math.randomメソッドの戻り値に6を乗算し、1を加算してから出力します。

▼Dice2.java

```
1 public class Dice2 {
2     public static void main(String[] args) {
3         System.out.println(Math.random()*6+1);
4     }
5 }
```

　プログラムを何度か実行してみてください。整数部分だけを見ると、1から6までの乱数が生成できています。

```
> javac Dice2.java
> java Dice2
3.5965278456240237    ← 1回目の乱数
> java Dice2
6.821567301254696     ← 2回目の乱数
> java Dice2
2.099239368125188     ← 3回目の乱数
```

　メソッドの戻り値を加工する方法を学びました。次はキャストという機能を使って、小数部分を除去してみましょう。

キャストで浮動小数点数を整数に変換する

　キャスト（cast）は、式の値（式を評価した結果の値）を指定した型に変換する演算です。キャストは次のように書きます。以下で「(型)」の部分は、キャスト演算子と呼ばれます。

▎キャスト

```
(型)式
```

　式全体にキャストを適用するためには、次のように式を()で囲む必要がある場合も多いので注意してください。これはキャスト演算子の優先順位が、他の多くの演算子に比べて高いためです。

▎式全体のキャスト

```
(型)(式)
```

　キャストを使うと、例えば浮動小数点数を整数に変換できます。浮動小数点数を整数に変換すると、小数部分が除去されて整数部分だけが残ります。
　整数へのキャストは次のように書きます。前述のように、int（イント）は整数を表す型の1つで、integer（インテジャー、整数）の略です。

▎整数へのキャスト

```
(int)値
```

　例えば、浮動小数点数の1.2を整数に変換すると、1になります。浮動小数点数の

−1.2を整数に変換すると、−1になります。正数・負数ともに、元の浮動小数点数よりも0に近くなるように変換されます。この変換方法は「0への丸め」と呼ばれます。

整数へのキャストを使って、前問のプログラム (Dice2.java) を改良してみましょう。**問題⑬** **1から6までの整数の乱数を出力**するプログラムを書いてください。前問の式全体を()で囲んだうえで、キャストを適用します。

▼Dice3.java

```
1  public class Dice3 {
2      public static void main(String[] args) {
3          System.out.println((int)(Math.random()*6+1));
4      }
5  }
```

プログラムを繰り返し実行してみてください。1から6までの乱数が生成できていれば、サイコロのプログラムは完成です。

```
> javac Dice3.java
> java Dice3
2                ← 1回目の乱数
> java Dice3
6                ← 2回目の乱数
> java Dice3
5                ← 3回目の乱数
```

同様の方法で、生成する値の範囲が異なるサイコロも作れます。1から10までのサイコロや、1から100までのサイコロなど、いろいろなサイコロを作ってみてください。

メソッド・演算子・キャストを計算に活用する方法を学びました。これらを組み合わせて式を書くと、さまざまな値を作り出せます。

次は少し趣を変えて、文字や文字列について学んでみましょう。

04 文字や文字列を操作する

Javaでは文字と文字列（もじれつ）を区別して扱います。文字は1個の文字を表し、文字列は0個以上の文字の並びを表します。

例えば同じ「A」でも、文字の場合は'A'と書き、文字列の場合は"A"と書きます。どちらも「A」を表しますが、文字と文字列では使える機能が異なるので、注意が必要です。

普段のプログラミングでは、おそらく文字列を使う機会の方が多いでしょう。文字列を1文字単位で細かく処理する場合や、文字コード（文字を表す番号）を扱う場合には、文字を使います。

文字は1個の文字を表す

まずは文字について学びましょう。プログラムに書いた文字データのことを、文字リテラルと呼びます。文字リテラルは次のように、'（シングルクォート、シングルクォーテーション）で囲んで書きます。

文字リテラル

```
'文字'
```

上記で文字の部分には、1個の文字だけを書きます。半角の英字・数字・記号だけではなく、全角の漢字や仮名なども書けます。2個以上の文字を書いたり、文字を1個も書かなかったりすることはできません。

文字リテラルを使ってみましょう。**問題⑭**「J」「a」「v」「a」を縦に並べて出力するプログラムを書いてください。「J」「a」「v」「a」の各文字を、System.out.printlnメソッドで出力します。

```
1  public class Char {
2      public static void main(String[] args) {
3          System.out.println('J');
4          System.out.println('a');
5          System.out.println('v');
6          System.out.println('a');
7      }
8  }
```

　上記でクラス名のCharは、character（キャラクター、文字）の略です。Javaが提供するCharacterクラスと名前が重複しないように、Charとしました。

```
> javac Char.java
> java Char
J
a
v
a
```

　上記のような出力は、文字ではなく文字列を使ってもできます。文字を使う必要性がより高いのは、文字コードを扱う場合です。文字コードとは、コンピュータが文字をデータ（値）として扱うために、各種の文字に対して割り当てた番号です。

　文字コードには多くの種類がありますが、現在よく使われているのは、ASCII（アスキー）とUnicode（ユニコード）です（Chapter1）。Unicodeに関しては、文字エンコーディング（文字コードを表現する形式）が複数あり、UTF-8・UTF-16・UTF-32と呼ばれています。

　Javaの文字や文字列ではUTF-16を使います。UTF-16は1文字を16ビットで表現する方式で、半角の英字・数字・記号に加えて、全角の漢字や仮名なども含む、各言語の文字に対応しています。ただし、16ビットでは表現できない一部の文字については、サロゲートペアと呼ばれる方式を使って、2文字で表現します。

　文字コードを出力してみましょう。キャストを使って、文字リテラルを整数に変換してから出力すると、文字コードを出力できます。前問のプログラム（Char.java）を改造して、問題⑮「J」「a」「v」「a」の文字コードを出力するプログラムを書いてください。

▼Char2.java

```
1  public class Char2 {
2      public static void main(String[] args) {
3          System.out.println((int)'J');
4          System.out.println((int)'a');
5          System.out.println((int)'v');
6          System.out.println((int)'a');
7      }
8  }
```

```
> javac Char2.java
> java Char2
74    ← Jの文字コード
97    ← aの文字コード
118   ← vの文字コード
97    ← aの文字コード
```

　文字と文字コードについて学びました。次は複数の文字を並べた、文字列につい
て学びましょう。

文字列は0個以上の文字の並びを表す

　文字列については既に何度も使ってきました。プログラムに書いた文字列データ
のことを、文字列リテラルと呼びます。文字列リテラルは次のように、"（ダブル
クォート、ダブルクォーテーション）で囲んで書きます。

| 文字列リテラル（再掲）
```
"文字列"
```

　上記で文字列の部分には、0個以上の文字を書きます。0個でも、1個でも、2個
でも、それ以上でも構いません。文字の場合と同様に、半角の英字・数字・記号に
加えて、全角の漢字や仮名なども書けます。
　文字が0個の文字列、つまり1個も文字が無い文字列のことを、空文字列（からも
じれつ、くうもじれつ）と呼びます。空文字列のリテラルは次のように書きます。

| 空文字列
```
""
```

文字列に+演算子を適用すると、文字列を連結できます。文字列Aと文字列Bを連結する場合は、次のように書きます。

文字列の連結
文字列A+文字列B

　文字列と数値の連結もできます。次のように、文字列と数値に+演算子を適用すると、数値を文字列に変換したうえで、文字列と連結します。文字列と数値の左右はどちらでも構いません。いずれの場合も、結果は文字列になります。

文字列と数値の連結
文字列+数値 **数値+文字列**

　文字列や数値を連結してみましょう。**問題⑯**「120+340+560」を計算したうえで、「total:…yen」（合計:…円）と出力するプログラムを書いてください。

▼ Str.java

```java
1  public class Str {
2      public static void main(String[] args) {
3          System.out.println("total:"+(120+340+560)+"yen");
4      }
5  }
```

　上記でクラス名のStrは、String（ストリング、文字列）の略です。Javaが提供するStringクラスと名前が重複しないように、上記ではStrとしました。
　上記のプログラムでは、120+340+560を括弧で囲む必要があります。この括弧があることで、次のように意図通りの計算ができます。+演算子は左結合なので、左から計算することに注意してください。

▼ 「"total:"+(120+340+560)+"yen"」の計算手順

```
"total:"+(120+340+560)+"yen"        ← 最初の状態
            ↓
"total:"+1020+"yen"                 ← (120+340+560)を計算
            ↓
"total:1020"+"yen"                  ← "total:"と1020を連結
            ↓
"total:1020yen"                     ← "total:1020"と"yen"を連結
```

```
> javac Str.java
> java Str
total:1020yen
```

120+340+560を括弧で囲まない場合も試してみましょう。**問題⑰** **前問のプログラム (Str.java) を改造して、「120+340+560」を囲む括弧を除去**したプログラムを書いてください。

▼ Str2.java

```
1  public class Str2 {
2      public static void main(String[] args) {
3          System.out.println("total:"+120+340+560+"yen");
4      }
5  }
```

```
> javac Str2.java
> java Str2
total:120340560yen
```

上記は意図していない結果ですが、どうしてこの結果になったのか、理由を考えてみましょう。計算手順は次の通りです。

▼ 「"total:"+120+340+560+"yen"」の計算手順

演算子の優先順位や結合性を考慮して、上記のように式の計算手順を精密に読み解くことは、プログラムの動作を正しく理解するためにとても重要です。ぜひ、何となく式を読み書きするのではなくて、文法に基づいて正確に読み書きする練習を

してみてください。最初は大変ですが、訓練を積むと思い通りにプログラムが書けるようになります。

文字列リテラルと、文字列の連結について学びました。次は文字や文字列と一緒に活用できる、エスケープシーケンスについて学びます。

特殊な文字を表すエスケープシーケンス

エスケープシーケンスは、改行やタブといった特殊な文字を書くための記法です。以下はよく使うエスケープシーケンスです。エスケープシーケンスを使うと、通常の方法では書きにくい文字を、文字や文字列に含められます。

エスケープシーケンスは\（バックスラッシュ）を使って書きます。フォントの設定によっては、¥（円記号）が表示される場合もありますが、働きは同じです。

▼エスケープシーケンス（例）

記法	意味
\n	改行
\t	タブ
\"	ダブルクォート
\'	シングルクォート
\\	バックスラッシュ
\u????	Unicode文字（?は0〜9、a〜f、A〜Fのいずれか）

エスケープシーケンスの\"は、文字列リテラルに"を含めたいときに使います。同様に\'は、'の文字リテラルを書くために使います。また\\は、バックスラッシュ自体を書きたいときに使います。

エスケープシーケンスを使ってみましょう。問題⑱ System.out.printlnを1回だけ呼び出して、「Hello（改行）Java」と出力するプログラムを書いてください。改行のエスケープシーケンスを使います。

▼ Escape.java

```
1  public class Escape {
2      public static void main(String[] args) {
3          System.out.println("Hello\nJava");
4      }
5  }
```

```
> javac Escape.java
> java Escape
Hello
Java
```

　別のエスケープシーケンスも使ってみましょう。 問題⑲ 「"JVM" is "Java Virtual Machine"」と出力するプログラムを書いてください。ダブルクォートのエスケープシーケンスを使います。

▼ Escape2.java

```
1  public class Escape2 {
2      public static void main(String[] args) {
3          System.out.println("\"JVM\" is \"Java Virtual Machine\"");
4      }
5  }
```

```
> javac Escape2.java
> java Escape2
"JVM" is "Java Virtual Machine"   ←「JVM」は「Java Virtual Machine」
```

　通常の方法では書きにくい文字を書くための、エスケープシーケンスについて学びました。

　本章では整数や浮動小数点数を使った計算を行いました。式を正しく読み書きするには、演算子の優先順位や結合性を理解することが重要です。メソッドを計算に活用する方法や、文字と文字列の扱い方についても学びました。
　次章では、変数に値を格納する方法を学びます。

Chapter3の復習

☐ 整数の計算

問題❶ 「12+3」「12-3」「12*3」「12/3」「12%3」の値を出力するプログラムを書いてください。 ➡87ページ

問題❷ 「5/2」と「5%2」の値を出力するプログラムを書いてください。 ➡88ページ

問題❸ 「5/0」の値を出力するプログラムを書いてください。 ➡88ページ

問題❹ 「2+3*4」と「(2+3)*4」の値を出力するプログラムを書いてください。 ➡90ページ

問題❺ 「2-3+4」の値を出力するプログラムを書いてください。 ➡92ページ

☐ 浮動小数点数の計算

問題❻ 「1.2+0.3」「1.2-0.3」「1.2*0.3」「1.2/0.3」「1.2%0.3」の値を出力するプログラムを書いてください。 ➡94ページ

問題❼ 「5.0/2.0」と「5.0%2.0」の値を出力するプログラムを書いてください。 ➡95ページ

問題❽ 「5.0/0.0」と「5.0%0.0」の値を出力するプログラムを書いてください。 ➡96ページ

問題❾ 「5/2」「5.0/2.0」「5/2.0」「5.0/2」の値を出力するプログラムを書き、結果を予想してから実行してください。 ➡96ページ

☐ **メソッドの利用**

問題⑩ 「2」「3」「5」の平方根を出力するプログラムを書いてください。

➡101ページ

問題⑪ 0.0以上1.0未満の乱数を出力するプログラムを書いてください。

➡102ページ

問題⑫ 「1.…」から「6.…」までの乱数を出力するプログラムを書いてください。

➡103ページ

☐ **キャスト**

問題⑬ 1から6までの整数の乱数を出力するプログラムを書いてください。

➡105ページ

☐ **文字と文字列**

問題⑭ 「J」「a」「v」「a」を縦に並べて出力するプログラムを書いてください。

➡106ページ

問題⑮ 「J」「a」「v」「a」の文字コードを出力するプログラムを書いてください。

➡107ページ

問題⑯ 「120+340+560」を計算したうえで、「total:…yen」（合計:…円）と出力する
プログラムを書いてください。　　　　　　　　　　　　　　➡109ページ

問題⑰ 前問のプログラムを改造して、「120+340+560」を囲む括弧を除去したプロ
グラムを書いてください。　　　　　　　　　　　　　　　　➡110ページ

問題⑱ System.out.printlnを1回だけ呼び出して、「Hello（改行）Java」と出力する
プログラムを書いてください。　　　　　　　　　　　　　　➡111ページ

問題⑲ 「"JVM" is "Java Virtual Machine"」と出力するプログラムを書いてください。

➡112ページ

後で必要な値は変数に
格納しておく

複雑な計算をするときには、途中の計算結果を一時的に保存しておきたいことがあります。計算結果の値をどこかに格納しておき、次の計算ではこの値を参照して使います。このような値の格納と参照を実現する、変数の使い方を学びましょう。

まずは変数を使うために必要な、宣言と初期化について学びます。変数名に関する規則や、変数の型を自動的に決める型推論についても紹介します。続いて、変数の値を変更する代入について学びます。

値の種類を表す概念である、型についても詳しく学びましょう。Javaにはプリミティブ型と参照型があります。プリミティブ型から別のプリミティブ型への変換や、プリミティブ型に対応するラッパークラスについても学びます。

本章の学習内容

❶ 変数の宣言と初期化
❷ 型推論
❸ 代入演算子と複合代入演算子
❹ final変数
❺ プリミティブ型と参照型
❻ 拡大変換と縮小変換
❼ ラッパークラス

01 変数は宣言してから使う

　変数は値を一時的に保存するための仕組みです。式を計算して求めた値などを、変数に格納（書き込み）しておけば、後で必要なときに参照（読み出し）して、別の計算に使ったり、画面に出力したりできます。

　まずはJavaで変数を使うときに必要な、変数の宣言と初期化について学びましょう。

変数の宣言には型と変数名を書く

　Javaで変数を使うには、事前にその変数を宣言しておく必要があります。変数の宣言は次のように書きます。

▌変数の宣言

```
型 変数名;
```

　次のように、,（カンマ）で区切れば、複数の変数をまとめて宣言できます。同じ型の変数を複数使うときに便利な書き方です。

▌変数の宣言（複数）

```
型 変数名A, 変数名B, …;
```

　メソッド内で宣言した変数のことを、ローカル変数と呼びます。ローカル変数は、宣言しただけでは値が格納されていない状態です。値の格納には、以下で学ぶ初期化や、後述する代入を使います。

　変数の初期化とは、変数の宣言と同時に、変数に値を格納することです。変数の初期化は次のように行います。式を評価（計算）した結果の値が、変数に格納されます。

▌変数の初期化

```
型 変数名 = 式;
```

　次のように「,」を使えば、複数の変数をまとめて宣言し、初期化できます。初期化する変数と、初期化しない変数（宣言するだけの変数）を混ぜて書いても構いません。

| 変数の初期化（複数）

> 型　変数名A=式A，変数名B=式B，…；

　上記の宣言や初期化における型の部分には、intやdoubleといった型の名前を書きます。変数には、宣言のときに指定した型の値を格納できます。宣言後に変数の型を変更することはできません。

　今までに学んだ整数・浮動小数点数・文字・文字列を格納するには、次のような型の変数を使います。例えば、int型の変数（intを指定して宣言した変数）には整数を、double型の変数（doubleを指定して宣言した変数）には浮動小数点数を、それぞれ格納することが可能です。Javaには他にも数多くの型がありますが、まずは以下の型を使ってみてください。

▼型の例

型	読み方の例	機能
int	イント	整数
double	ダブル	浮動小数点数
char	チャー	文字
String	ストリング	文字列

　charはcharacter（キャラクター、文字）の略と思われます。また、Stringが大文字で始まっているのは、後述するようにStringがクラス名だからです。StringはJavaが提供する（あらかじめ用意している）クラスの1つです。

　さて、変数を使ってみましょう。問題❶ 変数aを「123」、変数bを「4.56」、変数cを「'A'」、変数dを「"Hello"」で初期化し、各変数の値を出力するプログラムを書いてください。各変数の型は、前述の表から、値に合った型を選びます。変数の値を出力するには、System.out.printlnメソッドを使います。

▼Variable.java

```
1  public class Variable {
2      public static void main(String[] args) {
3
4          // 変数の宣言と初期化
5          int a=123;
6          double b=4.56;
7          char c='A';
```

```
 8          String d="Hello";
 9
10          // 変数の値を出力
11          System.out.println(a);
12          System.out.println(b);
13          System.out.println(c);
14          System.out.println(d);
15     }
16 }
```

　上記でクラス名のVariable（バリアブル）は、変数のことです。整数の123はint型、浮動小数点数の4.56はdouble型、文字の'A'はchar型、文字列の"Hello"はString型の変数にそれぞれ格納できます。このように格納する値の型に合わせて、変数の型を選びます。

```
> javac Variable.java
> java Variable
123    ← 変数a（整数、int型）
4.56   ← 変数b（浮動小数点数、double型）
A      ← 変数c（文字、char型）
Hello  ← 変数d（文字列、String型）
```

　変数の宣言と初期化の方法を学びました。次は、変数を使うことの利点について考えてみましょう。

変数には後で使いたい値を保存しておく

　変数の利点は、値を保存しておいて後で利用できることです。例えば、後で何度も使う計算結果などは、変数に保存しておくと計算し直さなくて済みます。

　計算結果の保存が役立つ例として、割り勘のプログラムを書いてみましょう。合計金額を計算した後に、合計金額、2人の割り勘金額、3人の割り勘金額を出力します。 問題② 「450+670+890」の計算結果を変数totalに保存した後に、total、total/2、total/3を出力するプログラムを書いてください。

```
1  public class Variable2 {
2      public static void main(String[] args) {
3          int total=450+670+890;
4          System.out.println(total);
5          System.out.println(total/2);
6          System.out.println(total/3);
7      }
8  }
```

```
> javac Variable2.java
> java Variable2
2010   ← 合計
1005   ← 2人で割り勘
670    ← 3人で割り勘
```

　変数に計算結果を保存しておいたおかげで、割り勘金額を求めるときに合計金額を計算し直さずに済みました。次は変数名を決めるときの規則について、詳しく学んでみましょう。

識別子は対象を区別するための名前

　変数名のように、対象を区別するための名前のことを識別子と呼びます。識別子には、変数名・クラス名・メソッド名などがあります。

　識別子には、英字（半角のa〜zおよびA〜Z）、数字（半角の0〜9）、_（半角のアンダースコア）を使うのが一般的です。1文字目には英字を使い、2文字目以降には英字・数字・_を使います。

　Javaの識別子には次のような規則があります。変数名などを決めるときには、以下の規則に従ってください。

● 英小文字と英大文字は区別される

　例えば「a」と「A」、「hello」と「Hello」と「HELLO」、「hellojava」と「helloJava」と「HelloJava」と「HELLOJAVA」などは、それぞれ別の識別子として扱われます。

● **キーワードは使えない**

キーワードとは、プログラミング言語において特別な意味を持つ語句のことです。int・double・if・else・switch・case・for・while…といったJavaのキーワードは識別子としては使えません。

● **1文字目に数字は使えない**

例えば1st（ファースト）や2nd（セカンド）や3rd（サード）などは識別子としては使えません。

● **単独の_は使えない**

単独の_（アンダースコア）は、識別子としては使えません。「HELLO_JAVA」のように、他の文字と混ぜて使うことはよくあります。

● **$も使えるが基本的には使わない**

$（ドル、ダラー）も識別子に使えますが、プログラムをツールで生成する場合などを除いて、使わないように推奨されています。

● **全角文字も使える**

識別子はUnicode（ユニコード）に対応しているので、日本語の漢字や仮名なども含めた、世界中のいろいろな文字を識別子に使えます。例えば「名前」や「価格」といった変数名も使えますが、実際のプログラムでは「name」や「price」といった英語名にすることが一般的のようです。

上記の規則に従っている限り、自由に識別子を決めて構いません。一方でJavaの言語仕様書は、次のように識別子を決めることを、慣習として推奨しています。

▼ 識別子の慣習

種類	全体の先頭	各単語の先頭	例
変数名	英小文字	英大文字	name、price、errorMessage
クラス名	英大文字	英大文字	Name、Price、ErrorMessage
メソッド名	英小文字	英大文字	getName、setPrice、printError
定数名	英大文字	英大文字	NAME、PRICE、ERROR_MESSAGE

変数名・クラス名・メソッド名については、英大文字・英小文字・数字を使います。定数名については、英大文字・数字・_を使います。定数を宣言する方法は、本章で後述します。

変数名には、ローカル変数名・引数名・フィールド名が含まれます。ローカル変数名については、プログラムの狭い範囲で使う変数ということもあり、aやbといった短い名前を付けることがよくあります。

特に不便がない限り、上記の慣習に従うとよいでしょう。Javaが提供するクラスやメソッドなどと見た目を揃えられたり、他のプログラマにプログラムを読んでもらいやすくなったり、といった利点があります。

識別子に関する規則と慣習について学びました。次はJavaが提供する変数を使ってみましょう。

---

column

識別子の長さ

数学ではxやyのような1文字の変数を使うことがよくありますが、プログラミングでは1文字の識別子を使うこともあれば、長い名前の識別子を使うこともあります。例えば、狭い範囲で一時的に使う識別子には短い簡潔な名前を付けて、広範囲で長期間使う識別子には長くても区別しやすい名前を付ける、といった使い分けをするとよいでしょう。

Javaが提供する変数を使う

プログラマが宣言する変数の他に、Javaが提供する変数もあります。これらの変数は宣言済みなので、プログラマが宣言せずに使えます。

Javaが提供する変数は、APIドキュメント（Chapter2）に記載されています。例えば数学関連の機能を集めたMathクラスには、円周率（π、パイ）を表すMath.PIや、自然対数の底を表すMath.Eなどの変数（フィールド）があります。

Math.PIを使ってみましょう。**問題❸ 変数radius（半径）を「1.23」で初期化したうえで、円周と面積を出力**してください。円周は「2×円周率×半径」で、面積は「円周率×半径×半径」で計算します。

▼ Variable3.java

```java
1  public class Variable3 {
2      public static void main(String[] args) {
3          double radius=1.23;
4          System.out.println(2*Math.PI*radius);
5          System.out.println(Math.PI*radius*radius);
6      }
7  }
```

```
> javac Variable3.java
> java Variable3
7.728317927830891    ← 円周
4.752915525615998    ← 面積
```

　Javaが提供する変数を使ってみました。次は変数の宣言において、型の指定を省略する方法を紹介します。

型推論で型の指定を省略する

　型推論は、変数などの型を自動的に決定する機能です。型推論を使うと、変数を初期化する際に型の指定を省略できます。

　型推論を使って変数を初期化するには、次のように書きます。Javaコンパイラは式の値の型から、変数の型を自動的に決定します。var（バー）はvariable（変数）の略と思われます。

▍変数の初期化（型推論）

```
var 変数名 = 式;
```

　型推論を使って変数を宣言してみましょう。 問題④ 変数aを「123」、変数bを「4.56」、変数cを「'A'」、変数dを「"Hello"」で初期化し、各変数の値を出力するプログラムを書いてください。前出のプログラム（Variable.java）を改造します。

```
1  public class Variable4 {
2      public static void main(String[] args) {
3
4          // 変数の宣言と初期化
5          var a=123;
6          var b=4.56;
7          var c='A';
8          var d="Hello";
9
10         // 変数の値を出力
11         System.out.println(a);
12         System.out.println(b);
13         System.out.println(c);
14         System.out.println(d);
15     }
16 }
```

int・double・char・Stringといった型を指定するかわりに、varと記述します。各変数の型は、初期化に使った値から、Javaコンパイラが自動的に決定してくれます。

```
> javac Variable4.java
> java Variable4
123     ← 変数a
4.56    ← 変数b
A       ← 変数c
Hello   ← 変数d
```

型推論で変数の型を省略する機能は、ローカル変数と、ラムダ式(Chapter13、Chapter15)の引数に使えます。フィールド(Chapter8)には使えないので、注意してください。

変数の基本的な使い方を学んできました。次は変数の値を変更する、代入について学びましょう。

🖱 column

型推論の使いどころ

　変数の型を具体的に指定するべきか、型推論を使って型の指定を省略するべきかは状況によります。型推論を使うことで同じ型名を何度も書くことを回避できる場合や、プログラムを簡潔にして開発や修正を容易にできる場合には使うとよいでしょう。逆に、型推論を使うとプログラムの解読が難しくなるような場合には、使用を避けるべきです。

🖱 column

複数行の文字列が書けるテキストブロック

　複数行の文字列を書くには、文字列リテラルと改行のエスケープシーケンス（\n）を組み合わせる方法の他に、次のようなテキストブロックを使う方法もあります。テキストブロックは3個のダブルクォート（"""）で囲んで書きます。

▌テキストブロック

```
"""文字列"""
```

　テキストブロックの中の文字列は、途中で改行して複数行になっても構いません。改行した場合は、エスケープシーケンスを使わなくても、改行を含む文字列のデータになります。

02 変数の値を変更する

変数を初期化すれば、宣言と同時に値を格納できます。一方、宣言とは異なるタイミングで変数に値を設定したり、変数の値を変更したい場合もあるでしょう。

そんなときに役立つのが代入です。ここでは、変数の値を変更する代入と、計算と代入をまとめて行う複合代入について学びましょう。

代入演算子で変数に値を格納する

＝（イコール）は代入を行うための演算子で、代入演算子と呼ばれます。後述する複合代入演算子と区別するために、単純代入演算子と呼ぶこともあります。

変数に値を代入するには、次のように書きます。式を計算した結果の値が、変数に格納されます。

| 代入

変数 = 式

また、次のように書くことで、ある変数に別の変数の値を代入できます。以下の場合は、変数Aに変数Bの値をコピーします。

| 変数の代入

変数A = 変数B

複数の変数に対して、同じ値を代入することもできます。次のように書くと、変数Aと変数Bに対して、式を評価（計算）した結果の値が代入されます。変数が3個以上の場合も同様です。

| 複数の変数への代入

変数A = 変数B = 式

宣言と同時に行う初期化とは異なり、代入は宣言以外のタイミングでも行えます。また、初期化は一度しか行えませんが、代入は何度でも行えます。

代入演算子を使って、ドルを円に換算するプログラムを書いてみましょう。

問題⑤　変数dollarにドルの金額、変数rateに為替レート（1ドルあたりの円）を格納したうえで、円の金額を計算して出力するプログラムを書いてください。ドルの金額は23ドルとします。為替レートは、最初は110円としておき、次に150円に変更して、それぞれを使った換算の結果を出力してください。

▼Assign.java

```
 1  public class Assign {
 2      public static void main(String[] args) {
 3
 4          // 金額は23ドル、1ドルあたり110円で換算
 5          int dollar=23, rate=110;
 6          System.out.println(dollar*rate);
 7
 8          // 1ドルあたり150円に変更して換算
 9          rate=150;
10          System.out.println(dollar*rate);
11      }
12  }
```

　上記でクラス名のAssignは、assignment（アサインメント）の略です。assignmentは「割り当て」を表す言葉ですが、プログラミングでは「代入」を表します。

　上記のプログラムでは、最初に変数rateを110で初期化しますが、途中で代入を使って、rateの値を150に変更します。このように代入を使うと、任意のタイミングで変数の値を変更できます。

```
> javac Assign.java
> java Assign
2530    ← 1ドル110円の場合、23ドルは2530円
3450    ← 1ドル150円の場合、23ドルは3450円
```

　変数に値を代入する方法を学びました。次は計算と代入をまとめて行う、複合代入演算子について学びます。

複合代入演算子で計算と代入を同時に行う

　複合代入演算子は、計算と代入をまとめて行う演算子です。複合代入演算子は次のように使います。いずれもAとBの間で計算を行い、結果をAに代入します。

演算子	機能	使い方	Aに代入される値
+=	加算（足し算）	A+=B	AとBの和
-=	減算（引き算）	A-=B	AとBの差
*=	乗算（掛け算）	A*=B	AとBの積
/=	除算（割り算）	A/=B	AをBで割った商
%=	剰余（割り算の余り）	A%=B	AをBで割った余り

　例えば、変数xに5を加算するときには、代入演算子を使って「x=x+5」と書く方法と、複合代入演算子を使って「x+=5」と書く方法があります。どちらで書いても構わないのですが、「x+=5」の方が少し短く書けます。なお、変数に1を加算する場合や、変数から1を減算する場合には、インクリメント演算子やデクリメント演算子を使うと、さらに短く書けます（Chapter6）。

　複合代入演算子を使って、預金額を計算するプログラムを書いてみましょう。

問題⑥ 最初の預金額が10000で、1年ごとに預金額が1.1倍に増える場合に、今後5年間の預金額を出力するプログラムを書いてください。変数depositに預金額、変数rateに倍率を格納しておきます。そして、複合代入演算子でdepositにrateを乗算し、depositを出力します。この処理を5回繰り返してください。

▼ Assign2.java

```java
 1  public class Assign2 {
 2      public static void main(String[] args) {
 3
 4          // 預金額、倍率
 5          int deposit=10000;
 6          double rate=1.1;
 7
 8          // 1年目
 9          deposit*=rate;
10          System.out.println(deposit);
11
12          // 2年目
13          deposit*=rate;
14          System.out.println(deposit);
15
16          // 3年目
```

```
17        deposit*=rate;
18        System.out.println(deposit);
19
20        // 4年目
21        deposit*=rate;
22        System.out.println(deposit);
23
24        // 5年目
25        deposit*=rate;
26        System.out.println(deposit);
27    }
28 }
```

上記では同じ処理を5回繰り返して書きました。このような繰り返しを簡潔に書く方法は、Chapter6で学びます。

```
> javac Assign2.java
> java Assign2
11000  ← 1年後
12100  ← 2年後
13310  ← 3年後
14641  ← 4年後
16105  ← 5年後
```

変数の値を変更する式を簡潔に書ける、複合代入演算子について学びました。次は、値が変わらない変数を宣言する方法を学びましょう。

値が変わらないfinal変数

final（ファイナル）という修飾子を付けて変数を宣言すると、値が変わらない変数になります。このような変数をfinal変数と呼びます。

final変数は次のように宣言します。final変数には、後から値を代入することができないので、宣言と同時に初期化しておく必要があります。

| final変数の宣言と初期化

```
final 型 変数名 = 式;
```

▍final変数の宣言と初期化（複数）

```
final 型 変数名A=式A，変数名B=式B，…；
```

　final変数は、値が変わらない定数（ていすう）を宣言したいときに便利です。final変数の値を変更しようとすると、エラーが発生するので、うっかり値を変更してしまうことを防げます。

　final変数を使って、6.02×10^{23}（アボガドロ定数）や、6.63×10^{-34}（プランク定数）のような、物理定数（物理学で用いる定数）を表してみましょう。これらの値を書くには、次のような指数表記を使うと便利です。

▍浮動小数点数の指数表記

```
仮数e指数    ← 小文字のeを使用
仮数E指数    ← 大文字のEを使用
```

　上記のeやEは、exponent（指数）の略と思われます。eとEのどちらを書いても、動作に違いはありません。「仮数」の部分には6.02や6.63のような浮動小数点数を書き、「指数」の部分には23や－34のような整数を書きます。仮数に「10の指数乗」を乗算した値が浮動小数点数の値になります。

　final変数と、浮動小数点数の指数表記を使ってみましょう。**問題⑦** **final変数のAVOGADROとPLANCKを宣言し、それぞれ「6.02×10^{23}」と「6.63×10^{-34}」で初期化して出力**するプログラムを書いてください。

▼Final.java

```
1  public class Final {
2      public static void main(String[] args) {
3          final double AVOGADRO=6.02e23, PLANCK=6.63e-34;
4          System.out.println(AVOGADRO);
5          System.out.println(PLANCK);
6      }
7  }
```

```
> javac Final.java
> java Final
6.02E23    ← 6.02×10²³（アボガドロ定数）
6.63E-34   ← 6.63×10⁻³⁴（プランク定数）
```

129

System.out.printlnメソッドを使うと、指数を表すeが上記のように大文字のEで表示されます。System.out.printfメソッド（Chapter6）を使うと、小文字のeで表示することもできます。

final変数の利点は、定数に名前を付けられることです。式に6.02e23や6.63e-34（あるいは6.02E23や6.63E-34）といった値を直接書くよりも、AVOGADRO（アボガドロ）やPLANCK（プランク）といった名前を書いた方が、その値が何を意味しているのかがわかりやすいでしょう。

final変数の名前には、慣習として英大文字を使います。変数名が複数の単語で構成されていたら、例えばERROR_MESSAGE（エラー・メッセージ）のように、単語の切れ目を_（アンダースコア）で区切ります。

final変数を変更しようとすると、エラーが発生します。例えば、 問題8 **final変数のAVOGADROに新しい値を代入したうえで、コンパイル** してみてください。

▼Final.java（誤り）

```
1  public class Final {
2      public static void main(String[] args) {
3          final double AVOGADRO=6.02e23, PLANCK=6.63e-34;
4          AVOGADRO=6.02214076e23;
5          System.out.println(AVOGADRO);
6          System.out.println(PLANCK);
7      }
8  }
```

```
> javac Final.java
Final.java:4: エラー : final変数AVOGADROに値を代入することはできません
                AVOGADRO=6.02214076e23;
                ^
エラー 1個
```

上記のようなエラーが発生します。複合代入演算子やインクリメント演算子・デクリメント演算子（Chapter6）を使って、final変数の値を変更しようとした場合も、同様にエラーになります。

定数を表すのに役立つ、final変数について学びました。次は型について詳しく学んでみましょう。

03 型は値の種類を表す

　型は値の種類を表す概念です。式の値にも、変数にも、それぞれ型があります。
Javaプログラミングでは、式や変数がどんな型なのかを、常に意識しておくことが
重要です。

　今までに学んだ型は、整数を表すint、浮動小数点数を表すdouble、文字を表す
char、文字列を表すStringです。実はJavaには、他にも数多くの型があります。こ
れらの型について詳しく学びましょう。

型にはプリミティブ型と参照型がある

　Javaの型は、プリミティブ型と参照型に分類できます。今までに学んだ型では、
int・double・charはプリミティブ型で、String（Stringクラス）は参照型です。プリ
ミティブ型と参照型では、変数が値を管理する仕組みが異なります。

　プリミティブ（primitive、基本となる）型は、Javaの言語仕様で定義された基本
的な型です。プリミティブ型の変数には、値そのものが格納されます。例えば、
int型の変数には整数、double型の変数には浮動小数点数、char型の変数には文字
が格納されます。

▼プリミティブ型の変数

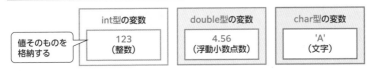

int型の変数	double型の変数	char型の変数
123 （整数）	4.56 （浮動小数点数）	'A' （文字）

値そのものを
格納する

　一方、配列（Chapter7）・クラス（Chapter8）・インタフェース（Chapter9）は参照
型に分類されます。参照型の変数には、参照値（または参照）と呼ばれる、インスタ
ンスを参照する（指し示す）ための情報（メモリのアドレスなど）が格納されます。

　例えば、String型の変数に値（文字列）を代入すると、文字列はStringインスタン
スに格納され、変数にはStringインスタンスへの参照値が格納されます。以下は
String型の変数に、文字列"Hello"を代入した状態です。代入ではなく初期化した場
合も、同じ状態になります。

▼ 参照型の変数

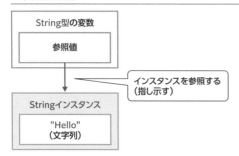

　プリミティブ型の変数と参照型の変数では、ある変数に別の変数の値を代入した
ときの動作が異なります。「a=b」のように、変数aに変数bを代入する場合を考えて
みましょう。

　プリミティブ型の場合は、変数bの値を変数aにコピーします。例えば変数bに整
数の123が格納されていたら、変数aにも123が格納されます。

▼ プリミティブ型の変数に対する代入

　参照型の場合は、変数bの参照値を変数aにコピーします。結果として、変数bが
参照するインスタンスを変数aも参照するようになります。例えば、変数bが文字列
（Stringインスタンス）の"Hello"を参照していたら、変数aも同じ文字列を参照する
ようになります。

▼ 参照型の変数に対する代入

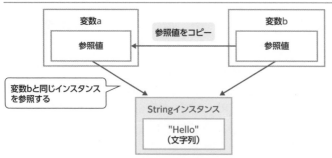

このような代入の動作に関する違いは、値を比較する方法などに影響します。例えば、プリミティブ型の整数・浮動小数点数・文字と参照型の文字列では、値を比較する方法が異なります（Chapter5）。

　プリミティブ型と参照型について学びました。次は、いろいろなプリミティブ型について学びましょう。

✿ プリミティブ型は言語仕様で定義された基本の型

　以下はプリミティブ型の一覧です。今までに学んだint・double・charは、プリミティブ型に分類されます。

▼プリミティブ型

型	読み方の例	機能	値の範囲
byte	バイト	整数（8ビット符号付き）	−128〜127
short	ショート	整数（16ビット符号付き）	−32,768〜32,767
int	イント	整数（32ビット符号付き）	−2,147,483,648〜2,147,483,647
long	ロング	整数（64ビット符号付き）	−9,223,372,036,854,775,808〜9,223,372,036,854,775,807
float	フロート	浮動小数点数（32ビット）	$1.2×10^{-38}$〜$3.4×10^{38}$程度
double	ダブル	浮動小数点数（64ビット）	$2.2×10^{-308}$〜$1.8×10^{308}$程度
char	チャー	文字（16ビット符号無し）	0〜65,535（'\u0000'〜'\uffff'）
boolean	ブーリアン	真偽値	trueまたはfalse

　整数型についてはint以外に、ビット数が異なるbyte・short・longがあります。通常はintを使うのがおすすめです。intよりもメモリを節約したい場合にはbyteやshortを使い、intでは値の範囲が狭い場合にはlongを使います。

　整数型のshortと文字型のcharは、いずれもビット数が16ですが、符号の有無が異なるため値の範囲も異なります。shortは符号付き、charは符号無しです。

　浮動小数点数型についてはdouble以外に、ビット数が少ないfloatがあります。通常はdoubleを使うのがおすすめです。doubleよりもメモリを節約したり、計算を高速に行いたい場合にはfloatを使います。

　booleanは真偽値を表す型です。値はtrue（トゥルー、真）またはfalse（フォルス、

偽)の2種類だけです。booleanや真偽値については、Chapter5で詳しく学びます。

いろいろな整数型を使ってみましょう。 問題9 **変数aを「100」、変数bを「1000」、変数cを「100,000,000(1億)」、変数dを「1,000,000,000,000(1兆)」で初期化し、出力**するプログラムを書いてください。各変数の型は、値の範囲を考慮して決めます。

long型の値を書くときは、末尾にL(エル)を付けて書きます。小文字のlも使えますが、数字の1と紛らわしいので、大文字のLを使うことが推奨されています。

▼ Primitive.java

```
1  public class Primitive {
2      public static void main(String[] args) {
3
4          // 変数の宣言と初期化
5          byte a=100;
6          short b=1000;
7          int c=100_000_000;
8          long d=1_000_000_000_000L;
9
10         // 変数の値を出力
11         System.out.println(a);
12         System.out.println(b);
13         System.out.println(c);
14         System.out.println(d);
15     }
16 }
```

上記のプログラムでは、変数の型をbyte・short・int・longとしました。桁数が多い整数を書くときは、100000000のようにそのまま書いても構いませんが、100_000_000のように_(アンダースコア)で任意の箇所を区切って、見やすく書くこともできます。

```
> javac Primitive.java
> java Primitive
100              ← byte
1000             ← short
100000000        ← int
1000000000000    ← long
```

次は浮動小数点数型を使ってみましょう。floatとdoubleの精度の違いを比較してみます。**問題⑩** float型の変数aを「1.0f/3」、double型の変数bを「1.0/3」で初期化し、出力するプログラムを書いてください。

float型の値を書くときは、1.0fのように、末尾にf（エフ）を付けて書きます。大文字のFも使えます。

▼ Primitive2.java

```
 1  public class Primitive2 {
 2      public static void main(String[] args) {
 3
 4          // 変数の宣言と初期化
 5          float a=1.0f/3;
 6          double b=1.0/3;
 7
 8          // 変数の値を出力
 9          System.out.println(a);
10          System.out.println(b);
11      }
12  }
```

```
> javac Primitive2.java
> java Primitive2
0.33333334            ← float
0.3333333333333333   ← double
```

floatの方がビット数が少ないので、メモリは節約できますが、精度はdoubleの方が高いです。float型は10進数で7.22桁程度、double型は10進数で15.95桁程度の精度があります。

本来「1割る3」は、0.333…のように無限に3が続くはずですが、浮動小数点数の精度には限界があるので、本来とは異なる値になります。floatの場合は、小数点以下8桁目が3ではなく4になっています。doubleの場合は、上記では正しい値のように見えますが、より多くの桁を出力すると、本来とは違う値が出力されます。

いろいろなプリミティブ型について学びました。次は、あるプリミティブ型から別のプリミティブ型に変換する、拡大変換について学びます。

値の範囲が広い型に変換する拡大変換

プリミティブ型の拡大変換とは、あるプリミティブ型から、より値の範囲が広いプリミティブ型に値を変換する処理です。拡大変換が可能な型の組み合わせを、以下に○と△で示します。○は精度が保たれる変換で、△は精度が落ちる可能性がある変換です。

▼拡大変換

		変換先				
		short	int	long	float	double
変換元	byte	○	○	○	○	○
	short		○	○	○	○
	char		○	○	○	○
	int			○	△	○
	long				△	△
	float					○

値の範囲の広さは、byte＜short＜int＜long＜float＜doubleの順になっています。例えばintは、long・float・doubleのいずれかに拡大変換できます。

拡大変換を行うために、特別な操作は必要ありません。必要なときには自動的に拡大変換が行われます。例えば、プリミティブ型の変数に異なるプリミティブ型の値を代入したときなどです。

拡大変換が行われる例を見てみましょう。**問題⓫ int型の変数aを「123」で初期化した後に、double型の変数bをaで初期化して、aとbを出力**するプログラムを書いてください。

▼Widening.java

```
1 public class Widening {
2     public static void main(String[] args) {
3         int a=123;
4         double b=a;
5         System.out.println(a);
6         System.out.println(b);
7     }
8 }
```

上記でクラス名のWidening（ワイドニング）は、拡大のことです。上記の「double b=a;」の箇所で、intからdoubleへの拡大変換が行われます。結果は次のように、整数の123から浮動小数点数の123.0に変換されます。

```
> javac Widening.java
> java Widening
123      ← int
123.0    ← double
```

　基本的に拡大変換では、変換前の値と変換後の値は一致します。しかし、前出の表に△で示した変換については、値によっては精度が落ちることがあります。
　精度が落ちる拡大変換の例を見てみましょう。**問題⑫** int型の変数aを「123456789」で初期化した後に、float型の変数bをaで初期化し、double型の変数cをaで初期化して、aとbとcを出力するプログラムを書いてください。

▼ Widening2.java

```
 1  public class Widening2 {
 2      public static void main(String[] args) {
 3          int a=123456789;
 4          float b=a;
 5          double c=a;
 6          System.out.println(a);
 7          System.out.println(b);
 8          System.out.println(c);
 9      }
10  }
```

```
> javac Widening2.java
> java Widening2
123456789        ← int
1.2345679E8      ← float :  1.2345679 ×10^8 = 123456790
1.23456789E8     ← double: 1.23456789×10^8 = 123456789
```

　intからfloatへの変換では、元の値よりも精度が落ちていることがわかります。intからfloat、longからfloat、longからdoubleへの変換では、整数の桁数が多い場合、このように精度が落ちることがあります。

137

値の範囲が広い型に変換する、拡大変換について学びました。次は拡大変換とは逆に、値の範囲が狭い型に変換する、縮小変換について学びます。

🖱 column

整数から浮動小数点数への拡大変換で精度が落ちる理由

　intは32ビットで整数を表現します。floatは32ビットですが、1ビットを符号、8ビットを指数、23ビットを仮数に使います。intからfloatへの変換では、32ビットの整数を1ビットの符号と23ビットの仮数で表現することになるので、値によっては精度が落ちます。

　一方、longは64ビットで整数を表現します。longからfloatへの変換では、intからfloatへの変換と同様に、値によっては精度が落ちます。

　doubleは64ビットですが、1ビットを符号、11ビットを指数、52ビットを仮数に使います。longからdoubleへの変換では、64ビットの整数を1ビットの符号と52ビットの仮数で表現することになるので、やはり値によっては精度が落ちます。

　なお、Javaのfloatやdoubleは、IEEE 754（アイトリプルイー 754）という標準規格に基づいています。floatはIEEE 754の単精度、doubleはIEEE 754の倍精度に相当します。

値の範囲が狭い型に変換する縮小変換

　プリミティブ型の縮小変換とは、あるプリミティブ型から、より値の範囲が狭いプリミティブ型に、値を変換する処理です。縮小変換が可能な型の組み合わせを、以下に△で示します。以下の変換はいずれも、精度が落ちる可能性や、値が正しく表現されない可能性があります。

▼縮小変換

		変換先					
		byte	short	char	int	long	float
変換元	short	△		△			
	char	△	△				
	int	△	△	△			
	long	△	△	△	△		
	float	△	△	△	△	△	
	double	△	△	△	△	△	△

縮小変換を行うには、キャスト（Chapter3）を使って、明示的に型を変換する必要があります。例えば、doubleからintへの変換を行うには、式をint型にキャストします。

▎キャスト（再掲）

(型)式

　縮小変換を適用してみましょう。問題⓭ **double型の変数aを「4.56」で初期化した後に、int型の変数bをaで初期化して、aとbを出力**するプログラムを書いてください。bをaで初期化する際には、aをint型にキャストする必要があります。

▼ Narrowing.java

```
1  public class Narrowing {
2      public static void main(String[] args) {
3          double a=4.56;
4          int b=(int)a;
5          System.out.println(a);
6          System.out.println(b);
7      }
8  }
```

　上記でクラス名のNarrowing（ナローイング）は、縮小のことです。次のように、doubleからintに変換した結果、小数部分が除去されます。浮動小数点数の整数部分だけを取り出したいときには、このような変換をよく使います。

```
> javac Narrowing.java
> java Narrowing
4.56   ← double
4      ← int
```

　縮小変換において、明示的なキャストを行わないと、エラーが発生します。例えば次のように、問題⓮ **キャストを行わずに、int型の変数bをdouble型の変数aで初期化したうえで、コンパイル**してみてください。

▼ Narrowing.java（誤り）

```
1  public class Narrowing {
2      public static void main(String[] args) {
3          double a=4.56;
4          int b=a;
5          System.out.println(a);
6          System.out.println(b);
7      }
8  }
```

```
> javac Narrowing.java
Narrowing.java:4: エラー : 不適合な型:
精度が失われる可能性があるdoubleからintへの変換
                int b=a;
                      ^
エラー 1個
```

　上記のようなエラーが発生します。このエラーが発生するおかげで、気づかずに
精度を落としてしまうようなプログラムの誤りを回避できます。

　値の範囲が狭い型に変換する、縮小変換について学びました。次は参照型につい
て学びましょう。

参照型を使ってメソッドを呼び出す

　文字列を表すString型は、参照型に分類されます。StringはJavaが提供するクラ
スの1つです。String型の変数には、Stringクラスのインスタンスが格納されます。
　参照型のうち、クラス（例えばStringなど）に基づく型のことを、クラス型と呼び
ます。クラス型の変数は、インスタンスメソッド（Chapter3）の呼び出しに使えま
す。以下の「インスタンス」の部分に、インスタンスを格納したクラス型の変数を
指定します。

┃インスタンスメソッドの呼び出し（再掲）

インスタンス.メソッド名(引数, …)

Stringインスタンスを格納した変数を使って、インスタンスメソッドを呼び出してみましょう。Stringクラスには多くのクラスメソッドやインスタンスメソッドがあります。以下はインスタンスメソッドの一部です。

▼ Stringクラスのインスタンスメソッド(例)

使い方	機能
charAt(位置)	指定した位置の文字を返す
compareTo(文字列)	文字列を辞書順に比較する
contains(文字列)	指定した文字列を含むかどうかを調べる
endsWith(文字列)	末尾が指定した文字列かどうかを調べる
equals(文字列)	文字列が一致するかどうかを調べる
indexOf(文字)	文字が最初に出現する位置を返す
indexOf(文字列)	文字列が最初に出現する位置を返す
isEmpty()	文字列が空(長さが0)かどうかを調べる
lastIndexOf(文字)	文字が最後に出現する位置を返す
lastIndexOf(文字列)	文字列が最後に出現する位置を返す
length()	文字列の長さを返す
repeat(回数)	指定した回数だけ繰り返した文字列を返す
replace(文字A, 文字B)	文字Aを文字Bに置換した文字列を返す
replace(文字列A, 文字列B)	文字列Aを文字列Bに置換した文字列を返す
startsWith(文字列)	先頭が指定した文字列かどうかを調べる
substring(開始位置)	部分文字列を返す(末尾まで)
substring(開始位置, 終了位置)	部分文字列を返す(終了位置の直前まで)
toLowerCase()	小文字に変換した文字列を返す
toUpperCase()	大文字に変換した文字列を返す

上記の表を参考に、問題⑮ String型の変数sに"Good Morning"を格納した後に、次の値を出力するプログラムを書いてください。以下の②～⑤については、上記の表から適切なメソッドを選んで呼び出します。

①元の文字列

②文字数

③大文字に変換した文字列

④小文字に変換した文字列

⑤MorningをNightに置換した文字列

▼ Reference.java

```
 1  public class Reference {
 2      public static void main(String[] args) {
 3          String s="Good Morning";
 4          System.out.println(s);
 5          System.out.println(s.length());
 6          System.out.println(s.toUpperCase());
 7          System.out.println(s.toLowerCase());
 8          System.out.println(s.replace("Morning", "Night"));
 9      }
10  }
```

　上記でクラス名のReference（リファレンス）は、参照のことです。上記のプログラムでは、各インスタンスメソッドの戻り値を、System.out.printlnメソッドに渡して出力します。

```
> javac Reference.java
> java Reference
Good Morning    ← 元の文字列
12              ← 文字数
GOOD MORNING    ← 大文字に変換
good morning    ← 小文字に変換
Good Night      ← MorningをNightに置換
```

　Stringクラスを例に、インスタンスを格納した変数を使って、インスタンスメソッドを呼び出す方法を学びました。次は、プリミティブ型に対応するクラスについて学びます。

プリミティブ型に対応するラッパークラス

プリミティブ型には、各々の型に対応するラッパークラスと呼ばれるクラスが用意されています。ラッパー(wrapper)というのは包装のことです。ラッパークラスは、プリミティブ型を包装して、参照型として扱うためのクラスだと言えます。具体的には、ラッパークラスには次の機能があります。

① プリミティブ型を参照型として扱えるようにする
② プリミティブ型に関連するフィールドやメソッドを提供する

①については、コレクション(Chapter13)にプリミティブ型の値を格納する際に使います。②については、後ほど実際に使ってみましょう。

以下はラッパークラスの一覧です。例えば、byte型を参照型として扱いたい場合は、対応するラッパークラスのByteクラスを使います。

▼ラッパークラス

プリミティブ型	クラス	読み方の例	機能
byte	Byte	バイト	整数(8ビット符号付き)
short	Short	ショート	整数(16ビット符号付き)
int	Integer	インテジャー	整数(32ビット符号付き)
long	Long	ロング	整数(64ビット符号付き)
float	Float	フロート	浮動小数点数(32ビット)
double	Double	ダブル	浮動小数点数(64ビット)
char	Character	キャラクター	文字(16ビット符号なし)
boolean	Boolean	ブーリアン	真偽値

前述のように、ラッパークラスはプリミティブ型に関連するフィールドやメソッドを提供します。例えば、int型のラッパークラスであるIntegerクラスを使って、int型の最小値と最大値を出力してみましょう。 問題⓰ **Integer.MIN_VALUEフィールドとInteger.MAX_VALUEフィールドを出力**するプログラムを書いてください。

▼ Reference2.java

```
1  public class Reference2 {
2      public static void main(String[] args) {
3          System.out.println(Integer.MIN_VALUE);
4          System.out.println(Integer.MAX_VALUE);
5      }
6  }
```

```
> javac Reference2.java
> java Reference2
-2147483648    ← int型の最小値
2147483647     ← int型の最大値
```

　上記の結果は、以前に紹介したint型で表せる値の範囲に一致しています。このようにIntegerクラスは、int型に関するフィールドやメソッドを備えています。他のラッパークラスについても同様に、対応するプリミティブ型に関する機能を提供します。

　本章では変数について学びました。変数を使うには宣言や初期化が必要です。変数の値を変更するには、代入演算子や複合代入演算子を使います。また、型についても詳しく学びました。Javaにはプリミティブ型と参照型があり、変数の仕組みや、メソッド呼び出しの可否などが異なります。
　次章では、実行の流れを変えるif文とswitch文について学びます。

Chapter4の復習

□ 変数

問題① 変数aを「123」、変数bを「4.56」、変数cを「'A'」、変数dを「"Hello"」で初期化し、各変数の値を出力するプログラムを書いてください。各変数の型は、値に合った型を選びます。　　　　　　　　　　　　　　　　　　➡117ページ

問題② 「450+670+890」の計算結果を変数totalに保存した後に、total、total/2、total/3を出力するプログラムを書いてください。　　　　➡118ページ

問題③ 変数radius（半径）を「1.23」で初期化したうえで、円周と面積を出力してください。　　　　　　　　　　　　　　　　　　　　　　　　➡121ページ

問題④ 変数aを「123」、変数bを「4.56」、変数cを「'A'」、変数dを「"Hello"」で初期化し、各変数の値を出力するプログラムを書いてください。型推論を使って変数を宣言します。　　　　　　　　　　　　　　　　　　➡122ページ

□ 代入

問題⑤ 変数dollarにドルの金額、変数rateに為替レート（1ドルあたりの円）を格納したうえで、円の金額を計算して出力するプログラムを書いてください。ドルの金額は23ドルとします。為替レートは、最初は110円としておき、次に150円に変更して、それぞれを使った換算の結果を出力します。　➡126ページ

問題⑥ 最初の預金額が10000で、1年ごとに預金額が1.1倍に増える場合に、今後5年間の預金額を出力するプログラムを書いてください。　　➡127ページ

□ final変数

問題⑦ final変数のAVOGADROとPLANCKを宣言し、それぞれ「6.02×10^{23}」と「6.63×10^{-34}」で初期化して出力するプログラムを書いてください。

➡129ページ

問題⑧ 前問のプログラムで、final変数のAVOGADROに新しい値を代入したうえで、コンパイルしてみてください。　　　　　　　　　　　　　➡130ページ

Chapter
4

145

□型

問題 9　変数aを「100」、変数bを「1000」、変数cを「100,000,000（1億）」、変数dを「1,000,000,000,000（1兆）」で初期化し、出力するプログラムを書いてください。
➡134ページ

問題 10　float型の変数aを「1.0f/3」、double型の変数bを「1.0/3」で初期化し、出力するプログラムを書いてください。
➡135ページ

問題 11　int型の変数aを「123」で初期化した後に、double型の変数bをaで初期化して、aとbを出力するプログラムを書いてください。
➡136ページ

問題 12　int型の変数aを「123456789」で初期化した後に、float型の変数bをaで初期化し、double型の変数cをaで初期化して、aとbとcを出力するプログラムを書いてください。
➡137ページ

問題 13　double型の変数aを「4.56」で初期化した後に、int型の変数bをaで初期化して、aとbを出力するプログラムを書いてください。
➡139ページ

問題 14　前問のプログラムで、キャストを行わずにint型の変数bをdouble型の変数aで初期化したうえで、コンパイルしてみてください。
➡139ページ

問題 15　String型の変数sに"Good Morning"を格納した後に、「元の文字列」「文字数」「大文字に変換した文字列」「小文字に変換した文字列」「MorningをNightに置換した文字列」を出力するプログラムを書いてください。
➡141ページ

問題 16　Integer.MIN_VALUEフィールドとInteger.MAX_VALUEフィールドを出力するプログラムを書いてください。
➡143ページ

Chapter 5

実行の流れを変える
if文・switch文

プログラムは、上に書かれた行から下に書かれた行に向かって実行するのが基本ですが、流れを変えたいときもあります。例えば「部屋の温度が25度以上になったら冷房を入れる」とか「得点が80点以上だったら合格と出力する」といった処理を行うには、実行の流れを変える必要があります。

if（イフ）文は、条件の成立・不成立に応じて実行の流れを変えます。if文の条件を書くために必要な、比較演算子や等価演算子についても学びましょう。

switch（スイッチ）文は、式の値に応じて実行の流れを変えます。複数の選択肢を書いておくと、式の値に一致する選択肢を実行してくれます。

本章の学習内容

- ❶ 比較演算子と等価演算子
- ❷ equalsメソッド
- ❸ !演算子・&&演算子・||演算子
- ❹ if文
- ❺ 条件演算子
- ❻ switch文
- ❼ switch式

01 演算子を使って条件を書く

if（イフ）文の条件となる式を書くには、値の大小を比べる比較演算子や、値の一致を調べる等価演算子を使います。これらの演算子を使って、いろいろな条件を表す式を書いてみましょう。複数の条件を組み合わせて、より複雑な条件を書く方法についても学びます。

比較演算子で値の大小を比べる

比較演算子は、2つの値の大小を比較して、結果を真偽値（boolean型、Chapter4）で返す演算子です。条件が成立したらtrue（トゥルー、真）を返し、不成立ならばfalse（フォルス、偽）を返します。なお、比較演算子とinstanceof演算子（Chapter9）を合わせて、関係演算子と呼びます。

▼比較演算子

演算子	読み方の例	使い方	結果がtrueになる条件
<	小なり（しょうなり）	A<B	AがBよりも小さい
>	大なり（だいなり）	A>B	AがBよりも大きい
<=	小なりイコール	A<=B	AがB以下（小さいか等しい）
>=	大なりイコール	A>=B	AがB以上（大きいか等しい）

比較演算子は整数・浮動小数点数・文字に適用できます。例えば整数を比較してみましょう。**問題❶ 変数aを「123」、変数bを「456」で初期化したうえで、aとbに4種類の比較演算子を適用し、結果を出力するプログラムを書いてください。**

▼ Compare.java

```
1  public class Compare {
2      public static void main(String[] args) {
3          int a=123, b=456;
4          System.out.println(a<b);
5          System.out.println(a>b);
6          System.out.println(a<=b);
7          System.out.println(a>=b);
8      }
9  }
```

> javac Compare.java
> java Compare
true   ←「123は456よりも小さい」は成立
false   ←「123は456よりも大きい」は不成立
true   ←「123は456以下」は成立
false   ←「123は456以上」は不成立

　比較演算子は文字列には適用できないので注意してください。文字列を辞書順（辞書に載っている順序）で比較するには、StringクラスのcompareTo（コンペア・トゥ）メソッドを使います。

| 文字列を辞書順で比較

文字列A.compareTo(文字列B)

　compareToメソッドは、文字列Aと文字列Bを辞書順で比較します。文字列Aと文字列Bの前後関係に応じて、-1・0・1のいずれかを返します。

▼ 文字列A.compareTo(文字列B)の結果

結果	条件
−1	AがBよりも前
0	AとBが等しい
1	AがBよりも後

　文字列を辞書順で比較してみましょう。**問題❷ 変数aを"apple"、変数bを"banana"で初期化したうえで、aとa、aとb、bとa、bとbをcompareToメソッドで比較し、結果を出力する**プログラムを書いてください。

▼ Compare2.java

```
1  public class Compare2 {
2    public static void main(String[] args) {
3      String a="apple", b="banana";
4      System.out.println(a.compareTo(a));
5      System.out.println(a.compareTo(b));
6      System.out.println(b.compareTo(a));
7      System.out.println(b.compareTo(b));
8    }
9  }
```

```
> javac Compare2.java
> java Compare2
0    ← "apple"は"apple"に等しい
-1   ← "apple"は"banana"よりも前
1    ← "banana"は"apple"よりも後
0    ← "banana"は"banana"に等しい
```

　整数・浮動小数点数・文字の大小を比較する比較演算子と、文字列を辞書順で比較するcompreToメソッドについて学びました。次は値が一致するかどうかを調べる、等価演算子について学びましょう。

column

文字列の比較

　文字列を辞書順に比較する処理には、文字コード（Chapter1）が使われます。例えば"apple"と"banana"の比較では、まず先頭の文字であるaとbについて、文字コードを比較します。ASCII（Chapter1）において、aの文字コードは97、bの文字コードは98なので、"apple"は"banana"よりも辞書順で前と判定します。もし"apple"と"apricot"のように、先頭の文字が同じ場合は、2番目の文字コードを比較します。以後は同様に、文字列の前後関係が判定できるまで、文字コードの比較を続けます。

等価演算子で値の一致を調べる

等価演算子は、2つの値が等しいか等しくないかを調べて、結果を真偽値（boolean型）で返す演算子です。==は「等しい」かどうかを調べ、!=は「等しくない」かどうかを調べます。

▼等価演算子

演算子	読み方の例	使い方	結果がtrueになる条件
==	イコール・イコール	A==B	AがBに等しい
!=	ノット・イコール	A!=B	AがBに等しくない

==は意味としてはイコール（等しい）ですが、代入演算子の=と区別するために、イコール・イコールと読んだ方が誤解を防げるかもしれません。また、!=はノット（NOT、否定）とイコールを合わせてノット・イコールと読む例を示しましたが、ビックリ・イコールと読むこともできそうです。本書の例にこだわらず、読みやすく、人に伝えやすい読み方を探してみてください。

等価演算子を使ってみましょう。**問題❸ 変数aを「123」、変数bを「456」で初期化したうえで、aとbに==と!=を適用し、結果を出力**するプログラムを書いてください。

▼Equal.java

```
1  public class Equal {
2      public static void main(String[] args) {
3          int a=123, b=456;
4          System.out.println(a==b);
5          System.out.println(a!=b);
6      }
7  }
```

```
> javac Equal.java
> java Equal
false   ← 123==456は不成立
true    ← 123!=456は成立
```

151

等価演算子は浮動小数点数にも適用できますが、浮動小数点数には誤差があるので、予想外の結果になることがあります。**問題❹ 変数aを「0.1+0.2」、変数bを「0.3」で初期化したうえで、aとbに==と!=を適用し、結果を出力**するプログラムを書いてください。以下のプログラム例では、値を確認するためにaとbも出力しています。

▼ Equal2.java

```java
1  public class Equal2 {
2      public static void main(String[] args) {
3          double a=0.1+0.2, b=0.3;
4          System.out.println(a==b);
5          System.out.println(a!=b);
6          System.out.println(a);
7          System.out.println(b);
8      }
9  }
```

```
> javac Equal2.java
> java Equal2
false                   ←「0.1+0.2は0.3に等しい」は不成立！
true                    ←「0.1+0.2は0.3に等しくない」は成立！
0.30000000000000004     ← a(0.1+0.2)
0.3                     ← b(0.3)
```

0.1+0.2は0.3に等しくなりそうに思いますが、誤差のために等しくなりません。このように浮動小数点数には誤差があるので、等価演算子は適用しないのがおすすめです。

2つの浮動小数点数が等しいかどうかを調べたいときには、2つの値が十分に近いかどうかを調べるとよいでしょう。例えば比較演算子を使って、2つの値の差の絶対値が一定値以下かどうかを調べます。

値が等しいか等しくないかを調べる、等価演算子について学びました。次は文字列の内容を比較する、equalsメソッドについて学びます。

✍ equalsメソッドで文字列の内容を比較する

文字列の内容を比較する場合には、等価演算子を使わないように注意してください。文字列の内容を比較するには、equals（イコールズ）メソッドを使います。equalsメソッドは、文字列Aと文字列Bの内容が等しい場合はtrueを返し、等しくない場合はfalseを返します。

▌文字列の内容を比較

```
文字列A.equals(文字列B)
```

equalsメソッドと等価演算子の動作の違いを確認してみましょう。**問題⑤ 変数xを"pineapple"、変数yを"pine"、変数zを"apple"で初期化したうえで、xとy+zにequalsメソッドと==を適用し、結果を出力**するプログラムを書いてください。

Chapter

5

01
演
算
子
を
使
っ
て
条
件
を
書
く

▼ Equal3.java

```
1  public class Equal3 {
2      public static void main(String[] args) {
3          String x="pineapple", y="pine", z="apple";
4          System.out.println(x.equals(y+z));
5          System.out.println(x==y+z);
6      }
7  }
```

上記のプログラムは、"pineapple"と"pine"+"apple"を比較します。"pine"+"apple"は"pineapple"になるので、"pineapple"と等しくなりそうですが、==の結果は不成立（等しくない）になります。

```
> javac Equal3.java
> java Equal3
true    ←「x.equals(y+z)」は成立
false   ←「x==y+z」は不成立！
```

実は、文字列のような参照型（Chapter4）に等価演算子を適用すると、内容を比較するのではなく、「同じインスタンスを参照しているかどうか」を調べます。例えば参照型の変数Aと変数Bがあるとき、AとBが同じインスタンスを参照していれば、A==Bはtrueを返します。逆にA!=Bは、AとBが別のインスタンスを参照して

いればtrueを返します。

▼ 参照型に等価演算子を適用

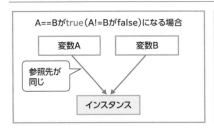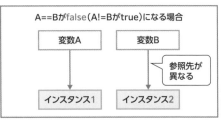

前出のプログラムでは、変数xは文字列"pineapple"のインスタンスを参照しています。同様に変数yは"pine"を、変数zは"apple"を参照しています。

▼ 文字列のインスタンスと変数（連結前）

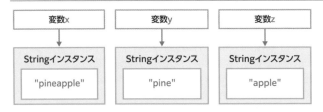

y+zを計算すると、"pine"と"apple"を連結した"pineapple"のインスタンスが新しく生成されます。これは変数xが参照している"pineapple"とは別のインスタンスなので、x==y+zはfalse（不成立）になります。

▼ 文字列のインスタンスと変数（連結後）

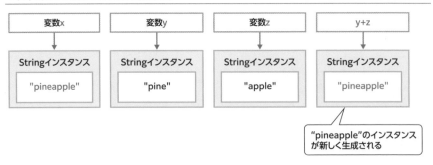

文字列の内容を比較する場合は、等価演算子(==や!=)ではなく、equalsメソッドを使ってください。うっかり等価演算子を使うと、文字列の内容が等しくても、「等しくない」と判定される場合があります。

　文字列の内容を比較するequalsメソッドと、参照型に等価演算子を適用した場合の動作について学びました。次は複数の条件を組み合わせて、複雑な条件を書く方法を学びましょう。

条件を組み合わせて複雑な条件を書く

　論理補数演算子(!)・条件AND演算子(&&)・条件OR演算子(||)は、複雑な条件を書くための演算子です。いずれの演算子も、結果を真偽値(boolean型)で返します。

　以下でAとBの部分には、値が真偽値になる式を書きます。!は演算の対象が1個の単項演算子、&&と||は演算の対象が2個の二項演算子です。

▼論理補数演算子・条件AND演算子・条件OR演算子

演算子	読み方の例	使い方	結果がtrueになる条件
!	ノット	!A	Aがfalse(Aが不成立)
&&	アンド	A&&B	AもBもtrue(AもBも成立)
||	オア	A||B	AまたはBがtrue(AまたはBが成立)

　&&と||に似た演算子としては、ビット単位演算子(または論理演算子)の&と|があります(Chapter3)。&&と&、||と|は動作が異なるので、混同しないようにしてください。読み方を明確に区別したい場合には、&&をアンド・アンド、||をオア・オアと読む方法もあります。

　上記の演算子を実際に使ってみましょう。指定した時刻が営業時間内かどうかを調べるプログラムです。**問題⑥ 変数xを11(11時)、変数yを22(22時)で初期化したうえで、これらの時刻が「9時以後17時以前」かどうかを調べ、結果を出力する**プログラムを書いてください。

▼ Condition.java

```
1  public class Condition {
2      public static void main(String[] args) {
3          int x=11, y=22;
4          System.out.println(9<=x && x<=17);
5          System.out.println(9<=y && y<=17);
6      }
7  }
```

　上記のプログラムは&&演算子を使って書きました。9時以後（9<=x）と17時以前（x<=17）という2つの条件を&&演算子で組み合わせて、複雑な条件にします。

```
> javac Condition.java
> java Condition
true    ← 11時は営業時間内
false   ← 22時は営業時間外（営業時間内ではない）
```

　次は、指定した時刻が営業時間外かどうかを調べてみましょう。**問題 7** **変数xを11（11時）、変数yを22（22時）で初期化したうえで、これらの時刻が「9時以後17時以前」ではないことを調べ、結果を出力**するプログラムを書いてください。!演算子を使う方法と、||演算子を使う方法があります。

▼ Condition2.java

```
1  public class Condition2 {
2      public static void main(String[] args) {
3          int x=11, y=22;
4
5          // !演算子と&&演算子を使う方法
6          System.out.println(!(9<=x && x<=17));
7          System.out.println(!(9<=y && y<=17));
8
9          // ||演算子を使う方法
10         System.out.println(x<9 || 17<x);
11         System.out.println(y<9 || 17<y);
12     }
13 }
```

上記の条件は、上の2個は!演算子を使い、下の2個は||演算子を使いました。!を使った条件は「9時以前17時以後ではない」という意味で、||を使った条件は「9時より前または17時より後」という意味です。!演算子は&&演算子よりも優先順位が高いので(Chapter3)、「9<=x && x<=17」や「9<=y && y<=17」を、()で囲んでいることに注意してください。

```
> javac Condition2.java
> java Condition2
false   ← 11時は営業時間内
true    ← 22時は営業時間外（営業時間内ではない）
false   ← 11時は営業時間内（営業時間外ではない）
true    ← 22時は営業時間外
```

　&&演算子と||演算子には、ショートサーキットという性質があります。ショートサーキットというのは、電気回路（サーキット）が短絡（ショート）することです。プログラミングにおけるショートサーキットとは、式を評価（計算）する途中で結果が確定した場合に、残りの評価を省略することです。

　「A&&B」の結果がtrueになるのは、AもBもtrueの場合だけです。そこで、Aがfalseの場合は、Bにかかわらず結果がfalseに確定するので、Bの評価を省略します。

▼ショートサーキット（&&演算子）

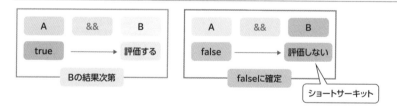

　同様に「A||B」の結果がfalseになるのは、AもBもfalseの場合だけです。そこで、Aがtrueの場合は、Bにかかわらず結果がtrueに確定するので、Bの評価を省略します。

▼ショートサーキット（||演算子）

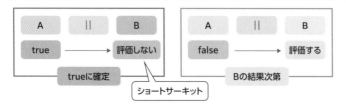

　!演算子・&&演算子・||演算子を使って、複雑な条件を書く方法を学びました。次はいよいよ、条件に応じて実行の流れを変える、if文について学びます。

---

column

ショートサーキットの活用

　ショートサーキットには、不要な評価を省略することで処理を効率化する働きがあります。一方でショートサーキットは、例外の発生を防止するためにも使えます。例えば「yをxで割った余りが1かどうか」を調べる、「y%x==1」という式を例にして考えてみましょう。この式は、xが0の場合は0で割り算をすることになるので、例外のArithmeticException（Chapter3）が発生してしまいます。

　ここでショートサーキットを活用すると、例外の発生を防止できます。「xが0ではなく、かつyをxで割った余りが1かどうか」を調べることにして、「x!=0 && y%x==1」という式を書きます。xが0の場合は「x!=0」がfalseになり、ショートサーキットによって「y%x==1」は評価されません。つまり、0による割り算は実行されないので、例外が発生しません。

02 条件に応じて分岐するif文

if（イフ、もしも）文を使うと、条件に応じてプログラムの流れを分岐できます。if文は条件が成立したときに、指定した処理を実行します。また、if文にelse（エルス、さもなければ）を組み合わせると、条件が不成立のときに実行する処理も指定できます。

まずはシンプルなif文から学びましょう。

「もしも」のif

if文は次のように書きます。以下で式の部分には、値が真偽値になる式を記述します。ブロックの中（{と}の間）にある文は、インデント（字下げ、Chapter2）するのが一般的です。

| if文

```
if (式) {
    文
    …
}
```

式の値がtrueのとき、つまり条件が成立したときは、文を実行します。式の値がfalseのとき、つまり条件が不成立のときは、文を実行しません。

▼if文の動作（条件が成立）

```
if (式) {          ①true
    文              ②実行
    …
}
次の文             ③実行
```

▼if文の動作（条件が不成立）

```
           ①false
if （式） {
    文           実行しない
    …
}
次の文           ②実行
```

　文が1個のときは、次のようにブロックを使わずに書いても構いません。実際の開発では、文が1個の場合もブロックを使って書くように推奨されることが多いため、本書では主にブロックを使って書きます。

▌if文（ブロックを使わない）

```
if (式) 文;
```

　ブロックを使わない方が簡潔に書けますが、うっかり次のような書き方をしないように注意してください。

誤解を招く書き方の例①

```
if (式) 文A; 文B;
```

誤解を招く書き方の例②

```
if (式)
    文A;
    文B;
```

　上記は例①②ともに、式の値がtrueのとき（条件が成立したとき）に実行するのは文Aだけで、文Bは実行しません。もし文Aと文Bの両方を実行したい場合には、ブロックを使って書いてください。

　if文を使ってみましょう。温度に応じてエアコンのオン・オフを制御するプログラムです。**問題 8** **温度を表す変数tを「31」で初期化したうえで、tが「30」よりも大きければcoolerと出力**するプログラムを書いてください。

▼If.java

```
1  public class If {
2      public static void main(String[] args) {
3          int t=31;
4          if (t>30) {
5              System.out.println("cooler");
6          }
7      }
8  }
```

▼If2.java

```
1  public class If2 {
2      public static void main(String[] args) {
3          int t=31;
4          if (t>30) System.out.println("cooler");
5      }
6  }
```

　上記のプログラムでは、ブロックを使うif文と、ブロックを使わないif文の両方を書いてみました。この例のように、if以下の文が1個の場合は、どちらの書き方でも構いません。

　このプログラムは、条件（tが30よりも大きい）が成立した場合にはcoolerと出力し、不成立の場合には何も出力しません。tが31の場合は、次のようにcoolerと出力します。

```
> javac If.java
> java If
cooler   ← クーラー
```

　tを24に変更して、プログラムをコンパイル・実行してみてください。「t=31」の部分を「t=24」に変更します。この場合は条件が不成立になるので、次のように何も出力しません。

```
> javac If.java
> java If
        ← 何も出力しない
```

if文の使い方を学びました。次はif文にelseを組み合わせてみましょう。

「さもなければ」のelse

if文にelse（エルス）を組み合わせるには、次のように書きます。ブロックの中にある文は、インデントするのが一般的です。

| else

```
if (式) {
    文A
    …
} else {
    文B
    …
}
```

式の値がtrueのとき（条件が成立したとき）には、文Aを実行します。式の値がfalseのとき（条件が不成立のとき）には、文Bを実行します。

▼elseの動作（条件が成立）

```
         ┌──── ①true
if (式) {
    文A ◄──── ②実行
} else {
    文B ◄──── 実行しない
}
次の文 ◄──── ③実行
```

▼elseの動作（条件が不成立）

```
         ┌──── ①false
if (式) {
    文A ◄──── 実行しない
} else {
    文B ◄──── ②実行
}
次の文 ◄──── ③実行
```

文Aや文Bが1個のときは、次のようにブロックを使わずに書いても構いません。if以下とelse以下の、片方だけをブロックにすることもできます。

| else（ブロックを使わない）

```
if (式) 文A; else 文B;
```

　elseを使ってみましょう。前問（If.java）に引き続き、エアコンを制御するプログラムです。問題⑨ 温度を表す変数tを「31」で初期化したうえで、tが「30」よりも大きければcoolerと出力し、さもなければoffと出力するプログラムを書いてください。

▼Else.java

```
 1  public class Else {
 2      public static void main(String[] args) {
 3          int t=31;
 4          if (t>30) {
 5              System.out.println("cooler");
 6          } else {
 7              System.out.println("off");
 8          }
 9      }
10  }
```

▼Else2.java

```
 1  public class Else2 {
 2      public static void main(String[] args) {
 3          int t=31;
 4          if (t>30) System.out.println("cooler");
 5          else System.out.println("off");
 6      }
 7  }
```

　前問のプログラムに引き続き、ブロックを使うif文と、ブロックを使わないif文の両方を書いてみました。この例のように、if以下やelse以下の文が1個の場合は、どちらの書き方でも構いません。

　ブロックを使わないif文については、1行が長くなったので、途中で改行しました。こういった空白・タブ・改行などは、好みにあわせて、プログラムが見やすくなる

ように入れて構いません。もしコーディングスタイル（Chapter2）が決められている場合には、そのコーディングスタイルに従ってください。

　実行結果は次の通りです。tが31の場合は、条件（tが30よりも大きい）が成立するので、coolerと出力します。

```
> javac Else.java
> java Else
cooler  ← クーラー
```

　tを24に変更して、プログラムをコンパイル・実行してみてください。この場合は条件が不成立になるので、offと出力します。

```
> javac Else.java
> java Else
off  ← オフ
```

　elseの使い方を学びました。次は、複数の条件を書くときに役立つelse ifについて学びましょう。

「そうではなくて、もしも」のelse if

　else if（エルス・イフ）は、最初の条件が不成立のときに、次の条件を判定して分岐する機能です。else ifは次のように書きます。ブロックの中は一般にインデントします。

| else if

```
if (式A) {
    文A
    …
} else if (式B) {
    文B
    …
} else {
    文C
    …
}
```

式Aの値がtrueのとき（条件が成立したとき）には文Aを実行し、式Aの値がfalseのとき（条件が不成立のとき）には、式Bの判定に進みます。そして、式Bの値がtrueのときには文Bを実行し、式Bの値がfalseのときには文Cを実行します。

▼else ifの動作（最初の条件が成立）

```
if (式A) {
    文A
} elseif (式B) {
    文B
} else {
    文C
}
次の文
```

- ①true
- ②実行
- 実行しない
- 実行しない
- ③実行

▼else ifの動作（次の条件が成立）

```
if (式A) {
    文A
} elseif (式B) {
    文B
} else {
    文C
}
次の文
```

- ①false
- 実行しない
- ②true
- ③実行
- 実行しない
- ④実行

▼else ifの動作（両方の条件が不成立）

```
if (式A) {
    文A
} elseif (式B) {
    文B
} else {
    文C
}
次の文
```

- ①false
- 実行しない
- ②false
- 実行しない
- ③実行
- ④実行

　文A・文B・文Cが1個のときは、次のようにブロックを使わずに書いても構いません。全てをブロックにせずに、if以下、else if以下、else以下の一部だけをブロックにすることもできます。

| else if（ブロックを使わない）

```
if (式A) 文A; else if (式B) 文B; else 文C;
```

　else ifは、「もしも式Aが成立したら文Aを実行、そうではなくて式Bが成立したら文Bを実行、さもなければ式Cを実行」のように読むと動作を理解しやすいでしょう。なお、else ifは1個に限らず、「if…else if…else if…」のように、何個でも書けます。また、最後のelseを省略することも可能です。

　else ifを使ってみましょう。エアコンのプログラムに、ヒーターの機能を追加します。**問題⑩** 温度を表す変数tを「31」で初期化したうえで、tが「30」よりも大きければcoolerと出力し、tが「20」よりも小さければheaterと出力し、さもなければoffと出力するプログラムを書いてください。

▼ ElseIf.java

```
 1  public class ElseIf {
 2      public static void main(String[] args) {
 3          int t=31;
 4          if (t>30) {
 5              System.out.println("cooler");
 6          } else if (t<20) {
 7              System.out.println("heater");
 8          } else {
 9              System.out.println("off");
10          }
11      }
12  }
```

▼ ElseIf2.java

```
 1  public class ElseIf2 {
 2      public static void main(String[] args) {
 3          int t=31;
 4          if (t>30) System.out.println("cooler");
 5          else if (t<20) System.out.println("heater");
 6          else System.out.println("off");
 7      }
 8  }
```

前問と同様に、ブロックを使うif文と、ブロックを使わないif文の両方を書いてみました。以下はtが31、19、24の場合の実行例です。tを変更して、プログラムをコンパイル・実行してみてください。

```
> javac ElseIf.java
> java ElseIf
cooler   ← クーラー（tが31の場合）
heater   ← ヒーター（tが19の場合）
off      ← オフ（tが24の場合）
```

このようにif、else、else ifを組み合わせると、条件に応じて実行の流れが複雑に分岐するプログラムを書けます。次は、if文のような分岐を式の中に書ける、条件演算子について学びましょう。

条件演算子で分岐を簡潔に書く

条件演算子は、if文のような分岐を式の中で行うための演算子です。項（演算の対象）が3個あるので、三項演算子とも呼びます。

条件演算子は次のように書きます。以下ではわかりやくするために、？（クエスチョン）や：（コロン）の前後に空白を入れましたが、空白を入れずに詰めて書いても構いません。

┃ 条件演算子

> **式A ？ 式B ： 式C**

条件演算子は、式Aの値がtrueのとき（条件が成立したとき）には式Bの値を返し、式Aの値がfalseのとき（条件が不成立のとき）には式Cを返します。「式Aが成立したら式Bを返し、不成立ならば式Cを返す」のように解釈すると覚えやすいでしょう。

▼条件演算子の動作

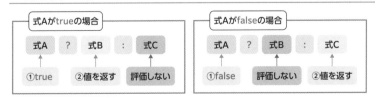

167

if文で書くと、次のようなイメージになります。

条件演算子に近い動作のif文

```
if (式A) 式B; else 式C;
```

ifとelseを使って書いたエアコンのプログラム（If2.java）を、条件演算子を使って書いてみましょう。**問題⑪ 温度を表す変数tを「31」で初期化したうえで、tが「30」よりも大きければcoolerと出力し、さもなければoffと出力**するプログラムを書いてください。if文は使わずに、条件演算子を使って書きます。出力を行うSystem.out.printlnメソッドも、2回呼び出すのではなく、1回だけ呼び出します。

▼ Ternary.java

```
1  public class Ternary {
2      public static void main(String[] args) {
3          int t=31;
4          System.out.println(t>30 ? "cooler" : "off");
5      }
6  }
```

上記でクラス名のTernaryは、ternary operator（三項演算子）の略です。元のプログラムよりも、かなり簡潔になりました。

以下はtが31、24の場合の実行例です。tを変更して、プログラムをコンパイル・実行してみてください。

```
> javac Ternary.java
> java Ternary
cooler    ← クーラー（tが31の場合）
off       ← オフ（tが24の場合）
```

複数の条件演算子を並べて書くことで、より複雑な分岐も可能です。例えば、2個の条件演算子を並べて、次のように書けます。

条件演算子（複数）

```
式A ? 式B : 式C ? 式D : 式E
```

上記の式は、「式Aが成立したら式Bを返し、式Aが不成立で式Cが成立したら式Dを返し、式Cも不成立ならば式Eの値を返す」のように解釈します。

▼ 条件演算子（複数）の動作

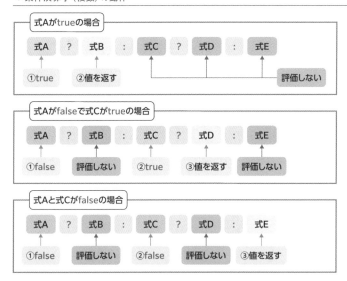

if文で書くと、次のようなイメージです。

▌条件演算子（複数）に近い動作のif文

```
if (式A) 式B; else if (式C) 式D; else 式E;
```

ifとelse ifを使って書いたエアコンのプログラム（If3.java）を、条件演算子を使って書いてみましょう。**問題⑫ 温度を表す変数tを「31」で初期化したうえで、tが「30」よりも大きければcoolerと出力し、tが「20」よりも小さければheaterと出力し、さもなければoffと出力**するプログラムを書いてください。if文は使わずに、条件演算子を使って書きます。出力を行うSystem.out.printlnメソッドも、3回呼び出すのではなく、1回だけ呼び出します。

▼ Ternary2.java

```
1  public class Ternary2 {
2      public static void main(String[] args) {
3          int t=31;
4          System.out.println(t>30 ? "cooler" : t<20 ? "heater" : "off");
5      }
6  }
```

やはり、元のプログラムよりも簡潔になりました。以下はtが31、19、24の場合の実行例です。tを変更して、プログラムをコンパイル・実行してみてください。

```
> javac Ternary2.java
> java Ternary2
cooler   ← クーラー(tが31の場合)
heater   ← ヒーター(tが19の場合)
off      ← オフ　(tが24の場合)
```

分岐を簡潔な式で書ける、条件演算子について学びました。次は、if文とは異なる方法で分岐を行う、switch文について学びましょう。

 column

プログラムは簡潔に書こう

　わかりにくくならない範囲で、プログラム(ソースコード)はできるだけ簡潔に書くのがおすすめです。プログラムが簡潔だと見通しがよく、短いプログラムの中に多くの処理を組み込めるので、複雑で高度な機能を実現しやすくなります。逆にプログラムが煩雑だと、見通しが悪いために、プログラムの作成や管理に時間や労力がかかってしまい、理論上は実現できるはずの機能でも実現できなくなることがあります。無理にプログラムを短く書く必要はありませんが、プログラムを簡潔に見通しよく書くことは、とてもおすすめです。また、プログラムを短く書くのは面白いチャレンジでもあり、新しい文法を覚えたり使ったりする動機にもなります。

03 値に応じて分岐するswitch文

　switch（スイッチ）文は、値に応じてプログラムの流れを分岐する文です。case（ケース）という選択肢を書いておくと、式の値に対応する選択肢を実行してくれます。

⚡ caseごとにbreakを書くのが基本

　switch文は次のように書きます。先頭の()内には、セレクタ式と呼ばれる式を書きます。{と}で囲まれたブロック内には、caseやdefault（デフォルト）を並べます。

| switch文

```
switch (セレクタ式) {
    case 値A:        ← caseごとに異なる値を書く
        文A           ← 文は1個でも複数個でもよい
        ...
        break;       ← caseの最後にはbreakを書く
    case 値B:
        文B
        ...
        break;
    ...              ← caseはいくつ書いてもよい
    default:         ← defaultは省略してもよい
        文X
        ...
        break;
}
```

　上記の各部分には、次のような規則があります。

● セレクタ式
　値が整数（byte・short・int）・文字（char）・参照型（文字列など）になる式を書きます。値が浮動小数点数（float・double）や64ビットの整数（long）になる式は書けません。

● **case**

　caseはいくつ書いても構いません。caseごとに異なる値を書き、:(コロン)の後に、その選択肢において実行したい文を書きます。文は1個でも複数個でも大丈夫です。

● **break**

　各caseの最後には、break(ブレーク、ブレイク)文を書くのが一般的です。switch文の中に書いたbreak文には、switch文を終了する(switch文の次の文に進む)働きがあります。break文を書かない場合については後述します。なお、switch文の末尾にあるcaseやdefaultについては、break文を省略することもできます。

● **default**

　defaultは、今までの選択肢に該当しなかった場合に実行する処理です。caseとは異なり、defaultは1個だけ書きます。必要がなければ、defaultは省略できます。なお、defaultはswitch文の末尾に書くのがおすすめです。

　switch文は次のように動作します。

1 セレクタ式を評価して値を求めます。

2 セレクタ式の値に一致する値が書かれたcaseがある場合は、そのcase以下の文を実行します。例えば、セレクタ式の値が値Aに等しければ、文Aを実行します。そしてbreak文を実行し、switch文を終了します。

3 セレクタ式の値がいずれのcaseにも一致しなかったら、default以下の文を実行します。そしてbreak文を実行し、switch文を終了します。

4 セレクタ式の値がいずれのcaseにも一致せず、defaultが省略されている場合には、何もせずにswitch文を終了します。

　セレクタ式の値に応じたswitch文の動作を、以下に図示します。

▼switch文の動作（セレクタ式が値Aに一致）

```
                              ①値Aに一致
switch（セレクタ式）{
  case  値A:
    文A           ②実行
    break;
  case  値B:
    文B           実行しない
    break;
  default:
    文X           実行しない
    break;
}
次の文            ③実行
```

▼switch文の動作（セレクタ式が値Bに一致）

```
                              ①値Bに一致
switch（セレクタ式）{
  case  値A:
    文A           実行しない
    break;
  case  値B:
    文B           ②実行
    break;
  default:
    文X           実行しない
    break;
}
次の文            ③実行
```

▼switch文の動作（セレクタ式がいずれのcaseにも一致しない）

```
                              ①いずれのcaseにも一致しない
switch（セレクタ式）{
  case 値A:
    文A ←              実行しない
    break;
  case 値B:
    文B ←              実行しない
    break;
  default:
    文X ←              ②実行
    break;
}
次の文 ←              ③実行
```

　switch文を使ってみましょう。選んだ飲み物を出力するプログラムです。

問題⑬ 変数drinkを「1」で初期化したうえで、drinkが「1」ならばcoffee、「2」ならばtea、それ以外ならばwaterと出力するプログラムを書いてください。

▼Switch.java

```java
 1 public class Switch {
 2     public static void main(String[] args) {
 3         int drink=1;
 4         switch (drink) {
 5             case 1:
 6                 System.out.println("coffee");
 7                 break;
 8             case 2:
 9                 System.out.println("tea");
10                 break;
11             default:
12                 System.out.println("water");
13                 break;
14         }
15     }
16 }
```

　以下はdrinkが「1」「2」「それ以外」の場合の実行例です。drinkを変更して、プログラムをコンパイル・実行してみてください。

```
> javac Switch.java
> java Switch
coffee    ← コーヒー(drinkが1の場合)
tea       ← 紅茶　 (drinkが2の場合)
water     ← 水　　 (drinkが上記以外の場合)
```

　switch文の基本を学びました。次はbreak文を書かなかった場合の、switch文の動作について学びましょう。

break文を書かないと次のcaseに落ちていく

　caseやdefaultの最後にbreak文を書かないと、下に落ちていくかのように、次のcaseやdefaultを続けて実行します。この動作のことを、フォール・スルー(fall through、通り抜けて落ちる)と呼びます。

　break文がないswitch文は、次のように書きます。break文があるcaseやdefaultと、break文がないcaseやdefaultを混在させても構いません。

| switch文(break文なし)

```
switch (セレクタ式) {
    case 値A:
        文A
        …      ← break文が無い場合、次のcaseやdefaultを続けて実行
    case 値B:
        文B
        …      ← break文が無い場合、次のcaseやdefaultを続けて実行
    …
    default:
        文X
        …      ← break文が無く、次のcaseやdefaultが無い場合、switch文を終了
}
```

　フォール・スルーを使ってみましょう。フォール・スルーが役立つのは、あるcaseの処理と、別のcaseの処理に重複する部分がある場合です。

　こんな例を考えてみましょう。あるレストランでは、ステーキ(steak)にサラダ(salad)やアイスクリーム(icecream)が付けられるとします。通常はステーキのみですが、メニュー1はサラダが付き、メニュー2はさらにアイスクリームも付きます。

　選んだメニューの内容を出力するプログラムを、フォール・スルーを使って書いてみましょう。**問題⑭ 変数menuを「2」で初期化したうえで、menuが「2」ならば**

icecreamとsaladとsteak、「1」ならばsaladとsteak、それ以外ならばsteakのみを出力するプログラムを書いてください。

▼ Switch2.java

```
 1  public class Switch2 {
 2      public static void main(String[] args) {
 3          int menu=2;
 4          switch (menu) {
 5              case 2:
 6                  System.out.println("icecream");
 7              case 1:
 8                  System.out.println("salad");
 9              default:
10                  System.out.println("steak");
11          }
12      }
13  }
```

　以下はmenuが「2」の場合の実行例です。menuを「2」で初期化して、プログラムをコンパイル・実行してみてください。

```
> javac Switch2.java
> java Switch2
icecream   ← アイスクリーム
salad      ← サラダ
steak      ← ステーキ
```

　以下はmenuが「1」の場合の実行例です。menuを「1」で初期化して、プログラムをコンパイル・実行してみてください。

```
> javac Switch2.java
> java Switch2
salad   ← サラダ
steak   ← ステーキ
```

　以下はmenuが「1」と「2」のいずれでもない場合の実行例です。menuを例えば「0」で初期化して、プログラムをコンパイル・実行してみてください。

```
> javac Switch2.java
> java Switch2
steak   ← ステーキ
```

　switch文のフォール・スルーについて学びました。次はswitch文をもっと簡潔に
書く方法を学びましょう。

アローを使ってswitch文を簡潔に書く

　->（アロー）を使うと、switch文を簡潔に書けます。アロー（arrow）は矢印のこ
とです。->を使ったswitch文は、次のように書きます。

| switch文（->を使用）

```
switch (セレクタ式) {
    case 値A -> 式A;   ← caseごとに値と式を書く
    case 値B -> 式B;
    …                 ← caseはいくつ書いてもよい
    default -> 式X;    ← defaultは省略してもよい
}
```

　->を使ったswitch文は、次のように動作します。前述のbreak文があるswitch文
の動作に似ています。

1 セレクタ式を評価して値を求めます。

2 セレクタ式の値に一致する値が書かれたcaseがある場合は、そのcase以下の式
を評価し、switch文を終了します。例えば、セレクタ式の値が値Aに等しければ、
式Aを評価し、switch文を終了します。

3 セレクタ式の値がいずれのcaseにも一致しなかったら、default以下の式を評価
し、switch文を終了します。

4 セレクタ式の値がいずれのcaseにも一致せず、defaultが省略されている場合に
は、何もせずにswitch文を終了します。

　セレクタ式の値に応じた、->を使ったswitch文の動作を、以下に図示します。

▼->を使ったswitch文の動作（セレクタ式が値Aに一致）

```
                            ①値Aに一致
switch (セレクタ式) {
   case   値A -> 式A;    ②式Aを評価
   case   値B -> 式B;    評価しない
   default -> 式X;       評価しない
}
次の文                   ③実行
```

▼->を使ったswitch文の動作（セレクタ式が値Bに一致）

```
                            ①値Bに一致
switch (セレクタ式) {
   case   値A -> 式A;    評価しない
   case   値B -> 式B;    ②式Bを評価
   default -> 式X;       評価しない
}
次の文                   ③実行
```

▼->を使ったswitch文の動作（セレクタ式がいずれのcaseにも一致しない）

```
                            ①いずれのcaseにも一致しない
switch (セレクタ式) {
   case   値A -> 式A;    評価しない
   case   値B -> 式B;    評価しない
   default -> 式X;       ②式Xを評価
}
次の文                   ③実行
```

　caseやdefaultに複数の文を書きたい場合は、次のようにブロックを使います。上記のようなブロックを使わない記法と、下記のようなブロックを使う記法を混在させても構いません。

| switch文（->とブロックを使用）

```
switch (セレクタ式) {
    case 値A -> {
        文A
        …
    }
    case 値B -> {
        文B
        …
    }
    …
    default -> {
        文X
        …
    }
}
```

　->を使ったswitch文を利用して、前出のプログラム（Switch.java）を簡潔にして
みましょう。問題⑮　変数drinkを「1」で初期化したうえで、drinkが「1」ならば
coffee、「2」ならばtea、それ以外ならばwaterと出力するプログラムを書いてくだ
さい。

▼ Switch3.java

```
 1  public class Switch3 {
 2      public static void main(String[] args) {
 3          int drink=1;
 4          switch (drink) {
 5              case 1 -> System.out.println("coffee");
 6              case 2 -> System.out.println("tea");
 7              default -> System.out.println("water");
 8          }
 9      }
10  }
```

　->を使うことで、元のプログラムよりも簡潔になりました。以下はdrinkが「1」
「2」「それ以外」の場合の実行例です。drinkを変更して、プログラムをコンパイル・
実行してみてください。

```
> javac Switch3.java
> java Switch3
```

```
coffee   ← コーヒー（drinkが1の場合）
tea      ← 紅茶   （drinkが2の場合）
water    ← 水     （drinkが上記以外の場合）
```

　->を使ってswitch文を簡潔にする方法を学びました。次は、switch文のような分岐を式の中に書ける、switch式について学びましょう。

式の中で場合分けできるswitch式

　switch式は、switch文のような分岐を式の中で行う機能です。switch式にはいくつかの記法がありますが、最もシンプルなのは次の記法です。

| switch式

```
switch (セレクタ式) {
    case 値A -> 式A;
    case 値B -> 式B;
    ...
    default -> 式X;
}
```

　上記は->を使ったswitch文と同じ記法です。switch文との違いは、switch式はcaseやdefault以下の式を評価して求めた値を返すことです。

　->とブロックを使う場合は、次のように書きます。switch式が返す値を指定するために、yield（イールド）文を使う必要があります。

| switch式（->とブロックを使用）

```
switch (セレクタ式) {
    case 値A -> {
        文A
        ...
        yield 式A;
    }
    case 値B -> {
        文B
        ...
        yield 式B;
    }
    ...
    default -> {
        文X
```

```
        ...
        yield 式X;
    }
}
```

　->を使わずに、次のように:を使って書くこともできます。上記と同様に、yield
文を使います。

| switch式（:を使用）

```
switch (セレクタ式) {
    case 値A:
        文A
        ...
        yield 式A;
    case 値B:
        文B
        ...
        yield 式B;
    ...
    default:
        文X
        ...
        yield 式X;
}
```

　switch式を使って、前問のプログラム（Switch3.java）を、さらに簡潔にしてみま
しょう。前問のプログラムは、System.out.printlnメソッドを3回呼び出しています
が、switch式を使うと呼び出しを1回にまとめられます。**問題⑯** **変数drinkを「1」で**
初期化したうえで、drinkが「1」ならばcoffee、「2」ならばtea、それ以外ならば
waterと出力するプログラムを書いてください。

▼ SwitchExpr.java

```
1  public class SwitchExpr {
2      public static void main(String[] args) {
3          int drink=1;
4          System.out.println(
5              switch (drink) {
6                  case 1 -> "coffee";
7                  case 2 -> "tea";
8                  default -> "water";
9              }
```

```
10            );
12        }
13  }
```

switch式が返した値を引数にして、System.out.printlnメソッドを呼び出すことで、呼び出しを1回にまとめられます。以下はdrinkが「1」「2」「それ以外」の場合の実行例です。drinkを変更して、プログラムをコンパイル・実行してみてください。

```
> javac SwitchExpr.java
> java SwitchExpr
coffee   ← コーヒー(drinkが1の場合)
tea      ← 紅茶   (drinkが2の場合)
water    ← 水     (drinkが上記以外の場合)
```

式の中で場合分けができる、switch式について学びました。次は->を使った場合に、複数のcaseをまとめる方法を学びましょう。

アローを使って複数のcaseをまとめる

あるcaseと別のcaseで同じ処理を行う場合は、複数のcaseをまとめるとプログラムが簡潔になります。caseをまとめるには前述のフォール・スルーを使う方法もありますが、−>（アロー）を使った方が簡単に書ける場合もあります。

−>を使って複数のcaseをまとめるには、次のように書きます。以下はswitch文・switch式に共通の記法です。

| switch文・switch式（複数のcaseをまとめる）

```
switch (セレクタ式) {
    case 値A1, 値A2, … -> 式A;
    case 値B1, 値B2, … -> 式B;
    …
    default -> 式X;
}
```

caseの後に、複数の値を,（カンマ）で区切って並べます。セレクタ式の値が、いずれかの値に一致した場合は、そのcase以下の式を評価します。なお、−>とブロックを使う場合にも、上記の記法を適用できます。

複数のcaseをまとめてみましょう。平年（うるう年でない年）における、月ごとの日数を出力するプログラムです。**問題⑰ 変数monthを「1」で初期化したうえで、monthが「2」ならば28を、「4」「6」「9」「11」ならば30を、それ以外ならば31を出力するプログラムを書いてください。**

▼ SwitchExpr2.java

```
 1  public class SwitchExpr2 {
 2      public static void main(String[] args) {
 3          int month=1;
 4          System.out.println(
 5              switch (month) {
 6                  case 2 -> 28;
 7                  case 4, 6, 9, 11 -> 30;
 8                  default -> 31;
 9              }
10          );
11      }
12  }
```

以下はmonthが「2」「4, 6, 9, 11」「それ以外」の場合の実行例です。monthを変更して、プログラムをコンパイル・実行してみてください。

```
> javac SwitchExpr2.java
> java SwitchExpr2
28    ← monthが2の場合
30    ← monthが4, 6, 9, 11の場合
31    ← monthが上記以外の場合
```

–>を使ったswitch文・switch式において、複数のcaseをまとめる方法を学びました。実はswitch文には、他にもいろいろな機能があります。これらの機能については、Chapter9で学びます。

本章ではif文とswitch文を使って、実行の流れを変える方法を学びました。条件に応じて分岐したい場合はif文を使い、式の値に応じて分岐したい場合はswitch文を使います。また、式の中でif文に相当する分岐を行う条件演算子や、switch文に相当する分岐を行うswitch式についても学びました。

次章では、繰り返しを行うfor文・while文・do-while文について学びます。

Chapter5の復習

□条件

問題① 変数aを「123」、変数bを「456」で初期化したうえで、aとbに4種類の比較演算子（<, >, <=, >=）を適用し、結果を出力するプログラムを書いてください。

➡148ページ

問題② 変数aを"apple"、変数bを"banana"で初期化したうえで、aとa、aとb、bとa、bとbをcompareToメソッドで比較し、結果を出力するプログラムを書いてください。

➡149ページ

問題③ 変数aを「123」、変数bを「456」で初期化したうえで、aとbに==と!=を適用し、結果を出力するプログラムを書いてください。

➡151ページ

問題④ 変数aを「0.1+0.2」、変数bを「0.3」で初期化したうえで、aとbに==と!=を適用し、結果を出力するプログラムを書いてください。

➡152ページ

問題⑤ 変数xを"pineapple"、変数yを"pine"、変数zを"apple"で初期化したうえで、xとy+zにequalsメソッドと==を適用し、結果を出力するプログラムを書いてください。

➡153ページ

□複雑な条件

問題⑥ 変数xを11（11時）、変数yを22（22時）で初期化したうえで、これらの時刻が「9時以後17時以前」かどうかを調べ、結果を出力するプログラムを書いてください。

➡155ページ

問題⑦ 変数xを11（11時）、変数yを22（22時）で初期化したうえで、これらの時刻が「9時以後17時以前」ではないことを調べ、結果を出力するプログラムを書いてください。

➡156ページ

□if文

問題⑧ 温度を表す変数tが「30」よりも大きければ、coolerと出力するプログラムを書いてください。tを「31」「24」で初期化して、それぞれ実行します。

→160ページ

問題⑨ 温度を表す変数tが「30」よりも大きければcoolerと出力し、さもなければoffと出力するプログラムを書いてください。tを「31」「24」で初期化して、それぞれ実行します。

→163ページ

問題⑩ 温度を表す変数tが「30」よりも大きければcoolerと出力し、tが「20」よりも小さければheaterと出力し、さもなければoffと出力するプログラムを書いてください。tを「31」「19」「24」で初期化して、それぞれ実行します。

→166ページ

□条件演算子

問題⑪ 温度を表す変数tが「30」よりも大きければcoolerと出力し、さもなければoffと出力するプログラムを、条件演算子を使って書いてください。tを「31」「24」で初期化して、それぞれ実行します。

→168ページ

問題⑫ 温度を表す変数tが「30」よりも大きければcoolerと出力し、tが「20」よりも小さければheaterと出力し、さもなければoffと出力するプログラムを、条件演算子を使って書いてください。tを「31」「19」「24」で初期化して、それぞれ実行します。

→169ページ

□switch文

問題⑬ 変数drinkが「1」ならばcoffee、「2」ならばtea、それ以外ならばwaterと出力するプログラムを書いてください。drinkを「1」「2」「0」で初期化して、それぞれ実行します。

→174ページ

問題⑭ 変数menuが「2」ならばicecreamとsaladとsteak、「1」ならばsaladとsteak、それ以外ならばsteakのみを出力するプログラムを書いてください。menuを「2」「1」「0」で初期化して、それぞれ実行します。

→175ページ

問題⑮ 変数drinkが「1」ならばcoffee、「2」ならばtea、それ以外ならばwaterと出力するプログラムを、->を使って書いてください。drinkを「1」「2」「0」で初期化して、それぞれ実行します。 ➡179ページ

☐ switch式

問題⑯ 変数drinkが「1」ならばcoffee、「2」ならばtea、それ以外ならばwaterと出力するプログラムを、switch式を使って書いてください。drinkを「1」「2」「0」で初期化して、それぞれ実行します。 ➡181ページ

問題⑰ 変数monthが「2」ならば28を、「4」「6」「9」「11」ならば30を、それ以外ならば31を出力するプログラムを書いてください。monthを「2」「4」「8」で初期化して、それぞれ実行します。 ➡183ページ

Chapter **6**

処理を繰り返すfor文・while文・do while文

指定した処理を繰り返すfor文・while文・do while文は、実行の流れを変えるif文・switch文と並ぶ重要な機能です。条件が成立している間は、プログラムの指定した部分を繰り返し実行します。

繰り返しのことを、ループ（loop）と呼びます。ループは、例えば「1から1000まで繰り返す」とか、「キーボードから入力した数が0でない限り繰り返す」といった用途に使います。前者の場合は、1000回分の処理を並べて書くのは大変ですが、ループを使えば1回分の処理を書くだけで済みます。後者の場合は、いつ0を入力されるのかがわからないので、処理を並べる方法では実現が困難ですが、ループを使えば大丈夫です。

本章ではfor文・while文・do while文を使って、ループを書く方法を学びます。ループと一緒に使うことが多い、インクリメント演算子とデクリメント演算子、そしてbreak文とcontinue文についても学びましょう。

本章の学習内容

❶ インクリメント演算子とデクリメント演算子
❷ for文・while文・do while文
❸ 多重ループと無限ループ
❹ 書式を指定した値の出力
❺ break文・continue文・ラベル

01 インクリメントとデクリメントで +1と-1を簡潔に書く

インクリメントとデクリメントは、繰り返しと一緒に使うことが多い演算子です。繰り返しを行うときには、変数に1を加算したり、変数から1を減算したりすることがよくあります。これらは複合代入演算子（Chapter4）を使って、「変数+=1」や「変数-=1」のようにも書けますが、インクリメント演算子やデクリメント演算子を使うと、さらに短く書けます。

インクリメントとデクリメントには前置と後置がある

インクリメント演算子（++、プラス・プラス）は、変数に1を加算する演算子です。次のように、インクリメント演算子を使うと、代入演算子や複合代入演算子を使うよりも、変数に1を加算する処理を短く書けます。

▼変数に1を加算するいろいろな方法

演算子	使い方	式の値
代入と加算	変数=変数+1	加算後の値
複合代入	変数+=1	加算後の値
前置インクリメント	++変数	加算後の値
後置インクリメント	変数++	加算前の値

デクリメント演算子（--、マイナス・マイナス）は、変数から1を減算する演算子です。インクリメント演算子と同様に、デクリメント演算子を使うと、変数から1を減算する処理を短く書けます。

▼変数から1を減算するいろいろな方法

演算子	使い方	式の値
代入と減算	変数=変数-1	減算後の値
複合代入	変数-=1	減算後の値
前置デクリメント	--変数	減算後の値
後置デクリメント	変数--	減算前の値

インクリメントとデクリメントには、それぞれ前置と後置があります。前置は変数よりも前に演算子を置くことで、後置は変数よりも後に演算子を置くことです。

前置と後置はいずれも変数の値を+1または−1しますが、式全体の値は異なります。つまり、「++変数」と「変数++」の値は異なり、「−−変数」と「変数−−」の値は異なります。詳しくは後述します。

インクリメントとデクリメントを使ってみましょう。**問題①** **変数xを「0」で初期化したうえで、「++x」「x++」「--x」「x--」を実行し、各段階でxの値を出力**するプログラムを書いてください。

▼ IncDec.java

```
 1  public class IncDec {
 2      public static void main(String[] args) {
 3          int x=0;
 4          System.out.println(x);
 5          ++x;
 6          System.out.println(x);
 7          x++;
 8          System.out.println(x);
 9          --x;
10          System.out.println(x);
11          x--;
12          System.out.println(x);
13      }
14  }
```

上記でクラス名のIncDecは、increment（インクリメント）とdecrement（デクリメント）の略です。このプログラムでは、初期値を含めて、xの値を5回出力します。前置・後置に関わらず、++の実行後にはxに1が加算され、−−の実行後にはxから1が減算されます。

```
> javac IncDec.java
> java IncDec
0   ← xの初期値
1   ← ++xの実行後
2   ← x++の実行後
1   ← --xの実行後
0   ← x--の実行後
```

インクリメントとデクリメントについて、基本的な使い方を学びました。次は前置と後置の違いを学びましょう。

必要な式の値に応じて前置と後置を使い分ける

前置インクリメント（++変数）と前置デクリメント（−−変数）は、「変数を+1または−1してから式の値を生成する」と考えるとよいでしょう。式全体の値は、加減算後の値です。

▼前置インクリメントと前置デクリメント

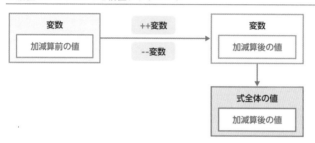

逆に後置インクリメント（変数++）と後置デクリメント（変数−−）は、「式の値を生成してから変数を+1または−1する」と考えるとよいでしょう。式全体の値は、加減算前の値です。

▼後置インクリメントと後置デクリメント

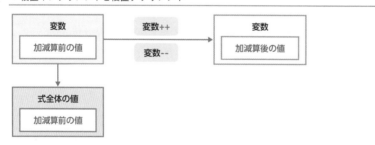

インクリメントとデクリメントについて、前置と後置の動作を確認してみましょう。 問題❷ 変数xを「0」で初期化したうえで、「++x」「x++」「--x」「x--」の値を出力するプログラムを書いてください。

```
1  public class IncDec2 {
2      public static void main(String[] args) {
3          int x=0;
4          System.out.println(++x);
5          System.out.println(x++);
6          System.out.println(--x);
7          System.out.println(x--);
8      }
9  }
```

　上記のプログラムが出力する値を予想してから、実行してみてください。予想通りの結果になりましたか。

```
> javac IncDec2.java
> java IncDec2
1   ← 前置インクリメントなので、x(値は0)を+1した後の値
1   ← 後置インクリメントなので、x(値は1)を+1する前の値
1   ← 前置デクリメントなので、x(値は2)を-1した後の値
1   ← 後置デクリメントなので、x(値は1)を-1する前の値
```

　インクリメントとデクリメントについて、前置と後置の違いを学びました。次は、1つの式で複数のインクリメントやデクリメントを使った場合の動作について学びましょう。

インクリメントとデクリメントは副作用をもたらす

　式を評価（計算）する際に、式の値を計算することとは別に、何らかの状態の変化（変数の値を変更するなど）がある場合、この変化のことを副作用と呼びます。インクリメントやデクリメントには副作用があります。これはインクリメントやデクリメントが、式の値を計算することとは別に、変数の値を+1または-1するためです。

　1つの式の中に、副作用がある処理を複数含めることは可能ですが、プログラムの動作を読み解くのは難しくなります。こういった場合は式を分割して、1つの式が含む副作用を0個または1個にすると、動作を理解しやすくなります。

1つの式が複数の副作用を含むプログラムを、あえて読み解いてみましょう。

問題❸ 変数xと変数yを「0」で初期化したうえで、「(x++)-(++x)」と「(y--)-(--y)」の値を出力するプログラムを書いてください。

▼ IncDec3.java

```
1   public class IncDec3 {
2       public static void main(String[] args) {
3           int x=0, y=0;
4           System.out.println((x++)-(++x));
5           System.out.println((y--)-(--y));
6       }
7   }
```

　上記のプログラムが出力する値を予想してみましょう。まず「(x++)−(++x)」については、次のように2通りの解釈が考えられます。

①左の「x++」を先に計算する

```
(x++)-(++x) → 0-(++x) → 0-2 → -2
```

②右の「++x」を先に計算する

```
(x++)-(++x) → (x++)-1 → 1-1 → 0
```

　同様に「(y−−)−(−−y)」についても、次のように2通りの解釈ができます。

①左の「y−−」を先に計算する

```
(y--)-(--y) → 0-(--y) → 0-(-2) → 2
```

②右の「−−y」を先に計算する

```
(y--)-(--y) → (y--)-(-1) → -1-(-1) → 0
```

　実はJavaでは、二項演算子(ここでは−)の対象については左側から評価されます。したがって、上記はいずれも①が正解です。

```
> javac IncDec3.java
> java IncDec3
-2
2
```

インクリメントとデクリメントの副作用について学びました。次はいよいよ、繰り返しを行うfor文について学びます。

 column

プログラムを動かす前に脳内で実行しよう

　プログラミングを上達させるための練習方法を紹介します。本書のプログラム例を読むときには、ぜひプログラムを実際に動かす前に脳内（頭の中）で実行して、動きや結果を予測してみてください。どう動くのかがわからなかったら、大体こんな感じで動くのかな…と大雑把に予想するのではなく、本書で文法を見直したうえで、文法に沿ってプログラムの動きを精密に解析してみてください。動きや結果に確信が持てたら、実際にプログラムを動かして、答え合わせをします。

　この練習の成果は、プログラムを自分で書くときにそのまま役立ちます。プログラムを書くときに、何となく書いて、とりあえず動かしてみて、正しく動かなかったら直して…を何度も繰り返す方法は、とても手間がかかるのでおすすめしません。プログラムを脳内で正確に実行できるようになると、書いたプログラムが一撃で正しく動くことが多くなり、とても楽です。もし正しく動かなくても、プログラムの動きが理解できていれば、間違いをすぐに直せます。

　Webサイトなどで公開されている既存のプログラム例をコピーして使う場合も、プログラムがどう動いて、どんな結果が出るのか、脳内で実行してみてください。動きがわかっていれば安心して使えますし、未知の文法が出てきたときには勉強すれば、Javaの知識も増えて一石二鳥です。

02 for文で大部分の繰り返しは書ける

Javaにはいくつかの繰り返し文がありますが、for（フォー）文は最もよく使う繰り返し文かもしれません。for文には、基本のfor文と拡張for文（Chapter7）があります。ここでは基本のfor文について学びます。

for文は、「1から1000まで繰り返す」のような回数が決まっている繰り返しにも、「キーボードから入力した数が0でない限り繰り返す」のような回数が決まっていない繰り返しにも使えます。後述するwhile文との違いは、最初に1回だけ評価する初期化と、繰り返しのたびに評価する更新式を書けることです。

✺ for文には初期化・条件式・更新式の3つを書く

for文は次のように書きます。初期化の部分には、変数の宣言や初期化を書くか、式を書きます。条件式と更新式の部分には、それぞれ式を書きます。なお、初期化・条件式・更新式は、いずれも省略できます。

▌for文

```
for (初期化; 条件式; 更新式) {
    文
    …
}
```

ブロックの中には、for文で繰り返し実行する文を書きます。ブロックの中は一般にインデント（Chapter2）します。

繰り返し実行する文が1個のときは、次のようにブロックを使わずに書いても構いません。実際の開発では、for文は文が1個の場合もブロックを使って書くように推奨されることが多いため、本書では主にブロックを使って書きます。

▌for文（ブロックを使わない）

```
for (初期化; 条件式; 更新式) 文;
```

ブロックを使わない方が簡潔に書けますが、if文（Chapter5）と同様に、うっかり次のような書き方をしないように注意してください。

誤解を招く書き方の例①

```
for （初期化；条件式；更新式）文A；文B；
```

誤解を招く書き方の例②

```
for （初期化；条件式；更新式）
    文A；
    文B；
```

　上記の例は①②ともに、繰り返し実行するのは文Aだけで、文Bは繰り返しません。文Aと文Bの両方を繰り返したい場合は、ブロックを使って書いてください。

　さて、for文は次のように動きます。①〜④の順に実行し、②に戻って繰り返します。

●①初期化

　最初に初期化を1回だけ実行します。初期化には「int i=0」のような変数の宣言や初期化、または「i=0」のような式を書きます。「i=0, j=0」のように、複数の式を,（カンマ）で区切って書くこともできます。初期化は、繰り返しの準備をするために使うことが多いです。なお、初期化で宣言した変数は、for文の内部だけで使えます。

●②条件式

　条件式を評価します。条件式の値がtrue（成立）の場合は③に進み、false（不成立）の場合はfor文を終了します。条件が成立している間、for文は繰り返しを続けます。もし、初回から条件が不成立ならば、for文は繰り返しを一度も実行せずに終了します。条件式には「i<10」のような、比較演算子や等価演算子などを使った式を書くことが多いです。

●③文

　条件式の値がtrueの場合は、文を実行します。

●④更新式

　更新式を評価します。更新式には、繰り返しのたびに評価したい式を書きます。例えば「i++」や「j− −」のように、繰り返しに使う変数を増減させる式を書くこと

が多いです。初期化と同様に、複数の式を「i++, j--」のように、(カンマ)で区切っ
て書くこともできます。更新式を評価したら②に戻ります。

　for文の動作を以下に図示します。初期化→条件式→文→更新式→条件式…とい
う手順を繰り返します。

▼for文の動作

```
for (初期化; 条件式; 更新式) {
    文
}
次の文
```

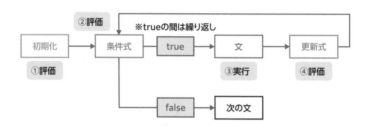

　for文を使ってみましょう。 問題④ 0から9までの整数を出力するプログラムを書
いてください。

▼For.java

```
1  public class For {
2      public static void main(String[] args) {
3          for (int i=0; i<10; i++) {
4              System.out.print(i+" ");
5          }
6          System.out.println();
7      }
8  }
```

　上記のプログラムにおいて、for文の条件式は「i<10」(iが10よりも小さい)と書
きましたが、「i<=9」(iが9以下)とも書けます。また、出力の行数を減らすために、
改行しないSystem.out.printメソッド(Chapter2)を使いましたが、改行する
System.out.printlnメソッドを使っても構いません。

出力の最後で改行するために、次の機能を使っています。引数なしでSystem.out.printlnメソッドを呼び出すと、改行だけを出力します。

▌改行の出力

```
System.out.println()
```

上記のプログラムは、for文で実行する文が1個だけなので、次のように書いても構いません。

▼For2.java

```
1  public class For2 {
2      public static void main(String[] args) {
3          for (int i=0; i<10; i++) System.out.print(i+" ");
4          System.out.println();
5      }
6  }
```

上記の2つのプログラムは、いずれも同じ実行結果になります。

```
> javac For.java
> java For
0 1 2 3 4 5 6 7 8 9   ← 0から9までの整数
```

上記のプログラムを応用して、もう少し実用的なプログラムを書いてみましょう。

問題⑤ **0から9までの整数に対する平方根を出力**するプログラムを書いてください。Math.sqrtメソッド（Chapter3）を使います。

▼For3.java

```
1  public class For3 {
2      public static void main(String[] args) {
3          for (int i=0; i<10; i++) {
4              System.out.println(Math.sqrt(i));
5          }
6      }
7  }
```

```
> javac For3.java
> java For3
0.0                      ← 0の平方根
1.0                      ← 1の平方根
1.4142135623730951      ← 2の平方根
1.7320508075688772      ← 3の平方根
2.0                      ← 4の平方根
2.23606797749979        ← 5の平方根
2.449489742783178       ← 6の平方根
2.6457513110645907      ← 7の平方根
2.8284271247461903      ← 8の平方根
3.0                      ← 9の平方根
```

　for文の基本的な使い方を学びました。次はループを多重構造にする方法を学びましょう。

繰り返しがネストした多重ループ

　ネスト（nest）というのは鳥などの巣のことですが、プログラミングにおいては、ブロックなどを入れ子（いれこ）にすることを指します。例えば、ブロックの中に別のブロックを階層的に配置することを、ブロックを「ネストする」と表現します。Javaではブロックをネストできます。

　ネストされた構造のことを、ネスト構造や入れ子構造と呼びます。また、ネストをすることをネスティングと呼ぶこともあります。重箱や弁当箱には、大きな箱に小さな箱を入れてコンパクトに収納できる製品がありますが、ある構造の中に似た構造を配置するという点については、ネスト構造に似ています。

　繰り返しの中に、別の繰り返しが配置されたネスト構造のことを、多重ループと呼びます。2階層にネストしたループを2重ループ、3階層にネストしたループを3重ループなどと呼ぶ場合もあります。

2重ループ	3重ループ

外側のループ
{
　内側のループ
　{
　}
}
	外側のループ
	{
	　内側のループ
	　{
	　　さらに内側のループ
	　　{
	　　}
	　}
	}

　例えば2次元の表を出力するような場合には、多重ループを使うことがよくあります。**問題6 次の実行例のような九九の表を出力**するプログラムを書いてみてください。以下の実行例では、表の桁が揃っていないのですが、桁を揃える方法については後ほど学びます。

```
> javac Nest.java
> java Nest
1 2 3 4 5 6 7 8 9
2 4 6 8 10 12 14 16 18
3 6 9 12 15 18 21 24 27
4 8 12 16 20 24 28 32 36
5 10 15 20 25 30 35 40 45
6 12 18 24 30 36 42 48 54
7 14 21 28 35 42 49 56 63
8 16 24 32 40 48 56 64 72
9 18 27 36 45 54 63 72 81
```

　以下がプログラム例です。1から9まで繰り返すfor文を2階層にネストして、2重ループにしました。

▼ Nest.java

```
 1  public class Nest {
 2      public static void main(String[] args) {
 3          for (int i=1; i<=9; i++) {
 4              for (int j=1; j<=9; j++) {
 5                  System.out.print(i*j+" ");
 6              }
 7              System.out.println();
 8          }
 9      }
10  }
```

　ネストと多重ループについて学びました。次は出力の桁を揃えたいときに便利な、System.out.printfメソッドについて学びましょう。

書式を指定して値を出力する

　System.out.printfメソッドは、いろいろな値を指定した書式で出力する機能です。printf（プリント・エフ）の「f」は、format（フォーマット、書式）の略と思われます。

┃System.out.printfメソッド

System.out.printf(書式文字列, 式, …)

　System.out.printfメソッドは、書式文字列に含まれる書式指定の部分に、式の値を埋め込んで出力します。書式指定は次のように、%（パーセント）を使って書きます。

┃書式指定

% 「フラグ」「最小の桁数」「.精度」「値の種類」

　上記の「フラグ」「最小の桁数」「.精度」は、いずれも省略できます。%と「値の種類」は必須です。

　書式指定には非常に多くの機能があるので、以下ではその一部を紹介します。他の機能については、APIドキュメント（Chapter2）を調べてみてください。

● フラグ(省略可能)

次のフラグを指定すると、出力の動作を変更できます。

▼ フラグ

記法	動作
−	左詰めで出力(デフォルトは右詰め)
+	プラスの符号を出力(デフォルトでは出力しない)
0	最小の桁数未満の部分に0を出力(整数・浮動小数点数で右詰めの場合)

● 最小の桁数(省略可能)

出力する最小の桁数を整数で指定します。出力が最小の桁数に満たない部分には、半角空白(フラグで0を指定した場合は0)を出力します。

● 精度(省略可能)

浮動小数点数を出力する際に、小数点以下の桁数を指定できます。

● 値の種類(必須)

出力する値の種類を、次の記法で指定します。英小文字と英大文字がある記法において英大文字を指定すると、出力が英大文字に変換されます。例えば「Infinity」は「INFINITY」に、「NaN」は「NAN」に変換されます。指数表記(Chapter4)におけるeについては、以下のeやgを指定すると小文字のeで、EやGを指定すると大文字のEで表示されます。

▼ 値の種類

記法	出力する値の種類
d	整数(10進数)
o	整数(8進数)
xまたはX	整数(16進数)
f	浮動小数点数(10進数)
eまたはE	浮動小数点数(指数表記)
gまたはG	浮動小数点数(値と精度に応じて表記を切り替え)
cまたはC	文字
sまたはS	文字列

　System.out.printfメソッドを使って、前問のプログラム（Nest.java）の出力を整えてみましょう。**問題⑦** **九九の表を桁を揃えて出力する**プログラムを書いてみてください。

▼ Nest2.java

```
 1  public class Nest2 {
 2      public static void main(String[] args) {
 3          for (int i=1; i<=9; i++) {
 4              for (int j=1; j<=9; j++) {
 5                  System.out.printf("%2d ", i*j);
 6              }
 7              System.out.println();
 8          }
 9      }
10  }
```

　上記で書式文字列の「"%2d "」は、整数（10進数）を2桁で出力した後に、半角空白を出力することを表します。実行すると、次のように桁が揃った九九の表が出力されます。

```
> javac Nest2.java
> java Nest2
 1  2  3  4  5  6  7  8  9
 2  4  6  8 10 12 14 16 18
 3  6  9 12 15 18 21 24 27
 4  8 12 16 20 24 28 32 36
 5 10 15 20 25 30 35 40 45
 6 12 18 24 30 36 42 48 54
 7 14 21 28 35 42 49 56 63
 8 16 24 32 40 48 56 64 72
 9 18 27 36 45 54 63 72 81
```

　値を指定した書式で出力する、System.out.printfメソッドについて学びました。次は、for文を使った無限ループについて学びましょう。

for文の無限ループ

　無限ループとは、無限に繰り返すループのことです。前述のように、for文の初期化・条件式・更新式はいずれも省略できます。もし条件式を省略すると、for文の無限ループになります。無限ループは、そのままでは終了できないので、後述するbreak文などを使って、繰り返しから抜け出すのが一般的です。

　for文による無限ループは、次のように書きます。以下では条件式だけではなく、初期化や更新式も省略していますが、これらを書いても無限ループになります。

▌for文の無限ループ

```
for (;;) {
    文;
    …
}
```

▌for文の無限ループ（ブロックを使わない）

```
for (;;) 文;
```

　for文の無限ループを書いてみましょう。**問題⑧** **無限ループを使って、loopと繰り返し出力**するプログラムを書いてください。

▼ForInfinite.java

```
1  public class ForInfinite {
2      public static void main(String[] args) {
3          for (;;) {
4              System.out.println("loop");
5          }
6      }
7  }
```

　上記のプログラムを実行すると、出力を無限に繰り返します。プログラムを終了するには、Ctrl + C キー（Windows/Linux）または control + C キー（macOS）を押してください。

```
> javac ForInfinite.java
> java ForInfinite
loop    ← 出力を無限に繰り返す
loop
loop
…       ← Ctrl + C キーまたは control + C キーで終了
```

初期化や更新式がある無限ループも書いてみましょう。**問題9** **for文の無限ルー
プを使って、0以上の整数を順に出力**するプログラムを書いてください。

▼ForInfinite2.java

```
1  public class ForInfinite2 {
2      public static void main(String[] args) {
3          for (int i=0; ; i++) {
4              System.out.println(i);
5          }
6      }
7  }
```

上記のように初期化や更新式があっても、条件式を省略すれば無限ループになり
ます。

```
> javac ForInfinite2.java
> java ForInfinite2
0       ← 出力を無限に繰り返す
1
2
…       ← Ctrl + C キーまたは control + C キーで終了
```

for文の無限ループについて学びました。次はwhile文について学びましょう。

03 while文は条件式だけの繰り返しに向く

while（ワイル）文は、for文よりもシンプルな繰り返し文です。for文には初期化・条件式・更新式を書きますが、while文には条件式だけを書きます。そのため、初期化や更新式が不要で、条件式だけが必要な繰り返しを書くのに向いています。while文に似た、do while文についても学びましょう。

🔥 while文には条件式だけを書く

while文は次のように書きます。以下で条件式の部分には、繰り返しを続ける条件を書きます。文は、while文で繰り返し実行する処理です。ブロックの中は一般にインデントします。

| while文

```
while (条件式) {
    文;
    …
}
```

繰り返し実行する文が1個のときは、次のようにブロックを使わずに書いても構いません。本書では主にブロックを使って書きます。

| while文（ブロックを使わない）

```
while (条件式) 文;
```

ブロックを使わない方が簡潔に書けますが、for文と同様に、うっかり次のような書き方をしないように注意してください。

誤解を招く書き方の例①

```
while (条件式) 文A; 文B;
```

誤解を招く書き方の例②

```
while (条件式)
    文A;
    文B;
```

　上記の例は①②ともに、繰り返し実行するのは文Aだけで、文Bは繰り返しません。文Aと文Bの両方を繰り返したい場合は、ブロックを使って書いてください。

　さて、while文は次のように動きます。簡単に言えば、条件式の値がtrue（成立）の間、文を繰り返し実行するだけです。

● ①条件式

　条件式を評価します。条件式の値がtrue（成立）の場合は②に進み、false（不成立）の場合はwhile文を終了します。条件が成立している間、while文は繰り返しを続けます。もし、初回から条件が不成立ならば、while文は繰り返しを一度も実行せずに終了します。for文と同様に、条件式には比較演算子や等価演算子などを使った式を書くことが多いです。

● ②文

　条件式がtrueの場合は文を実行し、①に戻ります。

　while文の動作を以下に図示します。条件式→文→条件式…という手順を繰り返します。

▼while文の動作

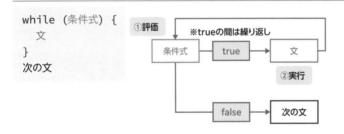

　while文を使ってみましょう。当たっている限り、クジを引き続けるプログラムです。**問題⑩ 0.0以上1.0未満の乱数を繰り返し生成し、乱数が0.5未満の間は「Win!」（アタリ）と出力し続け、乱数が0.5以上の場合は「Lose.」（ハズレ）と出力して終了する**プログラムを書いてください。乱数の生成にはMath.randomメソッド（Chapter3）を使います。

▼ While.java

```
1   public class While {
2       public static void main(String[] args) {
3           while (Math.random()<0.5) {
4               System.out.println("Win!");
5           }
6           System.out.println("Lose.");
7       }
8   }
```

上記のプログラムは、while文で実行する文が1個だけなので、次のように書いても構いません。

▼ While2.java

```
1   public class While2 {
2       public static void main(String[] args) {
3           while (Math.random()<0.5) System.out.println("Win!");
4           System.out.println("Lose.");
5       }
6   }
```

上記の2つのプログラムは、いずれも同じ実行結果になります。一度もアタリが出ないこともありますが、これは初回から条件が不成立の場合、while文が一度も繰り返しを実行せずに終了するためです。

```
> javac While.java
> java While
Win!    ← アタリ
Win!    ← アタリ
…       ← 実行するたびにアタリの個数は変わる
Lose.   ← ハズレ

> java While
Lose.   ← 一度もアタリが出ないこともある
```

while文の基本的な使い方を学びました。次はwhile文を使った無限ループについて学びましょう。

while文の無限ループ

　for文と同様に、while文の無限ループも書けます。while文の条件式にtrueと書くか、値が常にtrueになる式を書くと、無限ループになります。

▌while文の無限ループ

```
while (true) {
    文;
    …
}
```

▌while文の無限ループ（ブロックを使わない）

```
while (true) 文;
```

　while文の無限ループを書いてみましょう。for文のプログラム（ForInfinite.java）と同様に、問題⑪ **無限ループを使って、loopと繰り返し出力**するプログラムを書いてください。

▼ WhileInfinite.java

```
1  public class WhileInfinite {
2      public static void main(String[] args) {
3          while (true) {
4              System.out.println("loop");
5          }
6      }
7  }
```

　プログラムを終了するには、[Ctrl]＋[C]キー（Windows/Linux）または[control]＋[C]キー（macOS）を押してください。

```
> javac WhileInfinite.java
> java WhileInfinite
loop   ← 出力を無限に繰り返す
loop
loop
…      ← [Ctrl]＋[C]キーまたは[control]＋[C]キーで終了
```

208

while文の無限ループについて学びました。次はfor文とwhile文の関係について
学びましょう。

for文とwhile文は同じ処理を書ける

for文とwhile文は、どちらを使っても同じ処理が書けます。そのため状況に応じ
て、for文とwhile文のいずれか書きやすい方、あるいはプログラムが簡潔に書ける
方を選んで使うとよいでしょう。

for文とwhile文の違いは、for文には初期化と更新式があることです。for文は次
のように書くのでした。

| for文（再掲）

```
for (初期化; 条件式; 更新式) {
    文;
    …
}
```

上記のfor文と同じ処理を、while文を使って書いたものが以下です。初期化の部
分には宣言か式を、条件式と更新式の部分には式を書きます。

| for文と同等のwhile文

```
初期化;
while (条件式) {
    文;
    …
    更新式;
}
```

同じ処理をfor文とwhile文の両方で書いてみましょう。問題⑫ **for文とwhile文を
使って、それぞれ1, 2, 4, 8…のように、2の累乗で1000よりも小さい整数を出力**す
るプログラムを書いてください。

▼ ForWhile.java

```
1  public class ForWhile {
2      public static void main(String[] args) {
3          for (int x=1; x<1000; x*=2) {
4              System.out.println(x);
5          }
6      }
7  }
```

▼ForWhile2.java

```
1   public class ForWhile2 {
2       public static void main(String[] args) {
3           int x=1;
4           while (x<1000) {
5               System.out.println(x);
6               x*=2;
7           }
8       }
9   }
```

　上記のように、初期化や更新式がある場合は、for文を使った方が簡潔に書けます。
実行結果はいずれも同じです。

```
> javac ForWhile.java
> java ForWhile
1       ← 2の0乗
2       ← 2の1乗
4       ← 2の2乗
8       ← 2の3乗
16      ← 2の4乗
32      ← 2の5乗
64      ← 2の6乗
128     ← 2の7乗
256     ← 2の8乗
512     ← 2の9乗
```

　for文でもwhile文でも、同じ処理が書けることを学びました。次はdo while文に
ついて学びましょう。

do while文は繰り返しを少なくとも1回は実行する

　do while（ドゥ・ワイル）文はwhile文に似ていますが、繰り返しを続けるかどう
かを判定するタイミングが異なります。while文は繰り返しを実行する前に判定を
行いますが、do while文は繰り返しを1回実行した後に判定を行います。そのため、
繰り返しの条件が最初から不成立の場合、while文は繰り返しを1回も実行しません
が、do while文は繰り返しを少なくとも1回は実行します。

do whileは次のように書きます。while文と同様に、文はdo while文で繰り返し実行する処理で、条件式は繰り返しを続ける条件です。while文とは異なり、文を先に、条件式を後に書くことに注意してください。なお、ブロックの中は一般にインデントします。

| do while文

```
do {
    文;
    …
} while (条件式);
```

繰り返し実行する文が1個のときは、次のようにブロックを使わずに書いても構いません。本書では主にブロックを使って書きます。

| do while文（ブロックを使わない）

```
do 文; while (条件式);
```

for文やwhile文と同様に、do while文の無限ループも書けます。do while文の条件式にtrueと書くか、値が常にtrueになる式を書くと、無限ループになります。ただし、for文やwhile文の方が簡潔に書けるためか、do while文の無限ループはあまり見かけません。

do while文は次のように動きます。簡単に言えば、まず文を1回実行し、あとは条件式の値がtrue（成立）の間、文を繰り返し実行します。

●①文

文を実行します。for文やwhile文とは違い、条件の成立・不成立にかかわらず、一度は文を実行します。

●②条件式

条件式を評価します。条件式の値がtrue（成立）の場合は①に戻り、false（不成立）の場合はdo while文を終了します。条件が成立している間、do while文は繰り返しを続けます。for文やwhile文と同様に、条件式には比較演算子や等価演算子などを使った式を書くことが多いです。

do while文の動作を以下に図示します。文→条件式→文→条件式…という手順を繰り返します。while文との違いに注目してください。

▼do while文の動作

do while文を使ってみましょう。while文と比較するために、前出のプログラム（While.java）を、do while文を使って書き直してみます。

当たっている限り、クジを引き続けるプログラムです。**問題 ⑬** **do while文を使って、0.0以上1.0未満の乱数を繰り返し生成し、乱数が0.5未満の間は「Win!」と出力し続け、乱数が0.5以上の場合は「Lose.」と出力して終了**するプログラムを書いてください。

▼DoWhile.java

```
1   public class DoWhile {
2       public static void main(String[] args) {
3           do {
4               System.out.println("Win!");
5           } while (Math.random()<0.5);
6           System.out.println("Lose.");
7       }
8   }
```

上記のプログラムは、do while文で実行する文が1個だけなので、次のように書いても構いません。

▼DoWhile2.java

```
1   public class DoWhile2 {
2       public static void main(String[] args) {
3           do System.out.println("Win!"); while (Math.random()<0.5);
4           System.out.println("Lose.");
5       }
6   }
```

上記の2つのプログラムは、いずれも同じ実行結果になります。while文とは異な
り、do while文は一度は繰り返しを実行します。そのため上記のプログラムでは、
少なくとも一度はアタリが出ます。

```
> javac DoWhile.java
> java DoWhile
Win!    ← アタリ
Win!    ← アタリ
…       ← 実行するたびにアタリの個数は変わる
Lose.   ← ハズレ

> java DoWhile
Win!    ← 少なくとも一度はアタリが出る
Lose.   ← ハズレ
```

　do while文について学びました。次はfor文・while文・do while文と組み合わせ
て使える、break文とcontinue文について学びましょう。

04 ループの流れを変える
break文・continue文

　ループを書いていると、途中でループを終了したいことや、次の繰り返しに進みたいことが、ときどきあります。こういった場面で役立つのが、break文とcontinue文です。

🎵 break文でループを終了する

　break（ブレーク、ブレイク）文は、ループを終了したいときに役立つ機能です。switch文を終了するためにも使いました（Chapter5）。break文は次のように書きます。

| break文

```
break;
```

　break文を実行すると、そのbreak文を囲むループ（for文・while文・do while文）を終了します。多重ループの場合は、break文を囲む最も内側のループを終了します。

▼break文の動作

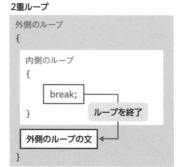

　ループを終了するには、通常はfor文・while文・do while文の条件式を使います。しかし処理の内容によっては、条件式でループを終了させにくい（プログラムが書きにくい）場合があります。こういった場合には、break文を使ってみるのがおすす

めです。

　無限ループとbreak文を組み合わせると、プログラムを楽に書ける場合があります。ループのプログラムは、プログラミングに習熟しないと書くのに手間取ることがありますが、次のような手順で書くと、意外に簡単に書けます。

①1回だけの処理を書く

　まずは繰り返しを行わずに、1回だけ処理を行うプログラムを書きます。

②無限ループを書く

　①を無限ループで囲んで、無限に処理を繰り返します。

③break文を書く

　②にif文とbreak文を追加して、条件が成立したらループを終了します。

④通常のループに書き直す（オプション）

　③で完成にしても大丈夫ですが、もし余裕があれば通常のループに書き直すと、プログラミングの効果的な練習になります。

　上記の手順に沿って、プログラムを書いてみましょう。AとBの2個のサイコロを、ぞろ目（2個とも同じ目）が出るまで振るプログラムです。
　まずは手順①として、2個のサイコロを1回だけ振ります。**問題⓮　変数aと変数b**
を「1～6」の乱数で初期化したうえで、aとbを出力するプログラムを書いてください。1～6の乱数を生成するには、Math.randomメソッドとキャストを使います（Chapter3のDice3.java）。

▼ Break.java

```
1   public class Break {
2       public static void main(String[] args) {
3           int a=(int)(Math.random()*6+1);
4           int b=(int)(Math.random()*6+1);
5           System.out.println(a+" "+b);
6       }
7   }
```

　上記のプログラムでは、aとbの値を半角空白で区切って出力しました。実行すると、次のように2個のサイコロを1回だけ振ります。

```
> javac Break.java
> java Break
5 1   ← サイコロAとサイコロBの目
```

　次は手順②です。無限ループを使って、2個のサイコロを無限に振り続けます。
問題⑮ 前問のプログラム（Break.java）を、**処理を無限に繰り返すように改造**してください。

▼ Break2.java

```
1  public class Break2 {
2      public static void main(String[] args) {
3          for (;;) {
4              int a=(int)(Math.random()*6+1);
5              int b=(int)(Math.random()*6+1);
6              System.out.println(a+" "+b);
7          }
8      }
9  }
```

　上記のプログラムでは、for文の無限ループを使いましたが、while文やdo while文の無限ループを使っても構いません。実行すると、次のように2個のサイコロを無限に振り続けます。終了するには、Ctrl＋Cキー（Windows/Linux）かcontrol＋Cキー（macOS）を押してください。

```
> javac Break2.java
> java Break2
6 1
2 3
4 6
…   ← 2個のサイコロを無限に振り続ける
```

　続いては手順③です。if文とbreak文を使って、ぞろ目が出たらループを終了します。**問題⑯** 前問のプログラム（Break2.java）を、**変数aと変数bが等しければループを終了するように改造**してください。

▼ Break3.java

```
 1  public class Break3 {
 2      public static void main(String[] args) {
 3          for (;;) {
 4              int a=(int)(Math.random()*6+1);
 5              int b=(int)(Math.random()*6+1);
 6              System.out.println(a+" "+b);
 7
 8              // aとbが等しければループを終了
 9              if (a==b) {
10                  break;
11              }
12          }
13      }
14  }
```

上記のプログラムでは、aとbが等しいかどうかをif文で調べて、等しければbreak文を実行し、ループを終了します。このようにif文と組み合わせて、特定の条件が成立したときに繰り返しを終了するというのが、break文の典型的な使い方です。

```
> javac Break3.java
> java Break3
6 3
3 4
2 2   ← ぞろ目が出たら終了
```

これでプログラムはひとまず完成ですが、最後に手順④にも挑戦してみましょう。

問題⓱ 前問のプログラム（Break3.java）を改造して、無限ループとbreak文の組み合わせを通常のループに書き換えてください。

▼Break4.java

```
 1  public class Break4 {
 2      public static void main(String[] args) {
 3          int a, b;
 4          do {
 5              a=(int)(Math.random()*6+1);
 6              b=(int)(Math.random()*6+1);
 7              System.out.println(a+" "+b);
 8          } while (a!=b);
 9      }
10  }
```

　上記のように、このプログラムはdo while文を使うと簡潔に書けます。「2個のサイコロを振ってから、ぞろ目かどうかを調べる」という処理の流れは、「文を実行してから、条件式を評価する」というdo whileの動作によく合っています。

　前問のプログラム（Break3.java）において、ループを終了する条件は「a==b」（aはbに等しい）でした。今回のプログラム（Break4.java）において、ループを継続する条件は「a!=b」（aはbに等しくない）です。終了と継続の条件が逆になっていることに注意してください。実行結果は前問のプログラムと同様です。

　ループを終了するbreak文について学びました。また、無限ループとbreak文を組み合わせて、ループのプログラムを楽に書く方法も学びました。次はcontinue文について学びましょう。

continue文で次の繰り返しに進む

　continue（コンティニュー）文は、繰り返しの途中で、次の繰り返しに進みたいときに役立つ機能です。continue文は次のように書きます。break文と同様に、continue文もif文と組み合わせて使うことが多いです。

| continue文

```
continue;
```

　continue文を実行すると、そのcontinue文を囲むループ（for文・while文・do while文）について、現在実行している繰り返しの残りを省略し、次の繰り返しに進

みます。多重ループの場合は、continue文を囲む最も内側のループについて、次の繰り返しに進みます。

▼continue文の動作

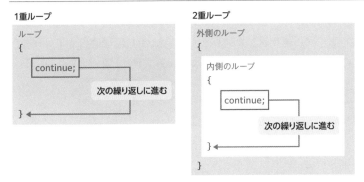

continue文を使ってみましょう。前出の、AとBの2個のサイコロを振るプログラムを改造して、Aの目がBの目よりも大きいときには、振り直すようにします。

問題⑱ 前出のプログラム (Break3.java) を、変数aが変数bよりも大きければ、次の繰り返しに進むように改造してください。

▼Continue.java

```java
 1  public class Continue {
 2      public static void main(String[] args) {
 3          for (;;) {
 4              int a=(int)(Math.random()*6+1);
 5              int b=(int)(Math.random()*6+1);
 6
 7              // a>bの場合は次の繰り返しに進む
 8              if (a>b) {
 9                  continue;
10              }
11
12              // 以下はa<=bの場合だけ実行
13              System.out.println(a+" "+b);
14
15              // aとbが等しければループを終了
16              if (a==b) {
17                  break;
18              }
```

```
19           }
20       }
21   }
```

　上記のプログラムでは、aがbよりも大きいかどうかをif文で調べて、大きければ
continue文を実行し、次の繰り返しに進みます。したがって、2個のサイコロの目
を出力したり、ぞろ目かどうかを判定するのは、aがb以下のときだけです。

```
> javac Continue.java
> java Continue
5 6   ← サイコロAがサイコロB以下のときだけ出力
1 3
2 2   ← ぞろ目が出たら終了
```

　次の繰り返しに進むcontinue文について学びました。次はbreak文やcontinue文
と組み合わせて使える、ラベルについて学びましょう。

🔥 ラベルでbreak文やcontinue文の対象を指定する

　多重ループにおいて、break文やcontinue文を実行する対象は、これらを囲む最
も内側のループです。もし、より外側のループに対してbreak文やcontinue文を実
行したい場合は、ラベルという機能を使います。

　ラベルを使うと、ループ（for文・while文・do while文）に目印を付けられます。
ラベルは識別子の一種で、変数名（Chapter4）と同様に名前を付けます。次のよう
に、ラベルはループの前に書きます。

▌ラベル

```
ラベル: ループ
```

　:とループの間は改行することもできます。ラベルの行とループの行でインデン
トの深さを変えても構いません。

▌ラベル（改行）

```
ラベル:
ループ
```

break文とcontinue文でラベルを指定する場合は、次のように書きます。指定したラベルを付けたループに対して、break文やcontinue文が実行されます。

| break文（ラベルを指定）

```
break ラベル;
```

| continue文（ラベルを指定）

```
continue ラベル;
```

　ラベルを使ってみましょう。まずは次のプログラムを見てください。これは2以上100未満の素数（1とその数自身以外では割り切れない整数）を出力することを狙ったプログラムですが、現状では狙い通りには動きません。

▼ Label.java

```
 1  public class Label {
 2      public static void main(String[] args) {
 3
 4          // 2以上100未満の整数について、素数かどうかを順に調べる
 5          for (int n=2; n<100; n++) {
 6
 7              // 2以上n未満の整数で、nが割り切れるかどうかを調べる
 8              for (int i=2; i<n; i++) {
 9
10                  // 割り切れたら、nは素数ではないので、次のnに進む
11                  if (n%i==0) {
12                      continue;
13                  }
14              }
15
16              // 割り切れなければ、nは素数なので、出力する
17              System.out.print(n+" ");
18          }
19
20          // 改行する
21          System.out.println();
22      }
23  }
```

上記のプログラムを実行すると、素数だけではなく、2以上100未満の全ての整数が表示されてしまいます。

```
> javac Label.java
> java Label
2 3 4 5 6 7 8 9 10 11 12 13 14 15 16 17 18 19 20 21 22 23 24 25 26 …
77 78 79 80 81 82 83 84 85 86 87 88 89 90 91 92 93 94 95 96 97 98 99
```

　上記のプログラムは、実はcontinue文に問題があります。本来は、このcontinue文は外側のループ（変数nのループ）を対象にするべきなのですが、最も内側のループ（変数iのループ）が対象になるので、continue文を実行しても次のnに進めません。
　ラベルを使って、上記の問題を解決してみましょう。 問題⑲ **上記のプログラム（Label.java）について、外側のループにラベルを付けたうえで、continue文の対象を外側のループにするように改造**してください。

▼Label2.java

```
 1  public class Label2 {
 2      public static void main(String[] args) {
 3
 4          // 外側のループにラベルを付ける
 5          outer:
 6          for (int n=2; n<100; n++) {
 7              for (int i=2; i<n; i++) {
 8                  if (n%i==0) {
 9
10                      // 外側のループをcontinue文の対象にする
11                      continue outer;
12                  }
13              }
14              System.out.print(n+" ");
15          }
16          System.out.println();
17      }
18  }
```

　上記のプログラムでは、外側のループにouter（アウター、外側）というラベルを付けました。continue文でこのラベルを指定することで、外側のループをcontinue

文の対象にします。

　実行すると、今度は素数だけが表示されます。nが素数でないときに、外側のループに対してcontinue文を実行することで、次のnに進めるようになったためです。

```
> javac Label2.java
> java Label2
2 3 5 7 11 13 17 19 23 29 31 37 41 43 47 53 59 61 67 71 73 79 83 89 97
```

　本章ではfor文・while文・do while文を使って、ループを書く方法を学びました。いずれも条件が成立している間、指定した処理を繰り返します。また、1の加算や減算を簡潔に書けるインクリメントとデクリメント、ループの流れを変えるbreak文とcontinue文についても学びました。

　次章では、複数の値をまとめて扱いたいときに便利な、配列について学びます。

Chapter6の復習

☐ インクリメント/デクリメント

問題❶ 変数xを「0」で初期化したうえで、「++x」「x++」「--x」「x--」を実行し、各段階でxの値を出力するプログラムを書いてください。　　　　➡189ページ

問題❷ 変数xを「0」で初期化したうえで、「++x」「x++」「--x」「x--」の値を出力するプログラムを書いてください。結果を予想してから実行します。

➡190ページ

問題❸ 変数xと変数yを「0」で初期化したうえで、「(x++)-(++x)」と「(y--)-(--y)」の値を出力するプログラムを書いてください。結果を予想してから実行します。　　　　➡192ページ

☐ for文

問題❹ 0から9までの整数を出力するプログラムを書いてください。　　➡196ページ

問題❺ 0から9までの整数に対する平方根を出力するプログラムを書いてください。Math.sqrtメソッド（Chapter3）を使います。　　　　➡197ページ

問題❻ 九九の表を出力するプログラムを書いてください。

➡199ページ

問題❼ 九九の表を桁を揃えて出力するプログラムを書いてください。

➡202ページ

問題❽ for文の無限ループを使って、loopと繰り返し出力するプログラムを書いてください。　　　　➡203ページ

問題❾ for文の無限ループを使って、0以上の整数を順に出力するプログラムを書いてください。　　　　➡204ページ

☐ while文

問題⑩ while文を使って、0.0以上1.0未満の乱数を繰り返し生成し、乱数が0.5未満の間は「Win!」（アタリ）と出力し続け、乱数が0.5以上の場合は「Lose.」（ハズレ）と出力して終了するプログラムを書いてください。 ➡206ページ

問題⑪ while文の無限ループを使って、loopと繰り返し出力するプログラムを書いてください。 ➡208ページ

問題⑫ for文とwhile文を使って、それぞれ1, 2, 4, 8…のように、2の累乗で1000よりも小さい整数を出力するプログラムを書いてください。 ➡209ページ

☐ do while文

問題⑬ do while文を使って、0.0以上1.0未満の乱数を繰り返し生成し、乱数が0.5未満の間は「Win!」と出力し続け、乱数が0.5以上の場合は「Lose.」と出力して終了するプログラムを書いてください。 ➡212ページ

☐ break文

問題⑭ 変数aと変数bを「1〜6」の乱数で初期化したうえで、aとbを出力するプログラムを書いてください。 ➡215ページ

問題⑮ 前問のプログラムを、処理を無限に繰り返すように改造してください。 ➡216ページ

問題⑯ 前問のプログラムを、変数aと変数bが等しければループを終了するように改造してください。 ➡216ページ

問題⑰ 前問のプログラムを改造して、無限ループとbreak文の組み合わせを通常のループに書き換えてください。 ➡217ページ

☐ continue文

問題⑱ 問題16のプログラムを、変数aが変数bよりも大きければ次の繰り返しに進むように改造してください。 ➡219ページ

Chapter 6

□ ラベル

問題⑲ 次のプログラムを、2以上100未満の素数を出力するように修正してください。

```java
public class Label {
    public static void main(String[] args) {

        // 2以上100未満の整数について、素数かどうかを順に調べる
        for (int n=2; n<100; n++) {

            // 2以上n未満の整数で、nが割り切れるかどうかを調べる
            for (int i=2; i<n; i++) {

                // 割り切れたら、nは素数ではないので、次のnに進む
                if (n%i==0) {
                    continue;
                }
            }

            // 割り切れなければ、nは素数なので、出力する
            System.out.print(n+" ");
        }

        // 改行する
        System.out.println();
    }
}
```

➡222ページ

Chapter **7**

配列を使って多数の値を管理する

コンピュータは大量のデータを扱うのが得意です。Javaで大量のデータ、つまり多数の値を管理するときには、配列が役立ちます。配列には同じ型の値を並べて格納することが可能で、指定した位置の値を読み書きできます。

本章では配列の使い方や仕組みを学びます。配列を宣言・生成し、値を読み書きする方法を学びましょう。また、前章ではループ（繰り返し）を学びましたが、これを活用して配列を操作する方法も解説します。さらに、多次元配列やジャグ配列といった、配列のバリエーションも紹介します。

本章の学習内容

1. 配列の宣言と生成
2. インデックス
3. ループを使った配列の処理
4. 参照型としての配列の性質
5. 配列の複製
6. コマンドライン引数
7. 多次元配列とジャグ配列

01 配列は複数の要素から構成される

　配列は、同じ型の値を多数並べて管理できる機能です。配列は要素が集まってできています。要素は1個でも複数個でもよいのですが、実際には複数の要素からなる配列を使うことが多いでしょう。

　配列では、配列中の指定した要素に値を書き込んだり、指定した要素から値を読み出したりできます。配列とループを組み合わせると、簡潔なプログラムで多数の値を処理することが可能です。

　まずは配列について学ぶ前に、通常の変数で多数の値を扱おうとすると何が困るのかを考えてみましょう。

通常の変数だけでは多数の値を扱うのが不便

　多数の値を扱うプログラムを、配列は使わずに、通常の変数を使って書いてみましょう。複数の価格（price）を管理するプログラムです。**問題①** **8個の変数price0〜price7を宣言**し、**120、230、340、450、560、670、780、890で初期化した後に、各変数の値を出力**するプログラムを書いてください。

▼ Array.java

```
1  public class Array {
2      public static void main(String[] args) {
3
4          // 変数の宣言と初期化
5          int price0=120, price1=230, price2=340, price3=450,
6              price4=560, price5=670, price6=780, price7=890;
7
8          // 各変数の値を出力
9          System.out.print(price0+" ");
10         System.out.print(price1+" ");
11         System.out.print(price2+" ");
12         System.out.print(price3+" ");
13         System.out.print(price4+" ");
14         System.out.print(price5+" ");
15         System.out.print(price6+" ");
```

```
16          System.out.print(price7+" ");
17          System.out.println();
18      }
19  }
```

上記でクラス名のArray（アレイ）は、配列を表します。8個の変数の値を出力するために、System.out.printメソッドを8回呼び出す必要があるので、プログラムが長くなっています。

```
> javac Array.java
> java Array
120 230 340 450 560 670 780 890  ← 各変数の値
```

今回は値が8個でしたが、もし値の個数がもっと多いとプログラムを書くのが難しくなります。例えば100個や1000個といった値を上記の方法で出力するのは困難です。こういった場合は配列が役立ちます。

配列を使うには宣言と生成が必要

配列は使う前に宣言と生成が必要です。正確には、配列型の変数を宣言したうえで、生成した配列のインスタンスで初期化します。本書では簡単に、「配列の宣言」や「配列の生成」と表現することがあります。なお、配列型は参照型（Chapter4）の一種です。

配列の宣言（配列型の変数の宣言）は、次のように書きます。変数の宣言（Chapter4）に似ていますが、型の後に[]（角括弧）を書くことが異なります。配列名は識別子の一種で、変数名と同様に名前を付けます。

▌配列の宣言

```
型[] 配列名;
```

上記で型の部分には、配列の要素の型（各要素に格納する値の型）を指定します。例えば、intを指定すれば整数を、Stringを指定すれば文字列を、各要素に格納できるようになります。

次のように、,（カンマ）で区切ると、複数の配列を宣言できます。要素の型が同じ

配列を、まとめて宣言したいときに便利です。

┃ 配列の宣言（複数）

```
型[] 配列名A, 配列名B, …;
```

　配列の生成にはいくつかの方法があります。初期値を指定して配列を生成し、配列型の変数を初期化するには、次のように書きます。

┃ 配列の生成（初期値を指定）

```
型[] 配列名 = {値, …};
```

　配列の初期値は{}（波括弧）で囲んで書きます。次のように、複数の配列を同時に生成することもできます。初期値は配列ごとに変えられます。

┃ 配列の生成（初期値を指定、複数）

```
型[] 配列名A={値, …}, 配列名B={値, …}, …;
```

　前述のように、配列の宣言時に指定する型は、配列の各要素に格納する値の型です。次のように配列は、特定の型の値を格納できる要素が並んだ構造をしています。以下は8個の要素を持つint型の配列です。なお、生成時に決めた配列の要素数を、後から増減することはできません。

▼ 配列の構造

　各要素を指定するには、インデックスという機能を使います。インデックスは「0」から始まり、「1、2、3…」のように1ずつ増加する整数です。インデックスのことを、添字と呼ぶプログラミング言語もあります。

　配列の要素に格納した値を取得するには、次のように書きます。以下で「インデックス」の部分には、整数の値や、値が整数になる式を書きます。

┃ 要素の値を取得

```
配列名[インデックス]
```

配列の要素数を取得するには、次のようにlength（レングス、長さ）フィールドを使います。lengthフィールドは読み出し専用で、変更はできません。

┃配列の要素数を取得

```
配列名.length
```

実はJavaでは、配列をオブジェクトの一種に位置づけています。配列は少し特殊なオブジェクトですが、フィールドやメソッドはあります。フィールドはオブジェクトに属するいろいろなデータを表すのでした（Chapter1）。配列のlengthフィールドは、配列の要素数を表します。

配列とループを使って、前問のプログラム（Array.java）を書き直してみましょう。

問題❷ 配列priceを宣言し、初期値に120、230、340、450、560、670、780、890を指定して配列を生成した後に、for文を使って各要素の値を出力するプログラムを書いてください。

▼Array2.java

```
 1  public class Array2 {
 2      public static void main(String[] args) {
 3
 4          // 配列の宣言と生成
 5          int[] price={120, 230, 340, 450, 560, 670, 780, 890};
 6
 7          // 各要素の値を出力
 8          for (int i=0; i<price.length; i++) {
 9              System.out.print(price[i]+" ");
10          }
11          System.out.println();
12      }
13  }
```

for文の変数iに注目してください。for文の初期化は「int i=0」なので、iは「0」から始まります。for文の条件式は「i<price.length」なので、iは「price.length−1」で終わります。このiをインデックスに使い、配列priceの各要素をprice[i]で取得します。

配列とループを使うことで、前問のプログラムよりも簡潔になりました。実行結果は前問と同じです。

```
> javac Array2.java
> java Array2
120 230 340 450 560 670 780 890  ← 各要素の値
```

　配列の宣言と生成、要素の値や要素数の取得、ループとの組み合わせについて学びました。次は、インデックスの範囲について学びましょう。

配列は有効なインデックスの範囲で読み書きする

　配列を読み書きする際には、インデックスの範囲に注意してください。配列の有効なインデックスの範囲は、「0」から「要素数−1」までです。

▼有効なインデックスの範囲

　有効なインデックスの範囲を超えて配列の要素を読み書きすると、ArrayIndexOutOfBoundsException（アレイ・インデックス・アウト・オブ・バウンズ・エクセプション）という例外が発生します。例外というのは、プログラムを実行している間に起こる例外的な事態のことです。例外が発生すると、例外処理（Chapter11）を記述していない場合は、プログラムがエラーメッセージを表示して終了してしまいます。

　前問のプログラム（Array2.java）のfor文において、for文の条件式が「i<price.length」（i<要素数）であり、「i<=price.length」（i<=要素数）ではないことに注目してください。「i<=price.length」にすると、iが「price.length」（要素数）になる状況が生じるので、「0」から「要素数-1」までという、有効なインデックスの範囲を超えてしまいます。

　実際に試してみましょう。問題❸ Array2.javaの「i<price.length」を「i<=price.length」に変更してみてください。プログラムをコンパイル・実行すると、次のように例外が発生します。

▼ Array2.java（誤り）

```
1  public class Array2 {
2      public static void main(String[] args) {
3          int[] price={120, 230, 340, 450, 560, 670, 780, 890};
4          for (int i=0; i<=price.length; i++) {
5              System.out.print(price[i]+" ");
6          }
7          System.out.println();
8      }
9  }
```

```
> javac Array2.Java
> java Array2
120 230 340 450 560 670 780 890
Exception in thread "main" java.lang.ArrayIndexOutOfBoundsException:
（mainスレッドで例外が発生）
Index 8 out of bounds for length 8
（インデックスの8は、長さ8の配列の範囲外である）
        at Array3.main(Array3.java:5)
（Array3クラスのmainメソッド、Array3.javaの5行目）
```

　上記の実行例では、（）内にエラーメッセージの日本語訳を示しました。このように、有効なインデックスの範囲を超えて配列を読み書きすると、例外が発生します。必ず有効なインデックスの範囲内で配列を読み書きしてください。

　有効なインデックスの範囲について学びました。次は配列の全要素を処理するときに便利な、拡張for文について学びましょう。

スレッド

　スレッド（thread）とは、糸を意味する言葉ですが、プログラミングでは「プログラムを実行する流れ」を表します。プログラムによっては、プログラムを実行する流れが一本ではなく、同じプログラムに対して何本もの実行の流れを設けて、並列・並行に実行する場合があります。このように複数のスレッドを同時に実行する技術を、マルチスレッド（あるいはマルチスレッディング）と呼びます。

　Javaはスレッドに対応したプログラミング言語です。Javaのプログラムを起動すると、最初に1個のスレッドが生成されて、実行を開始します。このスレッドはmainスレッドと呼ばれています。例外発生時のエラーメッセージにおいて表示される「thread "main"」というのは、このmainスレッドのことです。

拡張for文で配列の全要素を処理する

　拡張for文は、配列やコレクション（Chapter13）に関して、全ての要素を処理したいときに便利な機能です。拡張for文を配列に適用する場合は、次のように書きます。ブロックの中は一般にインデント（Chapter2）します。

拡張for文

```
for (型 変数名: 配列名) {
    文;
    …
}
```

　上記で型の部分には、配列の要素を代入できる型を書きます。配列の要素と同じ型を書くのが典型的な使い方です。例えば、配列の要素がint型ならばint、配列の要素がString型ならばStringと書きます。型推論（Chapter4）を使って、varと書くこともできます。

　繰り返し実行したい文が1個のときは、次のようにブロックを使わないで書いても構いません。ブロックを使わない方が簡潔に書けますが、for文（Chapter6）と同様に、誤解を招く書き方をしないように注意してください。本書では主にブロックを使って書きます。

```
for (型 変数名: 配列名) 文;
```

拡張for文は次のように動きます。配列の先頭から末尾に向かって、要素を1個ずつ処理します。全ての要素を処理したら終了です。

●①未処理の要素を確認

配列の中に、この拡張for文でまだ処理していない要素があるかどうかを確認します。ある場合は②に進み、ない場合は拡張for文を終了します。

●②変数への代入

未処理の要素がある場合は、配列の先頭に最も近い未処理の要素について、要素の値を変数に代入します。

●③文の実行

文を実行し、①に戻ります。

拡張for文の動作を以下に図示します。未処理の要素がある限り、変数への代入→文の実行→変数への代入…という手順を繰り返します。

▼拡張for文の動作

```
for (型 変数名: 配列名) {
    文;
}
次の文
```

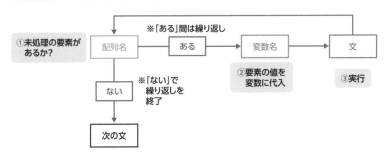

　拡張for文を使って、前問のプログラム（Array2.java）を書き直してみましょう。

問題④ 配列priceを宣言し、初期値に120、230、340、450、560、670、780、890を指定して配列を生成した後に、拡張for文を使って各要素の値を出力するプログラムを書いてください。

▼ Array3.java

```
1  public class Array3 {
2      public static void main(String[] args) {
3
4          // 配列の宣言と生成
5          int[] price={120, 230, 340, 450, 560, 670, 780, 890};
6
7          // 各要素の値を出力（拡張for文）
8          for (int p: price) {
9              System.out.print(p+" ");
10         }
11         System.out.println();
12     }
13 }
```

　拡張for文を使うことで、前問のプログラムよりも簡潔になりました。インデックスを使わないので、誤って有効なインデックスの範囲を超えてしまう危険もありません。実行結果は前問と同じです。

```
> javac Array3.java
> java Array3
120 230 340 450 560 670 780 890   ← 各要素の値
```

　配列の全要素を処理するときに役立つ、拡張for文について学びました。次は、要素数を指定して配列を生成する方法を学びましょう。

02 要素数を指定して配列を生成する

配列を生成するには、前述のように初期値を与える方法の他に、要素数を指定する方法もあります。配列の要素数は決まっているけれども、どんな値を格納するのかがまだ決まっていない場合は、ここで紹介する方法が役立ちます。

new演算子を使って配列を生成する

要素数を指定して配列を生成するには、new（ニュー）演算子を使います。要素数を指定して配列を生成し、配列型の変数を初期化するには、次のように書きます。

配列の生成（要素数を指定）

```
型[ ] 配列名 = new 型[要素数];
```

複数の配列を同時に生成することもできます。要素数は配列ごとに変えられます。

配列の生成（要素数を指定、複数）

```
型[ ] 配列名A=new 型[要素数A], 配列名B=new 型[要素数B], …;
```

要素数を指定して配列を生成してみましょう。サイコロを30回振って出た全ての目を、配列に記録するプログラムです。まずは、**問題⑤ int型で要素数が「30」の配列diceを生成した後に、各要素の値を出力**するプログラムを書いてください。

▼ NewArray.java

```
 1  public class NewArray {
 2      public static void main(String[] args) {
 3
 4          // 配列の宣言と生成
 5          int[] dice=new int[30];
 6
 7          // 各要素の値を出力（拡張for文）
 8          for (int d: dice) {
 9              System.out.print(d);
10          }
```

```
11          System.out.println();
12      }
13 }
```

　各要素の出力には拡張for文を使いました。上記のプログラムのように、各要素を明示的に初期化していない場合は、各要素は型ごとに決められた初期値で、自動的に初期化されます。以下でnull（ヌル）というのは、参照型（Chapter4）の変数が何も参照していない（何も指し示していない）ことを表す、特別な値です。

▼ 型ごとの初期値

型	初期値
整数型 (byte, short, int, long)	0
浮動小数点数型 (float, double)	0.0
真偽値型 (boolean)	false
参照型 (Stringなど)	null

　上記のプログラムでは、配列diceの要素はint型なので、自動的に0で初期化されます。したがって次のように、全ての要素について0が出力されます。

```
> javac NewArray.java
> java NewArray
000000000000000000000000000000000    ← 各要素の値は0
```

　要素数を指定して配列を生成する方法を学びました。次は配列の各要素に値を代入してみましょう。

配列の要素に値を代入する

　配列の要素に値を代入するには、次のように書きます。以下では=（代入演算子）を使いましたが、同様に+=や−=といった複合代入演算子を使うことも可能です。

要素に値を代入

```
配列名[インデックス] = 値;
```

配列の要素に値を代入してみましょう。**問題6 前問のプログラム（NewArray. java）を改造し、各要素に1〜6の乱数を代入した後に、各要素の値を出力**するプログラムを書いてください。1〜6の乱数を生成するには、Math.randomメソッドとキャストを使います（Chapter3のDice3.java）。

▼ NewArray2.java

```
 1  public class NewArray2 {
 2      public static void main(String[] args) {
 3
 4          // 配列の宣言と生成
 5          int[] dice=new int[30];
 6
 7          // 各要素に1~6のランダムな整数を代入
 8          for (int i=0; i<dice.length; i++) {
 9              dice[i]=(int)(Math.random()*6+1);
10          }
11
12          // 各要素の値を出力（拡張for文）
13          for (int d: dice) {
14              System.out.print(d);
15          }
16          System.out.println();
17      }
18  }
```

上記のプログラムでは、基本のfor文を使って、配列diceの各要素に1〜6の乱数を代入しました。このように要素の値を変更する場合は、拡張for文ではなく、基本のfor文を使います。

```
> javac NewArray2.java
> java NewArray2
416112613426466314455621161163    ← 各要素の値は1〜6の乱数
```

配列の要素に値を代入する方法を学びました。配列の操作に慣れるために、もう少し配列を使ったプログラムを書いてみましょう。

配列の要素を逆順で処理する

拡張for文を使うと、配列の要素を先頭から順に処理できます。一方、配列の要素を末尾から順に処理したい場合には、拡張for文以外の方法、例えば基本のfor文などを使う必要があります。

実際にプログラムを書いてみましょう。**問題7** **前問のプログラム（NewArray2.java）を改造し、末尾から順に各要素の値を出力する処理**を追加してください。

▼ NewArray3.java

```
 1  public class NewArray3 {
 2      public static void main(String[] args) {
 3
 4          // 配列の宣言と生成
 5          int[] dice=new int[30];
 6
 7          // 各要素に1~6のランダムな整数を代入
 8          for (int i=0; i<dice.length; i++) {
 9              dice[i]=(int)(Math.random()*6+1);
10          }
11
12          // 先頭から順に各要素の値を出力（拡張for文）
13          for (int d: dice) {
14              System.out.print(d);
15          }
16          System.out.println();
17
18          // 末尾から順に各要素の値を出力（for文）
19          for (int i=dice.length-1; i>=0; i--) {
20              System.out.print(dice[i]);
21          }
22          System.out.println();
23      }
24  }
```

末尾から出力するfor文に注目してください。配列のインデックス(i)は「dice.length-1」（要素数-1）から始まり、1ずつ減少して「0」で終わります。

```
> javac NewArray3.java
> java NewArray3
2511135533522362254654653346331    ← 先頭から順に各要素を出力
133643564564522632253355311152     ← 末尾から順に各要素を出力
```

配列の要素を逆順で処理する方法を学びました。配列の操作に慣れるために、配列を使ったプログラムをもう1つ書いてみましょう。

配列を多重ループで処理する

配列の要素を順に処理するだけではなく、もう少し複雑な処理にも挑戦してみましょう。**問題❽ 前問のプログラム（NewArray3.java）を改造し、各要素の値を1〜6の順に出力**してください。

以下は実行例です。上段の出力は、配列の要素を先頭から順に出力しています。下段の出力は、要素の値を1〜6の順に出力しています。

```
> javac NewArray4.java
> java NewArray4
651313441162612653312144661251    ← 先頭から順に各要素を出力
111111111222233334444555666666    ← 各要素を1〜6の順に出力
```

上記のように出力すると、サイコロを30回振ったときに1〜6の各値が何回ずつ出たのかがわかりやすくなります。この実行例では、1が多めに、5が少なめに出ています。

例えば次のようなプログラムを書けば、上記のような出力が得られます。外側が基本のfor文、内側が拡張for文の、多重ループ（2重ループ）です。

1 for文を使って、1〜6を順に処理します。

2 拡張for文を使って配列の全要素を調べ、現在処理中の値（1〜6のいずれか）に一致したら、値を出力します。

3 **1**に戻って繰り返します。

▼ NewArray4.java

```
 1 public class NewArray4 {
 2     public static void main(String[] args) {
 3
 4         // 配列の宣言と生成
 5         int[] dice=new int[30];
 6
 7         // 各要素に1~6のランダムな整数を代入
 8         for (int i=0; i<dice.length; i++) {
 9             dice[i]=(int)(Math.random()*6+1);
10         }
11
12         // 各要素の値を出力（拡張for文）
13         for (int d: dice) {
14             System.out.print(d);
15         }
16         System.out.println();
17
18         // 1~6を順に処理
19         for (int i=1; i<=6; i++) {
20
21             // 配列の全要素を調べる
22             for (int d: dice) {
23
24                 // 現在処理中の値に一致したら出力
25                 if (i==d) {
26                     System.out.print(d);
27                 }
28             }
29         }
30         System.out.println();
31     }
32 }
```

　配列の要素を順に処理するだけではない、もう少し複雑な処理に挑戦しました。配列の操作に慣れてきたでしょうか。次は、参照型という観点から、配列の仕組みについて詳しく学びましょう。

03 配列型は参照型である

　配列型は参照型（Chapter4）の一種です。変数（配列型の変数）を配列で初期化したり、変数に配列を代入したりすると、変数が配列を参照する（指し示す）状態になります。

▼変数が配列を参照する

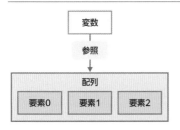

　ある変数Aが配列を参照しているときに、別の変数Bを変数Aで初期化したり、変数Bに変数Aを代入したりすると、変数Aと変数Bが同じ配列を参照する状態になります。

▼複数の変数が同じ配列を参照する

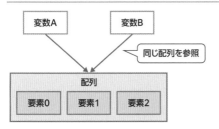

　配列は参照型なので、上記のような状態で管理されます。この状態が、配列の動作にどんな影響を与えるのかを学びましょう。

複数の変数が同じ配列を参照する

複数の変数が同じ配列を参照しているときの動作について、詳しく学んでみましょう。次のプログラムは、String型の配列color1（カラー、色）を宣言し、red（赤）・green（緑）・blue（青）で初期化したうえで、各要素を出力します。さらに、String型の配列color2を宣言し、color1で初期化したうえで、各要素を出力します。

問題 9 次のプログラム（Clone.Java）が出力する要素の値を、color1とcolor2のそれぞれについて予想してください。

▼ Clone.java

```java
 1  public class Clone {
 2      public static void main(String[] args) {
 3
 4          // 配列color1の宣言と生成
 5          String[] color1={"red", "green", "blue"};
 6
 7          // 配列color1の要素を出力
 8          System.out.print("color1: ");
 9          for (String c: color1) {
10              System.out.print(c+" ");
11          }
12          System.out.println();
13
14          // 配列color2の宣言と初期化
15          String[] color2=color1;
16
17          // 配列color2の要素を出力
18          System.out.print("color2: ");
19          for (String c: color2) {
20              System.out.print(c+" ");
21          }
22          System.out.println();
23      }
24  }
```

上記のプログラムでは、変数color1と変数color2が同じ配列を参照します。したがって、color1とcolor2の要素を出力すると、いずれもred・green・blueが出力されます。

▼ 変数color1と変数color2が同じ配列を参照する

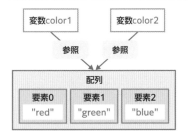

```
> javac Clone.java
> java Clone
color1: red green blue   ← color1の要素
color2: red green blue   ← color2の要素（color1と同じ）
```

　複数の変数が同じ配列を参照する状態では、どちらの変数からも同じ内容の配列が見える、ということを学びました。次は、配列を変更したときの動作について調べましょう。

複数の変数が参照する配列を変更する

　複数の変数が同じ配列を参照しているとき、片方の変数から配列の内容を変更すると、他方の変数からはどう見えるのでしょうか。次のプログラムで実験してみましょう。前問のプログラム（Clone.java）に対して、color1[1]のgreenをyellow（黄）に変更したうえで、再びcolor1とcolor2の各要素を出力する処理を追加しました。

問題10 次のプログラム（Clone2.Java）が出力する要素の値を、color1とcolor2のそれぞれについて予想してください。

▼ Clone2.java

```
1 public class Clone2 {
2     public static void main(String[] args) {
3
4         // 配列color1の宣言、生成、要素の出力
5         String[] color1={"red", "green", "blue"};
6         System.out.print("color1: ");
7         for (String c: color1) {
8             System.out.print(c+" ");
```

245

```
 9              }
10          System.out.println();
11
12          // 配列color2の宣言、初期化、要素の出力
13          String[] color2=color1;
14          System.out.print("color2: ");
15          for (String c: color2) {
16              System.out.print(c+" ");
17          }
18          System.out.println();
19
20          // color1[1]を変更
21          color1[1]="yellow";
22
23          // 配列color1の要素を出力
24          System.out.print("color1: ");
25          for (String c: color1) {
26              System.out.print(c+" ");
27          }
28          System.out.println();
29
30          // 配列color2の要素を出力
31          System.out.print("color2: ");
32          for (String c: color2) {
33              System.out.print(c+" ");
34          }
35          System.out.println();
36      }
37 }
```

　上記のプログラムでは、変数color1と変数color2が同じ配列を参照しています。color1[1]を変更する、つまりcolor1から配列を変更すると、color2も同じ配列を参照しているので、color2からも変更後の配列が見えます。したがって、color1とcolor2の要素を出力すると、いずれもred・yellow・blueが出力されます。

▼変数color1から配列を変更する

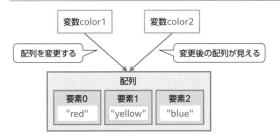

```
> javac Clone2.java
> java Clone2
color1: red green blue      ← color1の要素（変更前）
color2: red green blue      ← color2の要素（変更前）
color1: red yellow blue     ← color1の要素（変更後）
color2: red yellow blue     ← color2の要素（変更の影響を受ける）
```

　複数の変数が同じ配列を参照する状態では、片方の変数から配列を変更すると、他方の変数からも変更後の配列が見えるということを学びました。次は配列を複製する方法を学びましょう。

cloneメソッドで配列を複製する

　複数の変数が同じ配列を参照しているときに、片方の変数からの変更を他方の変数には影響させたくない場合は、配列を複製します。配列を複製しておけば、片方の配列を変更しても、他方の配列には影響しません。

　clone（クローン）メソッドを使うと、配列を複製できます。cloneメソッドは次のように呼び出します。

▎配列の複製

```
配列.clone()
```

　配列を複製してみましょう。前問のプログラム（Clone2.java）を改造して、配列color2を初期化する際に、配列color1を複製するように変更しました。**問題⑪ 次のプログラム（Clone3.Java）が出力する要素の値を、color1とcolor2のそれぞれについて予想**してください。

▼ Clone3.java

```java
 1  public class Clone3 {
 2      public static void main(String[] args) {
 3
 4          // 配列color1の宣言、生成、要素の出力
 5          String[] color1={"red", "green", "blue"};
 6          System.out.print("color1: ");
 7          for (String c: color1) {
 8              System.out.print(c+" ");
 9          }
10          System.out.println();
11
12          // 配列color2の宣言、初期化、要素の出力
13          // （配列color1を複製して、配列color2の初期化に使う）
14          String[] color2=color1.clone();
15          System.out.print("color2: ");
16          for (String c: color2) {
17              System.out.print(c+" ");
18          }
19          System.out.println();
20
21          // color1[1]を変更
22          color1[1]="yellow";
23
24          // 配列color1の要素を出力
25          System.out.print("color1: ");
26          for (String c: color1) {
27              System.out.print(c+" ");
28          }
29          System.out.println();
30
31          // 配列color2の要素を出力
32          System.out.print("color2: ");
33          for (String c: color2) {
34              System.out.print(c+" ");
35          }
36          System.out.println();
37      }
38  }
```

前問のプログラムとの違いは、「String[] color2=color1.clone();」という箇所だけです。配列color1の複製を配列color2の初期化に使います。color1とcolor2が別の配列を参照するので、color1から配列を変更しても、color2の配列には影響を与えません。

▼配列を複製してから変更する

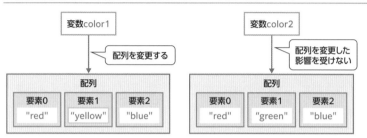

```
> javac Clone3.java
> java Clone3
color1: red green blue     ← color1の要素（変更前）
color2: red green blue     ← color2の要素（変更後）
color1: red yellow blue    ← color1の要素（変更後）
color2: red green blue     ← color2の要素（変更の影響を受けない）
```

　配列の複製について学びました。配列を複製する必要があるかどうかは、プログラムの目的によって変わります。複製しない場合と、複製した場合の動作の違いを理解して、狙った動きをするプログラムを書けるようになってください。
　次は実行時にプログラムへ値を渡せる、コマンドライン引数について学びましょう。

04 コマンドライン引数で プログラムの実行時に値を渡す

コマンドラインとは、WindowsのコマンドプロンプトやmacOS/Linuxのターミナルのように、キーボードからコマンドを入力して実行するユーザインタフェースのことです。そしてコマンドライン引数とは、実行するコマンドに対して渡す値のことです。

例えば、「Hello.java」というファイルをコンパイルするときには、「**javac Hello.java**」のように入力します。最初のjavacがコマンドで、Hello.javaがコマンドライン引数です。この場合はコマンドライン引数を使って、javacコマンドに対し、コンパイルしたいファイル名を渡しています。

Javaにはコマンドライン引数を受け取るための仕組みがあります。この仕組みを使うと、javacのようにコマンドライン引数を受け取って処理するプログラムを自作できます。

コマンドライン引数を受け取る

コマンドライン引数を受け取るには、mainメソッドの引数であるString[] argsを使います。args（アーグズ）はarguments（引数を意味するargumentの複数形）の略と思われます。argsは文字列（String型）の配列なので、インデックス・for文・拡張for文などを使って操作できます。

受け取ったコマンドライン引数を出力してみましょう。 問題⑫ **拡張for文を使ってargsの各要素を出力**するプログラムを書いてみてください。

▼Args.java

```
1  public class Args {
2      public static void main(String[] args) {
3          for (String a: args) {
4              System.out.println(a);
5          }
6      }
7  }
```

上記のプログラムは、次のように実行します。コマンドライン引数を与えないと、何も出力しません。コマンドライン引数を与えると、全ての引数を表示します。

```
> javac Args.java
> java Args                          ← コマンドライン引数を与えない
                                     ← 何も出力しない

> java Args apple banana coconut     ← 3個のコマンドライン引数を与える
apple                                ← args[0]：アップル
banana                               ← args[1]：バナナ
coconut                              ← args[2]：ココナッツ
```

　apple・banana・coconutを与えた場合の、配列argsの構造は次の通りです。コマンドライン引数と同じ個数（3個）の要素があります。受け取ったコマンドライン引数は、文字列として格納されています。

▼コマンドライン引数の構造

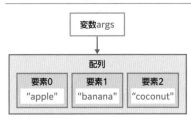

　コマンドライン引数を受け取る方法について学びました。次は、受け取ったコマンドライン引数を、計算に使う方法を学びましょう。

文字列の配列

文字列（String型）は参照型です。そのため、argsのような文字列の配列の各要素には、Stringインスタンスを参照するための参照値（Chapter4）が格納されています。

▼ 文字列の配列

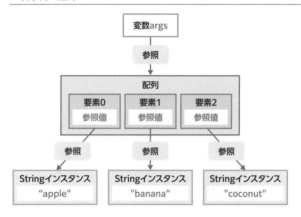

argsが配列を参照し、さらに配列の要素がStringインスタンスを参照する、という構造です。本書では説明を簡単にするために、要素がStringインスタンスを参照する構造を省略して、要素に文字列が格納されているように図示しています。

コマンドライン引数を計算に使う

前述のように、受け取ったコマンドライン引数は文字列です。もし、コマンドライン引数で1や2.3のような数値を与えたとしても、受け取るのは"1"や"2.3"のような文字列です。これらの数値を計算に使うためには、文字列から整数や浮動小数点数への変換が必要です。

文字列から整数への変換には、Integer.parseInt（インテジャー・パース・イント）メソッドが使えます。Integerクラスは、int型に対するラッパークラス（Chapter4）です。Integer.parseIntメソッドは、指定した文字列をint型の整数に変換します。

```
Integer.parseInt(文字列)
```

　文字列から浮動小数点数への変換には、Double.parseDouble（ダブル・パース・ダブル）メソッドが使えます。Doubleクラスは、double型に対するラッパークラスです。Double.parseDoubleメソッドは、指定した文字列をdouble型の浮動小数点数に変換します。

文字列から浮動小数点数への変換

```
Double.parseDouble(文字列)
```

　いずれのメソッドも、例えば「abc」のような数値に変換できない文字列を与えると、NumberFormatException（ナンバー・フォーマット・エクセプション）という例外を発生します。発生した例外に対処するには、例外処理（Chapter11）が必要です。

　コマンドライン引数で与えた整数を、合計して出力するプログラムを書いてみましょう。 問題⑬ argsの各要素を整数に変換してから、合計して出力するプログラムを書いてください。例外については、ここでは対処しなくてよいことにします。

▼ Args2.java

```java
1  public class Args2 {
2      public static void main(String[] args) {
3
4          // 合計を表す変数totalを0で初期化
5          int total=0;
6
7          // argsの各要素を整数に変換して、合計に加算
8          for (String a: args) {
9              total+=Integer.parseInt(a);
10         }
11
12         // 合計を出力
13         System.out.println(total);
14     }
15 }
```

　拡張for文とInteger.parseIntメソッドを使って、argsの各要素を整数に変換してから合計しました。次のように、いろいろなコマンドライン引数を与えて実行してみてください。

```
> javac Args2.java
> java Args2
0                                   ← コマンドライン引数を与えない場合は0

> java Args2 1 2 3
6                                   ← 1+2+3=6

> java Args2 120 340 560 780
1800                                ← 120+340+560+780=1800
```

　コマンドライン引数を数値に変換して、計算に使う方法を学びました。この方法を応用すると、いろいろな計算ができる電卓のようなプログラムも書けます。

　次は、コマンドライン引数の個数を確認する方法を学びましょう。

コマンドライン引数の個数を確認する

　argsは配列なので、lengthフィールドを使って要素数を取得できます。この要素数は、コマンドライン引数の個数を表します。

▌コマンドライン引数の個数を取得

```
args.length
```

　プログラムによっては、コマンドライン引数の個数を確認して、適切な個数ではないときには使い方を表示する場合があります。例えばjavacコマンドを引数を指定せずに実行してみてください。次のように使い方が表示されます。

```
> javac
使用方法: javac <options> <source files>
使用可能なオプションには次のものがあります。
…
```

前問のプログラム（Args2.java）を改造して、コマンドライン引数が無いときには使い方を表示するようにしてみましょう。**問題⑭** **コマンドライン引数の個数が0のときは「usage: java Args3 <integer> ...」と出力**する処理を追加してください。

▼ Args3.java

```
 1  public class Args3 {
 2      public static void main(String[] args) {
 3
 4          // コマンドライン引数の個数が0のときは、使い方を出力
 5          if (args.length==0) {
 6              System.out.println("usage: java Args3 <integer> ...");
 7          }
 8
 9          // 個数が0以外のときは、コマンドライン引数の合計を出力
10          else {
11              int total=0;
12              for (String a: args) {
13                  total+=Integer.parseInt(a);
14              }
15              System.out.println(total);
16          }
17      }
18  }
```

上記のプログラムでは、if文とargs.lengthを使って、コマンドライン引数の個数を確認し、個数に応じて処理を変えます。コマンドライン引数を与えない場合と与える場合について、次のように動作を確認してください。

```
> javac Args3.java
> java Args3                     ← コマンドライン引数を与えない
usage: java Args3 <integer> ...  ← 使い方（usage）を出力

> java Args3 120 340 560 780     ← コマンドライン引数を与える
1800                             ← 合計を出力
```

コマンドライン引数の使い方について学んできました。次は多次元配列について学びましょう。

05 多次元配列で表や行列などを表現する

2次元以上の配列のことを、多次元配列と呼ぶことがあります。今までに使ってきた配列は1次元でしたが、Javaでは多次元配列も使えます。多次元配列、例えば2次元配列を使うと、表計算ソフトウェアのような表や数学の行列などを表現できます。

1次元配列に比べると多次元配列は少し難解で、使用頻度も少し低めです。このセクションについては、もし難しいと感じたら、必要になったときに読んでも大丈夫です。

初期値を指定して多次元配列を生成する

多次元配列の例として、2次元配列について学びましょう。2次元配列を宣言し、初期値を指定して生成するには、次のように書きます。[]（角括弧）を2組書くことと、初期値の{}（波括弧）を2重にすることに注意してください。[]や{}を増やせば、3次元以上の配列にもできます。

┃2次元配列の宣言と生成（初期値を指定）

```
型[][] 配列名 = {{値, …}, {値, …}, …};
```

多次元配列の要素の値を取得するには、配列の次元に応じて、以下のように複数のインデックスを使います。2次元配列の場合は、2個のインデックスを指定します。

┃2次元配列の要素の値を取得

```
配列名[1次元目のインデックス][2次元目のインデックス]
```

2次元配列の要素とインデックスの対応は次の通りです。2次元配列の場合は、1次元目の配列の各要素が、2次元目の配列を参照する構造になっています。3次元以上の配列についても同様に、ある次元の配列の各要素が、続く次元の配列を参照します。

▼2次元配列

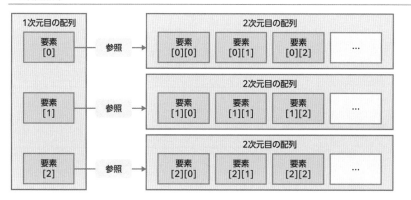

　2次元配列を拡張for文で処理するには、次のように書きます。1次元目に対する変数Aのループと、2次元目に対する変数Bのループによる、多重ループ（2重ループ）になります。ループの階層を増やせば、3次元以上の配列も処理できます。

▍2次元配列を拡張for文で処理

```
for (型[] 変数A: 配列) {
    for (型 変数B: 変数A) {
        ...
    }
}
```

　上記で型の部分には、2次元配列の要素の型を指定します。型推論（Chapter4）を使って、varと書くこともできます。

　変数Aと変数Bは、それぞれ2次元配列の次の部分を表します。変数Aには1次元目の配列の各要素、つまり2次元目の配列が代入されます。変数Bには2次元目の配列の各要素、つまり2次元配列の各要素が代入されます。

▼2次元配列を拡張for文で処理

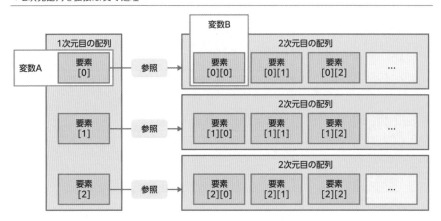

　多次元配列を使ってみましょう。2次元配列を使って、数学の行列を表現します。配列の1次元目を行に、2次元目を列に対応させます。**問題⑮** **2次元配列matrixを宣言し、1行目は「11」「12」「13」、2行目は「21」「22」「23」として生成した後に、各要素の値を出力**するプログラムを書いてください。

▼MDArray.java

```java
 1 public class MDArray {
 2     public static void main(String[] args) {
 3
 4         // 2次元配列の宣言と生成
 5         int[][] matrix={{11, 12, 13}, {21, 22, 23}};
 6
 7         // 各要素の値を出力（拡張for文の多重ループ）
 8         for (int[] row: matrix) {
 9             for (int col: row) {
10                 System.out.print(col+" ");
11             }
12
13             // 行ごとに改行
14             System.out.println();
15         }
16     }
17 }
```

上記でクラス名のMDArrayは、multidimensional array（多次元配列）の略です。拡張for文の変数row（ロー）は行、変数col（columnの略、カラム）は列を意味します。

```
> javac MDArray.java
> java MDArray
11 12 13  ← 1行目の要素
21 22 23  ← 2行目の要素
```

初期値を指定して多次元配列を生成する方法を学びました。次は、要素数を指定して多次元配列を生成してみましょう。

要素数を指定して多次元配列を生成する

多次元配列は要素数を指定して生成することもできます。例えば2次元配列を宣言し、要素数を指定して生成するには、次のように書きます。各次元について要素数を指定することに注意してください。[]を増やせば、3次元以上の配列にもできます。

▌2次元配列の宣言と生成（要素数を指定）

```
型[][] 配列名 = new 型[1次元目の要素数][2次元目の要素数];
```

前問のプログラム（MDArray.java）の2次元配列を、要素数を指定して生成してみましょう。**問題⑯** **2次元配列matrixを宣言し、1次元目の要素数は「2」、2次元目の要素数は「3」として生成した後に、各要素の値を出力**するプログラムを書いてください。

▼MDArray2.java

```
 1 public class MDArray2 {
 2     public static void main(String[] args) {
 3
 4         // 2次元配列の宣言と生成
 5         int[][] matrix=new int[2][3];
 6
 7         // 各要素の値を出力（拡張for文の多重ループ）
 8         for (int[] row: matrix) {
 9             for (int col: row) {
10                 System.out.print(col+" ");
```

```
11              }
12              System.out.println();
13          }
14      }
15 }
```

　1次元配列と同様に、各要素を明示的に初期化しない場合は、各要素は型ごとに
決められた初期値で、自動的に初期化されます。上記では要素がint型なので、次
のように0で初期化されます。

```
> javac MDArray2.java
> java MDArray2
0 0 0  ← 1行目の要素
0 0 0  ← 2行目の要素
```

　要素数を指定して多次元配列を生成する方法を学びました。次は、要素に値を代
入する方法を学びましょう。

多次元配列の要素に値を代入する

　多次元配列の要素に値を代入するには、配列の次元に応じて、次のように複数の
インデックスを使います。2次元配列の場合は、2個のインデックスを指定します。

▌2次元配列の要素に値を代入

> 配列名[1次元目のインデックス][2次元目のインデックス] = 値;

　2次元配列の要素数を取得するには、次のように書きます。2次元目の要素数を取
得するには、1次元目のインデックスを指定する必要があることに注意してくださ
い。

▌2次元配列の要素数

> 配列名.length　　　　　　　　　　　　　← 1次元目の要素数
> 配列名[1次元目のインデックス].length　← 2次元目の要素数

3次元以上の配列についても同様です。例えば、3次元配列の3次元目の要素数を取得するには、1次元目と2次元目のインデックスを指定する必要があります。

　2次元配列の要素に値を代入してみましょう。**問題⑰ 前問のプログラム（MDArray2.java）を改造し、1行目の要素に「11」「12」「13」、2行目の要素に「21」「22」「23」を代入した後に、各要素の値を出力**するプログラムを書いてください。

▼MDArray3.java

```
 1  public class MDArray3 {
 2      public static void main(String[] args) {
 3
 4          // 2次元配列の宣言と生成
 5          int[][] matrix=new int[2][3];
 6
 7          // 各要素に値を代入（for文の多重ループ）
 8          for (int i=0; i<matrix.length; i++) {
 9              for (int j=0; j<matrix[i].length; j++) {
10                  matrix[i][j]=(i+1)*10+(j+1);
11              }
12          }
13
14          // 各要素の値を出力（拡張for文の多重ループ）
15          for (int[] row: matrix) {
16              for (int col: row) {
17                  System.out.print(col+" ");
18              }
19              System.out.println();
20          }
21      }
22  }
```

　各要素に値を代入する処理が、多重ループになっていることに注目してください。外側のループは配列の1次元目に、内側のループは配列の2次元目に対応しています。要素に代入する「(i+1)*10+(j+1)」という式の値は、iが0のときには「11」「12」「13」に、iが1のときには「21」「22」「23」になります。

```
> javac MDArray3.java
> java MDArray3
11 12 13   ← 1行目の要素
21 22 23   ← 2行目の要素
```

多次元配列の要素に値を代入する方法を学びました。次は多次元配列のバリエーションである、ジャグ配列について学びましょう。

ジャグ配列は要素数が異なる配列の集まり

ジャグ配列は多次元配列の一種ですが、今までに学んだ多次元配列とは異なり、要素数が異なる配列の集まりになっています。英語ではjagged array（ジャグド・アレイ）ですが、日本語ではジャグ配列と呼びます。jaggedは「ぎざぎざの」という意味です。

例えば、次のようなジャグ配列を生成できます。以下は2次元のジャグ配列で、2次元目の要素数が配列ごとに異なります。

▼ジャグ配列

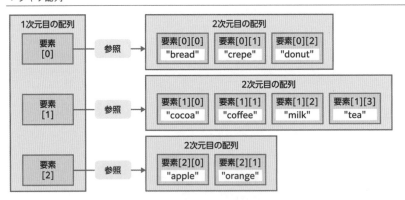

初期値を指定して2次元のジャグ配列を生成するには、次のように書きます。以下は2次元配列の生成と同じ記法ですが、値の個数を2次元目の配列ごとに変えると、ジャグ配列になります。[]や{}を増やせば、3次元以上のジャグ配列にもできます。

▌ジャグ配列の宣言と生成（初期値を指定）

```
型[][] 配列名 = {{値, …}, {値, …}, …};
```

ジャグ配列の使い方は、多次元配列の使い方と同じです。要素の取得、要素への代入、for文や拡張for文による処理、要素数の取得については多次元配列と同じ方法が使えます。ただし、ジャグ配列は要素数が異なる配列の集まりなので、有効なインデックスの範囲を超えないように一層注意してください。

ジャグ配列を使ってみましょう。**問題⑱** **2次元配列menuを宣言し、1行目を「bread」「crepe」「donut」、2行目を「cocoa」「coffee」「milk」「tea」、3行目を「apple」「orange」として生成した後に、各要素の値を出力**するプログラムを書いてください。

▼ JaggedArray.java

```
 1  public class JaggedArray {
 2      public static void main(String[] args) {
 3
 4          // ジャグ配列の宣言と生成
 5          String[][] menu={
 6              {"bread", "crepe", "donut"},
 7              {"cocoa", "coffee", "milk", "tea"},
 8              {"apple", "orange"}
 9          };
10
11          // 各要素の値を出力（拡張for文の多重ループ）
12          for (String[] category: menu) {
13              for (String item: category) {
14                  System.out.printf(item+" ");
15              }
16              System.out.println();
17          }
18      }
19  }
```

各要素の値を出力する多重ループに注目してください。外側のループでは変数category（カテゴリー、区分）、内側のループでは変数item（アイテム、品目）という変数を宣言しました。これらの変数を使って、区分ごとに改行しながら、全ての品目を出力します。

```
> javac JaggedArray.java
> java JaggedArray
bread crepe donut        ← パン、クレープ、ドーナツ
cocoa coffee milk tea    ← ココア、コーヒー、ミルク、紅茶
apple orange             ← アップル、オレンジ
```

　ジャグ配列の使い方を学びました。次は、要素数を指定してジャグ配列を生成する方法を学びましょう。

要素数を指定してジャグ配列を生成する

　多次元配列と同様に、ジャグ配列も要素数を指定して生成できます。ただし、ジャグ配列は要素数が異なる配列の集まりなので、生成を複数回の手順に分ける必要があります。

　多次元配列とジャグ配列を使って、九九の表を作成してみましょう。まずは多次元配列を使って、次のような九九の表を作成します。

```
> javac JaggedArray2.java
> java JaggedArray2
1  2  3  4  5  6  7  8  9
2  4  6  8 10 12 14 16 18
3  6  9 12 15 18 21 24 27
4  8 12 16 20 24 28 32 36
5 10 15 20 25 30 35 40 45
6 12 18 24 30 36 42 48 54
7 14 21 28 35 42 49 56 63
8 16 24 32 40 48 56 64 72
9 18 27 36 45 54 63 72 81
```

　問題⑲ 2次元配列tableを宣言し、1次元目・2次元目とも要素数は「9」で生成して、各要素に九九の値を代入した後に、各要素を出力するプログラムを書いてください。表の桁を揃えて出力するには、System.out.printfメソッド（Chapter6）を使います。

▼ JaggedArray2.java

```java
 1  public class JaggedArray2 {
 2      public static void main(String[] args) {
 3
 4          // 多次元配列の宣言と生成
 5          int[][] table=new int[9][9];
 6
 7          // 各要素に値を代入
 8          for (int i=0; i<9; i++) {
 9              for (int j=0; j<9; j++) {
10                  table[i][j]=(i+1)*(j+1);
11              }
12          }
13
14          // 各要素の値を出力（拡張for文の多重ループ）
15          for (int[] row: table) {
16              for (int col: row) {
17                  System.out.printf("%2d ", col);
18              }
19              System.out.println();
20          }
21      }
22  }
```

　各要素に代入する値に注目してください。要素「table[i][j]」に対して代入する値は、「(i+1)*(j+1)」です。インデックスは0から8までですが、九九は1から9までなので、iやjに1を加算しています。

　次はジャグ配列を使って、以下のような九九の表を出力してみましょう。値が重複する要素を除外して、左下だけの表を作成します。

```
> javac JaggedArray3.java
> java JaggedArray3
 1
 2  4
 3  6  9
 4  8 12 16
 5 10 15 20 25
 6 12 18 24 30 36
 7 14 21 28 35 42 49
 8 16 24 32 40 48 56 64
 9 18 27 36 45 54 63 72 81
```

　要素数を指定して2次元のジャグ配列を生成するには、次のように書きます。ま
ずは1次元目の要素数だけを指定し、2次元目の要素数は省略します。

┃ ジャグ配列の生成（要素数を指定、1次元目）

> 型[ ][ ] 配列名 = new 型[1次元目の要素数][ ] ;

　続いて、2次元目の配列を次のように生成します。1次元目のインデックスごとに、
2次元目の要素数を変えるためには、以下の処理を複数回呼び出します。

┃ ジャグ配列の生成（要素数を指定、2次元目）

> 配列名[1次元目のインデックス] = new 型[2次元目の要素数] ;

　問題⑳ 前間のプログラム（JaggedArray2.java）を改造して、行ごとに要素数が異
なるジャグ配列を生成し、各要素に九九の値を代入した後に、各要素を表示するプ
ログラムを書いてください。1行目の要素数は1個、2行目の要素数は2個…のように、
行ごとに要素数を変化させて、左下だけの表にします。

▼ JaggedArray3.java

```
1  public class JaggedArray3 {
2      public static void main(String[] args) {
3
4          // ジャグ配列を宣言し、1次元目の配列を生成
5          int[][] table=new int[9][];
6
7          // 左下だけの九九表を作成
8          for (int i=0; i<9; i++) {
```

```
 9
10            // 2次元目の配列を生成
11            table[i]=new int[i+1];
12
13            // 各要素に値を代入
14            for (int j=0; j<i+1; j++) {
15                table[i][j]=(i+1)*(j+1);
16            }
17        }
18
19        // 各要素の値を出力（拡張for文の多重ループ）
20        for (int[] row: table) {
21            for (int col: row) {
22                System.out.printf("%2d ", col);
23            }
24            System.out.println();
25        }
26    }
27 }
```

　ジャグ配列の生成に注目してください。最初は2次元目の要素数を指定しないでおき、for文の中で2次元目の配列を生成します。

　本章では配列について学びました。配列を使うと、同じ型の値を多数並べて管理できます。さらにループを組み合わせると、簡潔なプログラムで多数の値を処理することが可能です。プログラムの実行時に値を渡せるコマンドライン引数や、2次元以上の多次元配列についても学びました。

　これで基礎編は完了です。次章からは実践編として、Javaのオブジェクト指向プログラミングについて詳しく学びます。

Chapter7の復習

□配列

問題❶ 8個の変数price0〜price7を宣言し、120、230、340、450、560、670、780、890で初期化した後に、各変数の値を出力するプログラムを書いてください。　　　　　　　　　　　　　　　　　　　　　　　　➡228ページ

問題❷ 配列priceを宣言し、初期値に120、230、340、450、560、670、780、890を指定して配列を生成した後に、for文を使って各要素の値を出力するプログラムを書いてください。　　　　　　　　　　　　　➡231ページ

問題❸ 前問のプログラム（233ページのArray2.java）の「i<price.length」を「i<=price.length」に変更したときに、例外が発生する理由を考えてください。　　　　　　　　　　　　　　　　　　　　　　　　　　　　➡232ページ

問題❹ 配列priceを宣言し、初期値に120、230、340、450、560、670、780、890を指定して配列を生成した後に、拡張for文を使って各要素の値を出力するプログラムを書いてください。　　　　　　　➡236ページ

問題❺ int型で要素数が「30」の配列diceを生成した後に、各要素の値を出力するプログラムを書いてください。　　　　　　　　　　　➡237ページ

問題❻ 前問のプログラムを改造し、各要素に1〜6の乱数を代入した後に、各要素の値を出力するプログラムを書いてください。　　　　　➡239ページ

問題❼ 前問のプログラムを改造し、末尾から順に各要素の値を出力する処理を追加してください。　　　　　　　　　　　　　　　　　　　➡240ページ

問題❽ 前問のプログラムを改造し、各要素の値を1〜6の順に出力してください。　　　　　　　　　　　　　　　　　　　　　　　　　　➡241ページ

□ 配列の参照

問題 9 Clone.Java（244ページ）が出力する要素の値を、color1とcolor2のそれぞれについて予想してください。　➡244ページ

問題 10 Clone2.Java（245ページ）が出力する要素の値を、color1とcolor2のそれぞれについて予想してください。　➡245ページ

問題 11 Clone3.Java（248ページ）が出力する要素の値を、color1とcolor2のそれぞれについて予想してください。　➡247ページ

□ コマンドライン引数

問題 12 拡張for文を使って、全てのコマンドライン引数を出力するプログラムを書いてください。　➡250ページ

問題 13 全てのコマンドライン引数を整数に変換してから、合計して出力するプログラムを書いてください。　➡253ページ

問題 14 前問のプログラムを改造し、コマンドライン引数の個数が0のときは、「usage: java Args3 <integer> ...」と出力する処理を追加してください。
➡255ページ

□ 多次元配列

問題 15 2次元配列matrixを宣言し、1行目は「11」「12」「13」、2行目は「21」「22」「23」として生成した後に、各要素の値を出力するプログラムを書いてください。
➡258ページ

問題 16 2次元配列matrixを宣言し、1次元目の要素数は「2」、2次元目の要素数は「3」として生成した後に、各要素の値を出力するプログラムを書いてください。
➡259ページ

問題⑰ 前問のプログラムを改造し、1行目の要素に「11」「12」「13」、2行目の要素に「21」「22」「23」を代入した後に、各要素の値を出力するプログラムを書いてください。　　　　　　　　　　　　　　　　　　　　　➡261ページ

問題⑱ 2次元配列menuを宣言し、1行目を「bread」「crepe」「donut」、2行目を「cocoa」「coffee」「milk」「tea」、3行目を「apple」「orange」として生成した後に、各要素の値を出力するプログラムを書いてください。　　➡263ページ

問題⑲ 2次元配列tableを宣言し、1次元目・2次元目とも要素数は「9」で生成して、各要素に九九の値を代入した後に、各要素を出力するプログラムを書いてください。　　　　　　　　　　　　　　　　　　　　　　　　➡264ページ

問題⑳ 前問のプログラムを改造して、行ごとに要素数が異なるジャグ配列を生成し、各要素に九九の値を代入した後に、各要素を表示するプログラムを書いてください。1行目の要素数は1個、2行目の要素数は2個…のように、行番号と要素数を一致させることで、左下だけの九九の表を作成します。　　　　　　　　　　　　　　　　　　　　　　　　➡266ページ

Javaで始める
オブジェクト指向プログラミング

Chapter1で学んだように、オブジェクト指向プログラミングでは、プログラムが
扱うデータと、そのデータに関連する処理をまとめて、「オブジェクト」という部品
にします。そして、部品化されたオブジェクト同士を連携させることで、プログラ
ムの全体を構成します。データと処理を組み合わせて部品化することで、プログラ
ムの動作を把握しやすくすることが、オブジェクト指向プログラミングの狙いです。
Javaはオブジェクト指向プログラミングの学習に適した言語の1つです。Javaでは
クラスを宣言することで、プログラマが独自のオブジェクトを作成できます。今
までは、mainメソッドだけを持つクラスを宣言してきましたが、本章ではフィー
ルド・メソッド・コンストラクタといった、いろいろな機能を持つクラスを宣言
する方法を学びます。本章の内容を学ぶと、独自のオブジェクトを作成し、プロ
グラムに必要なデータや処理を整理して、より複雑で大規模なプログラムが書け
るようになります。

本章の学習内容

❶ クラス・フィールド・コンストラクタ・メソッドの宣言
❷ オーバーロード
❸ アクセス制御
❹ クラス変数とクラスメソッド
❺ static初期化子とインスタンス初期化子

01 独自のクラスを宣言する

　独自のクラスを宣言する方法を学びましょう。Chapter1で学んだように、クラスはオブジェクトの設計図に相当し、オブジェクト（インスタンス）はクラスに基づいて作った製品に相当します。まずはクラスとフィールドを宣言する方法を学びましょう。続いて、インスタンスを初期化するコンストラクタを宣言する方法を学びます。

本章のプログラムについて

　最初に、本章のプログラムの使い方を説明します。本章では、シンプルなクラスを書くことから始めて、学んだ知識を活用しながら、次第に高機能なクラスに改良していきます。細かくステップを分けながら、クラスの改良を進めることにより、学んだ知識がどう役立つのかを、わかりやすくすることが狙いです。

　本章のプログラムは、サンプルファイルのchapter8フォルダに収録しました。chapter8フォルダ内に、さらにstep01〜step11というサブフォルダ（下層のフォルダ）を作成し、各ステップのプログラムを収録しています。

　サブフォルダにプログラムを収録しているため、コンパイル・実行の方法が今までとは少し違います。chapter8フォルダをカレントディレクトリ（作業中のフォルダ、Chapter2）にした状態で、それぞれ次のように操作してください。

┃本章のプログラムをコンパイル

```
javac サブフォルダ名/*.java
```

┃本章のプログラムを実行

```
java -cp サブフォルダ名 クラス名
```

　上記のコンパイルについては、「サブフォルダ内の全ての.javaファイルをコンパイルする」という意味です。フォルダ名とファイル名の区切りは、Windows/macOS/Linuxで操作を共通にするために、/（スラッシュ）にしました。

　実行については、「指定したサブフォルダを、クラスファイルを検索する起点に

したうえで、指定したクラスを実行する」という意味です。「−cp」はclasspath（ク
ラスパス）の略で、クラスを検索する場所を指定するオプションです。

　一方で、サブフォルダをカレントディレクトリにすれば、次のようにコンパイル・
実行が可能です。サブフォルダに移動したり、元のフォルダに戻ったりする手間は
増えますが、コンパイル・実行のコマンドは簡単になります。

▌本章のプログラムをコンパイル（サブフォルダに移動後）

```
javac *.java
```

▌本章のプログラムを実行（サブフォルダに移動後）

```
java クラス名
```

　以後は前者の方法（chapter8フォルダをカレントディレクトリにする方法）を使っ
て、プログラムをコンパイル・実行します。後者の方法（サブフォルダをカレント
ディレクトリにする方法）の方が操作しやすければ、こちらを使っても大丈夫です。

　本章のプログラムについて、コンパイル・実行の方法を説明しました。次は、ク
ラスとフィールドを宣言する方法を学びましょう。

🔥 フィールドを使ってオブジェクトに値を保存する

　フィールドはオブジェクトに属するデータです（Chapter1）。Javaでは、フィー
ルドを変数の一種に位置づけています。メソッド内で宣言するローカル変数
（Chapter4）と同様に、フィールドには値を保存できます。ローカル変数はメソッ
ドの実行が終わると消えてしまいますが、フィールドはインスタンスを使っている
限り残り、値を保持してくれます。

　フィールドはクラスの中で宣言します。Chapter2で学んだように、クラスは次
のように宣言するのでした。今までに作成したプログラムでも、毎回クラスを宣言
してきました。

▌クラスの宣言（再掲）

```
public class クラス名 {
    宣言
    …
}
```

　class（クラス）の前にある public（パブリック）は、アクセス修飾子の一種です。
アクセス修飾子は、クラス・フィールド・メソッド・コンストラクタなどが、プロ
グラムのどの範囲で利用できるのかを決めます。クラスに対するアクセス修飾子に
ついては Chapter12 で、フィールド・メソッド・コンストラクタに対するアクセス
修飾子については本章で学びます。

　さて、フィールドは次のように宣言します。1つのクラスの中で、複数のフィー
ルドを宣言できます。

▌フィールドの宣言

```
public class クラス名 {
    型 フィールド名;
    …
}
```

　フィールドはクラスの中で宣言しますが、記法はローカル変数の宣言と同様です。
フィールド名は変数名の一種なので、識別子（Chapter4）の規則に従って命名して
ください。

　ローカル変数と同様に、,（カンマ）で区切れば、複数のフィールドをまとめて宣言
できます。同じ型のフィールドを複数使うときに便利な書き方です。

　フィールドを宣言するのと同時に初期化するには、次のように書きます。式を計
算した結果の値がフィールドに格納されます。以下の記法もローカル変数の初期化
と同様です。

▌フィールドの宣言と初期化

```
public class クラス名 {
    型 フィールド名 = 式;
    …
}
```

　final変数（Chapter4）と同様に、final（ファイナル）修飾子を付けてフィールドを
宣言すると、値が変わらない final フィールドになります。final フィールドは、宣言
と同時に初期化しておくか、後述するコンストラクタで初期化する必要があります。

▌final フィールドの宣言と初期化

```
public class クラス名 {
    final 型 フィールド名 = 式;
    …
}
```

　クラスとフィールドを宣言してみましょう。オブジェクトを使うと、いろいろな物や概念を表現できますが、最初は抽象的な概念よりも、具体的な物を表現した方がわかりやすいかと思います。そこで本章では、Dog（ドッグ、犬）クラスを宣言することにします。Dogクラスには、name（名前）やage（年齢）のようなフィールドと、profile（プロフィール）やeat（食べる）のようなメソッドを宣言します。

▼Dogクラス

　Dogクラスを宣言しましょう。クラスは「クラス名.java」というファイルで宣言するのが基本なので（Chapter2）、DogクラスはDog.javaファイルで宣言します。

問題❶ **Dogクラスを宣言し、String型のnameフィールドと、int型のageフィールドを宣言**してください。

▼step01\Dog.java

```
1  public class Dog {
2      String name;
3      int age;
4  }
```

　上記のプログラム（step01\Dog.java）は、サンプルファイルのchapter8フォルダ内の、step01フォルダに収録しました。以後のプログラムについても、収録先のフォルダを同様の方法（step…\）で示します。

　上記のDogクラスにはmainメソッドの宣言がないので、単体では実行できません。そこで、次はmainメソッドを持つ別のクラスを宣言して、このクラスからDogクラスを利用してみます。Dogの居場所となるクラスということで、本章ではKennel（ケンネル、犬小屋）クラスを宣言することにします。

　Kennelクラスでは、複数のDogインスタンスを生成します。オブジェクト指向プログラミングでは、設計図に相当する1つのクラスに基づいて、製品に相当する複

数のインスタンスを生成できるのでした（Chapter1）。本章では、名前や年齢が異なる、複数のDogインスタンスを生成します。

▼Dogインスタンス

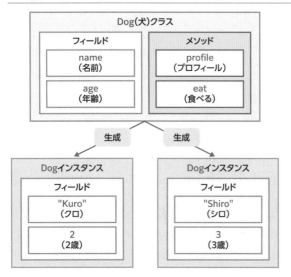

　インスタンスを生成するには、次のようにnew（ニュー）演算子を使います。new演算子は配列の生成にも使いました（Chapter7）。

▎インスタンスの生成

```
new クラス名()
```

　生成したインスタンスは、クラス型の変数に格納して使うのが一般的です。クラス型は参照型（Chapter4）の一種です。配列型（Chapter7）の変数と同様に、クラス型の変数は、インスタンスを参照し（指し示し）ます。
　クラス型の変数を宣言し、生成したインスタンスで初期化するには、次のように書きます。

▎クラス型の変数の宣言と初期化

```
クラス名 変数名 = new クラス名();
```

　次のように、クラス型の変数の宣言と、生成したインスタンスの代入を別々に書くこともできます。ある変数にインスタンスを代入して処理した後に、同じ変数に別

のインスタンスを代入して処理する、という使い方も可能です。

┃クラス型の変数の宣言と代入

```
クラス名 変数名;
…
変数名 = new クラス名();
```

　インスタンスを生成したら、次のように.(ドット)演算子を使って、そのインスタンスのフィールドを読み書きできます。変数にインスタンスを代入した場合は、以下のインスタンスの部分に変数名を書きます。

┃フィールドの読み書き

```
インスタンス.フィールド名
```

　Kennelクラスを宣言し、Dogインスタンスを生成して使ってみましょう。KennelクラスはKennel.javaファイルで宣言します。**問題❷ Kennelクラスとmainメソッドを宣言し、2個のDogインスタンスを生成して、それぞれ変数blackと変数whiteに格納します。そしてnameフィールドとageフィールドに、blackは"Kuro"と2を、whiteは"Shiro"と3を設定したうえで、「名前(年齢)」の形式で出力して**ください。

▼ step01\Kennel.java

```
 1  public class Kennel {
 2      public static void main(String[] args) {
 3
 4          // Dogインスタンスを生成し、変数blackを初期化
 5          Dog black=new Dog();
 6
 7          // フィールドに値を設定
 8          black.name="Kuro";
 9          black.age=2;
10
11          // フィールドの値を出力
12          System.out.println(black.name+"("+black.age+")");
13
14          // Dogインスタンスを生成し、変数whiteを初期化
15          Dog white=new Dog();
16
17          // フィールドに値を設定
```

```
18          white.name="Shiro";
19          white.age=3;
20
21          // フィールドの値を出力
22          System.out.println(white.name+"("+white.age+")");
23     }
24 }
```

プログラムを次のようにコンパイルし、実行してみてください。2頭の犬の情報が出力されれば成功です。

```
> javac step01/*.java
> java -cp step01 Kennel
Kuro(2)    ← クロ（2歳）
Shiro(3)   ← シロ（3歳）
```

クラスとフィールドを宣言し、インスタンスを生成して、フィールドを読み書きする方法を学びました。次は、フィールドに値を設定しないと、どんな値になるのかを学びましょう。

フィールドには型ごとの初期値が設定されている

フィールドには、型ごとに決められた初期値が設定されています。前問のKennelクラスでは、Dogインスタンスの各フィールドに値を設定しましたが、もし明示的に値を設定しないと、型ごとの初期値が見えます。

型ごとの初期値については、配列の要素の場合（Chapter7）と同様です。例えば、以下のDogクラスについては、String型のnameフィールドの初期値はnull（ヌル）、int型のageフィールドの初期値は0です。nullは、参照型の変数がどのインスタンスも指し示していないことを表す、特別な値です。

▼step02\Dog.java

```
1 public class Dog {
2     String name;
3     int age;
4 }
```

あえて一部のフィールドに値を設定しないで、どんな値が見えるのかを確認して
みましょう。**問題❸** Kennelクラスから、blackのnameフィールドを設定する処理
と、whiteのageフィールドを設定する処理を削除してください。

▼ step02\Kennel.java

```
1  public class Kennel {
2      public static void main(String[] args) {
3
4          // Dogインスタンスを生成し、ageフィールドのみを設定して出力
5          Dog black=new Dog();
6          black.age=2;
7          System.out.println(black.name+"("+black.age+")");
8
9          // Dogインスタンスを生成し、nameフィールドのみを設定して出力
10         Dog white=new Dog();
11         white.name="Shiro";
12         System.out.println(white.name+"("+white.age+")");
13     }
14 }
```

次のようにコンパイルして、実行してみてください。blackのnameフィールドに
ついてはnullが、whiteのageフィールドについては0が出力されます。

```
> javac step02/*.java
> java -cp step02 Kennel
null(2)    ← null（2歳）
Shiro(0)   ← シロ（0歳）
```

フィールドに値を設定しないと、上記のようにフィールドの型に応じた初期値が
見えます。これでもプログラムは動作しますが、もしうっかりフィールドに値を設
定するのを忘れると、思わぬ場面で不完全なデータが出力されてしまったり、不具
合の原因になったりするかもしれません。

必要なフィールドに対して値を確実に設定するには、次に学ぶコンストラクタを
使うのが有効です。

コンストラクタでインスタンスを初期化する

コンストラクタはインスタンスを初期化する処理です。コンストラクタを宣言しておくと、インスタンスの生成時に自動的に実行されます。そのため、例えばコンストラクタにフィールドを設定する処理を書いておけば、フィールドを確実に設定できます。

コンストラクタはクラスの中で、次のように宣言します。コンストラクタは、入力として引数（Chapter3）を受け取り、ブロック内に書かれた処理を実行します。

┃コンストラクタの宣言

```
public class クラス名 {
    クラス名(型 引数名, …) {
        宣言や文
        …
    }
    …
}
```

コンストラクタは任意の個数の引数を受け取れます。受け取りたい引数の内容に合わせて、コンストラクタの先頭で「型 引数名」の形式で引数を宣言します。引数が無い場合は()だけを書きます。

このようにコンストラクタやメソッドの先頭で宣言する引数のことを、仮引数（かりひきすう）と呼びます。仮引数に使用できる型や、引数名の命名方法は、ローカル変数（Chapter4）やフィールドと同様です。

さて、フィールドに値を設定するには、フィールドを読み書きする必要があります。コンストラクタ内でフィールドを読み書きする場合は、フィールド名だけを指定すれば済みます。より一般的には、クラス内でそのクラスのフィールドを読み書きする際には、フィールド名だけで済みます。

┃クラス内におけるフィールドの読み書き

フィールド名

コンストラクタでは、受け取った引数の値をフィールドに設定することがよくあります。このとき、もし引数名とフィールド名が重複していると、「フィールド名=引数名」のような代入を書いても、フィールドと引数を区別できません。この場

合は、次のようにthis（ディス）というキーワードを使えば、フィールドであること
を明示できます。

▎クラス内におけるフィールドの読み書き（thisを使用）

```
this.フィールド名
```

コンストラクタを宣言して、受け取った引数の値をフィールドに設定してみま
しょう。 問題❹ Dogクラスを改造して、引数nameと引数ageを受け取るコンストラ
クタを宣言し、各引数の値をnameフィールドとageフィールドに設定してください。

▼ step03\Dog.java

```
1  public class Dog {
2
3      // フィールドの宣言
4      String name;
5      int age;
6
7      // コンストラクタの宣言
8      Dog(String name, int age) {
9          this.name=name;
10         this.age=age;
11     }
12 }
```

　nameフィールドに引数nameを代入する処理は、名前が重複しているので、this
を使わないと「name=name」になってしまいます。Javaでは、より内側にあるブロッ
クで宣言された名前が優先されるので、この式は「引数name=引数name」という意
味になってしまい、nameフィールドに値を設定するという目的が果たせません。

　上記のプログラムのように「this.name=name」とすれば、「nameフィールド=引
数name」という意味になります。「this.age=age」も同様に、「ageフィールド=引数
age」という意味です。

　さて、次はDogクラスを利用するプログラムを書きましょう。コンストラクタを
使ってインスタンスを生成するには、次のように書きます。

▎コンストラクタを使ったインスタンスの生成

```
new クラス名(引数, …)
```

　上記で引数の部分には式を書けます。式を評価した結果の値が、引数としてコンストラクタに渡されます。このようにコンストラクタやメソッドを呼び出す際に渡す引数のことを、実引数と呼びます。

　一方、前問までのKennelクラスでは、次のようにインスタンスを生成していました。()内に引数を指定していません。

┃インスタンスの生成（再掲）

```
new クラス名()
```

　前問までのように、コンストラクタを宣言していない場合には、上記のように引数を指定せずにインスタンスを生成できます。このときに使われるコンストラクタのことを、デフォルトコンストラクタと呼びます。デフォルトコンストラクタは何も処理を行いません。

　今回のようにコンストラクタを宣言した場合には、コンストラクタで宣言した仮引数の型や個数に合わせて、実引数を指定する必要があります。引数を指定せずにインスタンスを生成することはできなくなるので、宣言したコンストラクタをうっかり使い忘れるという危険を避けられます。

　Dogクラスを利用する、Kennelクラスを宣言してみましょう。**問題⑤** **2個のDogインスタンスを生成して、変数blackと変数whiteに格納します。blackは"Kuro"と2、whiteは"Shiro"と3を引数に指定して、コンストラクタを呼び出してください。**

▼step03\Kennel.java

```
 1  public class Kennel {
 2      public static void main(String[] args) {
 3
 4          // コンストラクタを使ってDogインスタンスを生成し、
 5          // 変数blackを初期化して、フィールドの値を出力
 6          Dog black=new Dog("Kuro", 2);
 7          System.out.println(black.name+"("+black.age+")");
 8
 9          // コンストラクタを使ってDogインスタンスを生成し、
10          // 変数whiteを初期化して、フィールドの値を出力
11          Dog white=new Dog("Shiro", 3);
12          System.out.println(white.name+"("+white.age+")");
13      }
14  }
```

　コンストラクタを宣言したので、いずれのインスタンスについても、名前と年齢を確実に設定できるようになりました。実行結果は最初のプログラムと同じです。

```
> javac step03/*.java
> java -cp step03 Kennel
Kuro(2)    ← クロ（2歳）
Shiro(3)   ← シロ（3歳）
```

　ところで、インスタンスの生成はnew演算子で行えますが、インスタンスの削除はどのように行うのでしょうか。実はJavaでは、インスタンスは自動的に削除されます。使わなくなったインスタンス、具体的には「どの変数からも参照しなくなったインスタンス」は、ガベージコレクション（garbage collection、ごみ集め）という機能によって、自動的に削除されます。そして、削除されたインスタンスが使っていたメモリは、別の目的に再利用されます。

　クラス・フィールド・コンストラクタを宣言し、インスタンスを生成して利用する方法を学びました。次はメソッドを宣言する方法を学びましょう。

02 メソッドでオブジェクトを操作する

Chapter1で学んだように、メソッドはオブジェクトに属する処理です。今までは既存のメソッドを利用してきましたが、メソッドは自分で宣言することもできます。オブジェクトに対してよく行う操作をメソッドとして宣言しておくと、必要なときに簡単に呼び出して使えます。

よく行う操作をメソッドとして宣言する

メソッドには、インスタンスに対する操作を行うインスタンスメソッドと、クラスに対する操作を行うクラスメソッドがあります(Chapter3)。まずはインスタンスメソッドについて学び、クラスメソッドについては本章の後半で学びます。

メソッドはクラスの中で宣言します。同じクラスの中で複数のメソッドを宣言できます。

メソッドの宣言

```
public class クラス名 {
    戻り値型 メソッド名(型 引数名, …) {
        宣言や文
        …
        return 式;
    }
    …
}
```

Chapter3で学んだように、メソッドは入力として引数を受け取って、指定された文を実行し、出力として戻り値を返します。メソッドを実行することは、メソッドを「呼び出す」と表現します。

上記の宣言について、各項目の詳細は次の通りです。

●戻り値型

メソッドが返す戻り値の型を指定します。例えば、整数を返す場合はint、文字列を返す場合はStringと書きます。戻り値がない場合はvoid（ボイド）と書きます。

● メソッド名

　メソッド名は識別子（Chapter4）の一種です。識別子の規則に沿って命名します。

● 仮引数

　「型 引数名」の部分は、仮引数の宣言です。コンストラクタと同様に、メソッド
が受け取りたい引数の内容に合わせて宣言します。引数が無い場合は()だけを書き
ます。

● return文

　「return 式;」の部分はreturn（リターン）文です。return文は指定した式の値を、
戻り値として呼び出し元に返します。戻り値がないメソッド、つまり戻り値型が
voidのメソッドでは、return文は省略できます。

　メソッドを宣言してみましょう。前問までのプログラムは、「名前(年齢)」という
形式で犬の情報を表示していました。この形式の文字列を返すメソッドを宣言して
みます。**問題6** **Dogクラスを改造して、「nameフィールド(ageフィールド)」という**
形式の文字列を返す、profileメソッドを宣言してください。

▼ step04\Dog.java

```
 1  public class Dog {
 2
 3      // フィールドの宣言
 4      String name;
 5      int age;
 6
 7      // コンストラクタの宣言
 8      Dog(String name, int age) {
 9          this.name=name;
10          this.age=age;
11      }
12
13      // メソッドの宣言
14      String profile() {
15          return name+"("+age+")";
16      }
17  }
```

　上記のprofileメソッドは、nameフィールドとageフィールドを連結して、「名前(年齢)」という形式の文字列を作成し、return文で戻り値として返します。戻り値が文字列なので、戻り値型はStringにしました。なお、メソッド内でフィールドを読み書きする際には、コンストラクタ内の場合と同様に、フィールド名だけを指定すれば済みます。

　次は、profileメソッドを呼び出すプログラムを書きましょう。profileメソッドはインスタンスメソッドです。インスタンスメソッドは次のように呼び出すのでした(Chapter3)。

▌インスタンスメソッドの呼び出し(再掲)

インスタンス.メソッド名(引数, …)

　上記で引数の部分には式を書けます。コンストラクタと同様に、メソッドを呼び出す際に渡す引数のことも実引数と呼びます。

　profileメソッドを呼び出してみましょう。 **問題7** **Kennelクラスにおいて、「名前(年齢)」を出力する処理を、profileメソッドの呼び出しを利用するように改造**してください。

▼step04\Kennel.java

```
 1 public class Kennel {
 2     public static void main(String[] args) {
 3
 4         // Dogインスタンスを生成して変数blackを初期化し、
 5         // profileメソッドを呼び出して情報を出力
 6         Dog black=new Dog("Kuro", 2);
 7         System.out.println(black.profile());
 8
 9         // Dogインスタンスを生成して変数whiteを初期化し、
10         // profileメソッドを呼び出して情報を出力
11         Dog white=new Dog("Shiro", 3);
12         System.out.println(white.profile());
13     }
14 }
```

　上記のプログラムでは、profileメソッドの戻り値である文字列を、System.out.printlnメソッドに渡して出力します。このように、メソッドの戻り値を他のメソッドの引数にする、という手法はよく使います。

```
> javac step04/*.java
> java -cp step04 Kennel
Kuro(2)    ← クロ(2歳)
Shiro(3)   ← シロ(3歳)
```

　メソッドを宣言して呼び出す方法を学びました。次は同じクラス内のメソッドを呼び出してみましょう。

同じクラス内のメソッドを呼び出す

　メソッドは、クラス外から呼び出せるだけではありません。あるクラス内のメソッドから、同じクラス内のメソッドを呼び出すこともできます。クラス内からメソッドを呼び出すには、次のように書きます。

▌クラス内におけるメソッドの呼び出し

メソッド名(引数, …)

　クラス外から呼び出す場合とは異なり、メソッド名だけで呼び出せます。インスタンスを指定する必要はありません。

　前問のプログラムにメソッドを追加して、同じクラス内のメソッドを呼び出してみましょう。引数で指定した食物を食べるメソッドを追加します。**問題❽ Dogクラスを改造して、food（食物）を引数として受け取り、「名前(年齢) eats 食物.」と出力する、eatメソッドを追加**してください。「名前(年齢)」の文字列は、既存のprofileメソッドを使って作成します。

▼step05\Dog.java

```
 1  public class Dog {
 2
 3      // フィールド
 4      String name;
 5      int age;
 6
 7      // コンストラクタ
 8      Dog(String name, int age) {
 9          this.name=name;
10          this.age=age;
```

```
11      }
12
13      // 「名前(年齢)」の文字列を返すメソッド
14      String profile() {
15          return name+"("+age+")";
16      }
17
18      // 「名前(年齢)が○○を食べている」と出力するメソッド
19      void eat(String food) {
20          System.out.println(profile()+" eats "+food+".");
21      }
22  }
```

　上記のプログラムでは、eatメソッドからprofileメソッドを呼び出します。そして、戻り値の「名前(年齢)」を、「eats 食物.」という文字列と連結して出力します。

　次は、eatメソッドを呼び出すプログラムを書きましょう。**問題 9** **Kennelクラスを改造し、blackに対する引数は"fish"、whiteに対する引数は"meat"として、eatメソッドを呼び出し**てください。

▼ step05\Kennel.java

```
1  public class Kennel {
2      public static void main(String[] args) {
3
4          // インスタンスを生成し、引数"fish"でeatメソッドを呼び出す
5          Dog black=new Dog("Kuro", 2);
6          black.eat("fish");
7
8          // インスタンスを生成し、引数"meat"でeatメソッドを呼び出す
9          Dog white=new Dog("Shiro", 3);
10          white.eat("meat");
11      }
12  }
```

```
> javac step05/*.java
> java -cp step05/Kennel
Kuro(2) eats fish.    ← クロ(2歳)は魚を食べる
Shiro(3) eats meat.   ← シロ(3歳)は肉を食べる
```

　メソッドの中から、同じクラス内のメソッドを呼び出す方法を学びました。次は同じ名前のメソッドを宣言する、オーバーロードについて学びましょう。

同じ名前のメソッドを宣言するオーバーロード

　同じメソッド名で、仮引数の構成（型や個数）が異なるメソッドを宣言することを、オーバーロードと呼びます。オーバーロードされたメソッドを呼び出すと、実引数の構成に応じて、仮引数の構成が一致するメソッドが自動的に呼び出されます。

　オーバーロードを使うと、渡す引数によって動作が変わるメソッドが書けます。まったく別のメソッドを宣言することに比べると、メソッド名を考えたり覚えたりする負担が減ることが利点です。

　メソッドをオーバーロードしてみましょう。**問題❿ Dogクラスに対して、「名前(年齢) drinks water.」と出力する、引数無しのeatメソッドを追加**してください。

▼ step06\Dog.java

```java
 1  public class Dog {
 2
 3      // フィールド
 4      String name;
 5      int age;
 6
 7      // コンストラクタ
 8      Dog(String name, int age) {
 9          this.name=name;
10          this.age=age;
11      }
12
13      // 「名前(年齢)」の文字列を返すメソッド
14      String profile() {
15          return name+"("+age+")";
16      }
17
18      // 「名前(年齢)が○○を食べている」と出力するメソッド
19      void eat(String food) {
20          System.out.println(profile()+" eats "+food+".");
21      }
22
23      // 「名前(年齢)が水を飲んでいる」と出力するメソッド
```

```
24      void eat() {
25          System.out.println(profile()+" drinks water.");
26      }
27  }
```

　上記のプログラムには、引数の構成が異なる2種類のeatメソッドがあります。つまり、eatメソッドはオーバーロードされています。

　2種類のeatメソッドを呼び出してみましょう。 問題⑪ Kennelクラスを改造し、blackに対する引数は"fruit"、whiteに対する引数は無しで、eatメソッドを呼び出してください。

▼ step06\Kennel.java

```
1  public class Kennel {
2      public static void main(String[] args) {
3
4          // インスタンスを生成し、引数"fruit"でeatメソッドを呼び出す
5          Dog black=new Dog("Kuro", 2);
6          black.eat("fruit");
7
8          // インスタンスを生成し、引数無しでeatメソッドを呼び出す
9          Dog white=new Dog("Shiro", 3);
10         white.eat();
11     }
12  }
```

　blackに対しては、String型の引数1個を受け取るeatメソッドが呼び出されます。whiteに対しては、引数無しのeatメソッドが呼び出されます。

```
> javac step06/*.java
> java -cp step06 Kennel
Kuro(2) eats fruit.      ← クロ(2歳)はフルーツを食べる
Shiro(3) drinks water.   ← シロ(3歳)は水を飲む
```

　メソッドをオーバーロードする方法と、オーバーロードされたメソッドを呼び分ける方法を学びました。なお本章で後述するように、メソッドと同様の方法で、コンストラクタもオーバーロードできます。

　次はアクセス修飾子について学びましょう。

column

NullPointerExceptionに注意しよう

NullPointerException（ヌル・ポインタ・エクセプション）は、null（ヌル）に対して
フィールドを読み書きしたり、nullに対してメソッドを呼び出したりしたときに発生
する例外です。本章でも学んだnullは、参照型の変数がどのインスタンスも指し示し
ていないことを表す特別な値です。

Javaプログラミングにおいて、NullPointerExceptionは見かける機会が多い例外で
す。前出のstep06\Kennel.javaを使って、NullPointerExceptionを発生させてみましょ
う。「Dog black=new Dog("Kuro", 2);」の箇所を、「Dog black=null;」に書き換えたう
えで、コンパイル・実行してみてください。

```
> javac step06/*.java
> java -cp step06 Kennel
Exception in thread "main" java.lang.NullPointerException:
 (mainスレッドで例外java.lang.NullPointerExceptionが発生：)
Cannot invoke "Dog.eat(String)" because "<local1>" is null
 (ローカル変数1がnullなので、Dogクラスのeatメソッドが呼び出せない)
        at Kennel.main(Kennel.java:6)
 (Kennelクラスのmainメソッド、Kennel.javaの6行目にて)
```

NullPointerExceptionが発生したら、フィールドの読み書きやメソッドの呼び出し
に使っている変数の値が、nullではないかどうかを調べてみてください。そして、変
数に適切なインスタンスを格納するように、プログラムを修正します。

03 アクセス制御で
オブジェクトを堅牢にする

アクセス制御とは、対象を操作できる範囲を指定する機能です。必要な範囲だけに操作を許可することによって、不用意な操作を防止する効果があります。また、クラスなどの内部を外部から隠すことによって、内部のプログラムを変更しても、外部のプログラムに影響が及ばないようにする効果もあります。

このように外部に公開する情報を絞ることで、内部と外部を分離する考え方を、情報隠蔽（じょうほういんぺい）と呼びます。情報隠蔽も含めてカプセル化（Chapter1）と呼ぶ流儀もあります。アクセス制御は情報隠蔽を実現する手法の1つです。

アクセス制御には、アクセス修飾子（しゅうしょくし）を使います。今までに作成したプログラムで、クラスやメソッドにpublic（パブリック）と書いてきましたが、このpublicもアクセス修飾子の1つです。

使用できるアクセス修飾子の種類や効果は、対象によって異なります。ここではフィールド・メソッド・コンストラクタに対する、アクセス修飾子の働きを学びましょう。

アクセス制御に使うアクセス修飾子

フィールド・メソッド・コンストラクタに対しては、次のアクセス修飾子が使えます。private（プライベート）、省略、protected（プロテクテッド）、public（パブリック）の4種類があります。

▼フィールド・メソッド・コンストラクタに適用できるアクセス修飾子

アクセス修飾子	アクセスできる範囲
private	同じクラスから
省略	同じパッケージのクラスから
protected	同じパッケージのクラスと他のパッケージのサブクラスから
public	全てのクラスから

　アクセスの制限が最も厳しい（範囲が狭い）のはprivateで、最も緩い（範囲が広い）のはpublicです。パッケージについてはChapter12で、サブクラスについてはChapter9で学びます。

　今までに定義してきたDogクラスでは、アクセス修飾子を省略してきました。特に支障が無ければ省略のままでも大丈夫です。一方で、次のようなアクセス制御が行われる例をよく見かけます。

・フィールドはprivateにする
・メソッドとコンストラクタはpublicにする

　つまり、クラス外からはフィールドにアクセスできないようにして、メソッドやコンストラクタだけにアクセスできるようにします。このようなアクセス制御を行うと、不用意にフィールドを変更される心配が無くなる、という理由です。一方で、フィールドにアクセスできなくて不便だったり、プログラムが冗長になってしまうこともあります。

　アクセス制御については、画一的な方針を適用するのではなく、プログラムの性質を見極めて、適切な方針を選ぶ必要があります。もし業務のプログラミングでアクセス制御の方針が決められている場合は、その方針に従ってください。

　アクセス制御の使い方を学ぶために、実際に使ってみましょう。**問題⓬ Dogクラスを改造して、フィールドにはprivate、コンストラクタとメソッドにはpublicのアクセス修飾子を適用**してください。

▼ step07＼Dog.java

```
 1  public class Dog {
 2
 3      // フィールド（private）
 4      private String name;
 5      private int age;
 6
 7      // コンストラクタ（public）
 8      public Dog(String name, int age) {
 9          this.name=name;
10          this.age=age;
11      }
12
13      // メソッド（public）
```

```
14      public String profile() {
15          return name+"("+age+")";
16      }
17      public void eat(String food) {
18          System.out.println(profile()+" eats "+food+".");
19      }
20      public void eat() {
21          System.out.println(profile()+" drinks water.");
22      }
23  }
```

　上記のように、フィールドをprivate、コンストラクタとメソッドをpublicにしました。フィールドはクラス外からアクセスできなくなりますが、コンストラクタとメソッドはクラス外からアクセスできます。

　上記のDogクラスを使ってみましょう。**問題⑬** **Kennelクラスを改造し、blackに対する引数は無し、whiteに対する引数は"cheese"で、eatメソッドを呼び出してください。**

▼step07\Kennel.java

```
 1  public class Kennel {
 2      public static void main(String[] args) {
 3
 4          // インスタンスを生成し、引数無しでeatメソッドを呼び出す
 5          Dog black=new Dog("Kuro", 2);
 6          black.eat();
 7
 8          // インスタンスを生成し、引数"cheese"でeatメソッドを呼び出す
 9          Dog white=new Dog("Shiro", 3);
10          white.eat("cheese");
11      }
12  }
```

　上記のプログラムは、eatメソッドに渡す引数は変えましたが、内容は前間のプログラムと同様です。コンストラクタとメソッドはpublicなので、Dogクラスとは別のクラスであるKennelクラスからでも、呼び出しに成功します。

```
> javac step07/*.java
> java -cp step07 Kennel
Kuro(2) drinks water.  ← クロ(2歳)は水を飲む
Shiro(3) eats cheese.  ← シロ(3歳)はチーズを食べる
```

　フィールド・メソッド・コンストラクタに対するアクセス制御の方法を学びました。次はアクセス制御と一緒に使われることがある、ゲッタとセッタについて学びます。

フィールドを読み書きするためのゲッタとセッタ

　ゲッタ（getter）とセッタ（setter）は、フィールドを読み書きするためのメソッドです。例えば、フィールドをprivateにすると、クラス外からアクセスできなくなります。このようなフィールドをクラス外から読み書きするために、フィールドの値を取得するためのゲッタと、フィールドに値を設定するためのセッタを宣言します。ゲッタとセッタをpublicにしておけば、クラス外からでもフィールドを読み書きできる、という仕組みです。

　フィールドをprivateにすると、クラス外からアクセスできなくなることを、確認してみましょう。**問題⑭ Kennelクラスで、blackのインスタンスを生成した後に、「black.age++;」（blackのageフィールドに1を加算する）という処理を追加**してください。

▼step07\Kennel.java（誤り）

```
1  public class Kennel {
2      public static void main(String[] args) {
3
4          // インスタンスを生成し、引数無しでeatメソッドを呼び出す
5          Dog black=new Dog("Kuro", 2);
6          black.eat();
7
8          // blackのageフィールドに1を加算
9          black.age++;
10
11         // インスタンスを生成し、引数"cheese"でeatメソッドを呼び出す
12         Dog white=new Dog("Shiro", 3);
13         white.eat("cheese");
```

```
14        }
15 }
```

　上記のプログラムをコンパイルすると、次のようなエラーが発生します。

```
> javac step07/*.java
Kennel.java:9: エラー : ageはDogでprivateアクセスされます
                black.age++;
                      ^
エラー 1個
```

　上記のエラーは、Dogクラスにおいてprivateに指定されているageフィールドを、Dogクラス以外のKennelクラスから読み書きしようとしたことが原因です。++演算子（インクリメント演算子）は、フィールドの値を読み出し、1を加算した値をフィールドに書き込むので、フィールドを読み書きしていることになります。同様に、例えば出力のためにフィールドを読み出した場合や、代入を使ってフィールドに書き込んだ場合もエラーが発生します。

　このようにクラス外からアクセスできないフィールドを、クラス外から読み書きしたい場合は、ゲッタやセッタを宣言する方法があります。ゲッタとセッタは、最も単純には次のように宣言します。

▌ゲッタ（getter）の宣言

```
戻り値型 getフィールド名() {
    return フィールド名;
}
```

▌セッタ（setter）の宣言

```
void setフィールド名(型 引数名) {
    this.フィールド名 = 引数名;
}
```

　一般にゲッタやセッタのメソッド名は、get（ゲット）やset（セット）にフィールド名を連結した名前にします。フィールド名の先頭は大文字にします。例えばnameフィールドのゲッタならばgetName、ageフィールドのセッタならばsetAgeです。

　上記で示したセッタの宣言では、フィールド名と引数名が同じ場合を想定して、

両者を区別するために「this.フィールド名」と書きました。フィールド名と引数名が異なる場合は、「this.」を省略できます。

実際にゲッタとセッタを宣言してみましょう。 問題⑮ Dogクラスを改造して、nameフィールドとageフィールドのために、それぞれpublicなゲッタとセッタを追加してください。ageフィールドのセッタについては、if文を使って、引数が0以上の場合だけフィールドに値を設定することにします。

▼ step08\Dog.java

```java
1  public class Dog {
2
3      // フィールド (private)
4      private String name;
5      private int age;
6
7      // コンストラクタ (public)
8      public Dog(String name, int age) {
9          this.name=name;
10         this.age=age;
11     }
12
13     // メソッド (public)
14     public String profile() {
15         return name+"("+age+")";
16     }
17     public void eat(String food) {
18         System.out.println(profile()+" eats "+food+".");
19     }
20     public void eat() {
21         System.out.println(profile()+" drinks water.");
22     }
23
24     // nameフィールドのためのゲッタ (public)
25     public String getName() {
26         return name;
27     }
28
29     // ageフィールドのためのゲッタ (public)
30     public int getAge() {
31         return age;
```

```
32      }
33
34      // nameフィールドのためのセッタ (public)
35      public void setName(String name) {
36          this.name=name;
37      }
38
39      // ageフィールドのためのセッタ (public)
40      public void setAge(int age) {
41          if (age>=0) {
42              this.age=age;
43          }
44      }
45  }
```

　上記のsetAgeメソッドに注目してください。単純に引数をフィールドに設定するのではなく、引数が適切な値(ここでは0以上)かどうかを確認し、適切な場合だけフィールドに引数を代入します。このようにフィールドを読み書きする際に、値の確認や加工を行う処理を追加できることも、ゲッタやセッタの特長です。ゲッタやセッタを使う際には、この特長を上手に活用して、フィールドを適切な値に保てるように、そして簡潔で安全なプログラムが書けるように工夫してみてください。

　宣言したゲッタとセッタを使ってみましょう。Dogインスタンスを作成してから、ゲッタとセッタを使ってフィールドを変更します。問題⑯ **Kennelクラスを改造し、blackはageフィールドに1を加算し、whiteはnameフィールドを大文字に変換してから、profileメソッドを使って情報を出力** してください。大文字への変換には、StringクラスのtoUpperCaseメソッド(Chapter4)を使います。

▼step08\Kennel.java

```
1  public class Kennel {
2      public static void main(String[] args) {
3
4          // blackのインスタンスを生成し、
5          // ageフィールドに1を加算して、情報を出力
6          Dog black=new Dog("Kuro", 2);
7          black.setAge(black.getAge()+1);
8          System.out.println(black.profile());
9
```

```
10          // whiteのインスタンスを生成し、
11          // nameフィールドを大文字に変換して、情報を出力
12          Dog white=new Dog("Shiro", 3);
13          white.setName(white.getName().toUpperCase());
14          System.out.println(white.profile());
15      }
16  }
```

　上記のプログラムでは、blackとwhiteのいずれについても、ゲッタでフィールドの値を取得してから、値を変更し、セッタでフィールドに新しい値を設定します。フィールドを直接操作するのに比べて、ゲッタとセッタを使うとプログラムは長くなります。ゲッタやセッタを使うべきかどうかは、プログラムごとによく検討する必要があります。

```
> javac step08/*.java
> java -cp step08 Kennel
Kuro(3)     ← 年齢に1が加算されている
SHIRO(3)    ← 名前が大文字に変換されている
```

　フィールドを読み書きするためのゲッタとセッタについて学びました。次はクラスに属するフィールドやメソッドについて学びましょう。

クラスに属するフィールドと メソッドを宣言する

　今までに学んだフィールドとメソッドは、個々のインスタンスに属しています。インスタンスに属するフィールドはインスタンス変数、インスタンスに属するメソッドはインスタンスメソッドと呼ばれます。

　インスタンス変数には、インスタンスごとに異なる値を設定できます。例えばDogインスタンスの場合、インスタンスごとにnameフィールドやageフィールドの値が異なります。

　インスタンスメソッドは、メソッドを呼び出すときに指定したインスタンスを処理の対象にします。例えば、Dogクラスのprofileメソッドやeatメソッドは、これらのメソッドを呼び出すときに指定したインスタンスに対する処理を行います。

▼インスタンス変数とインスタンスメソッド

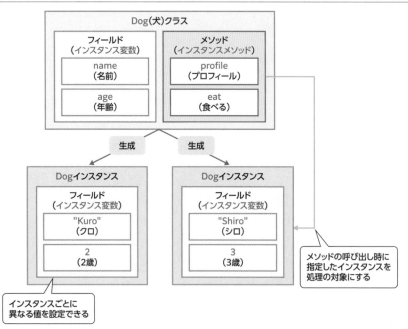

これから学ぶのは、クラスに属するフィールドとメソッドです。クラスに属するフィールドはクラス変数、クラスに属するメソッドはクラスメソッドと呼ばれます。クラス変数はクラス全体に関する値を保存するために使い、クラスメソッドはクラス全体に関する処理を実行するために使います。

クラス変数やクラスメソッドを宣言する

クラス変数やクラスメソッドは、クラスの中で次のように宣言します。インスタンス変数やインスタンスメソッドとの違いは、static（スタティック）修飾子を付けることです。クラス変数とクラスメソッドをまとめて、staticメンバとも呼びます。

| クラス変数の宣言

```
public class クラス名 {
    static 型 フィールド名;
    …
}
```

| クラスメソッドの宣言

```
public class クラス名 {
    static 戻り値型 メソッド名(型 引数名, …) {
        宣言や文
        …
        return 式;
    }
    …
}
```

クラス変数やクラスメソッドにも、アクセス修飾子を付けられます。アクセス修飾子は戻り値型より前に書く必要がありますが、staticの前でも後でも構いません。例えばpublicを付ける場合、「public static」と書いても「static public」と書いても大丈夫です。本書ではアクセス修飾子をstaticの前に書きます。

クラス変数については、インスタンス変数と同様に、値が変わらないfinalフィールドにもできます。アクセス修飾子やstaticと併せて、例えば「public static final」のように書きます。

クラス変数とクラスメソッドを使ってみましょう。Dogクラスに対して、今までに生成したインスタンスの個数を数えたり、個数を出力したりする機能を追加しま

す。 問題⑰ Dogクラスを改造して、クラス変数のcountと、クラスメソッドの
reportを宣言します。そして、コンストラクタにはcountに1を加算する処理を追加
し、reportメソッドには「個数 instances were created.」（○○個のインスタンスが
生成された）と出力する処理を記述してください。

　countフィールドはprivate、reportメソッドはpublicにします。以下のプログラ
ム例では、プログラムを簡単にするために、profile以外のメソッドは削除しました。

▼step09\Dog.java

```
 1  public class Dog {
 2
 3      // フィールド（インスタンス変数）
 4      private String name;
 5      private int age;
 6
 7      // フィールド（クラス変数）
 8      private static int count;
 9
10      // コンストラクタ
11      public Dog(String name, int age) {
12          this.name=name;
13          this.age=age;
14
15          // インスタンスの個数に1を加算
16          count++;
17      }
18
19      // インスタンスメソッド
20      public String profile() {
21          return name+"("+age+")";
22      }
23
24      // クラスメソッド
25      public static void report() {
26
27          // インスタンスの個数を出力
28          System.out.println(count+" instances were created.");
29      }
30  }
```

インスタンスの個数を数えるには、インスタンス変数ではなく、上記のようにクラス変数を使う必要があります。今までに生成したインスタンスの個数は、個々のインスタンスに関する情報ではなく、クラス全体に関する情報だからです。クラス変数は、このようなクラス全体に関する情報を保存したいときに役立ちます。

一方、クラスメソッドはクラス全体に関する処理を実行したいとき、例えばクラス変数を操作したいときに役立ちます。今回はクラス変数のcountを出力するために、クラスメソッドのreportを宣言しました。

▼ クラス変数とクラスメソッド

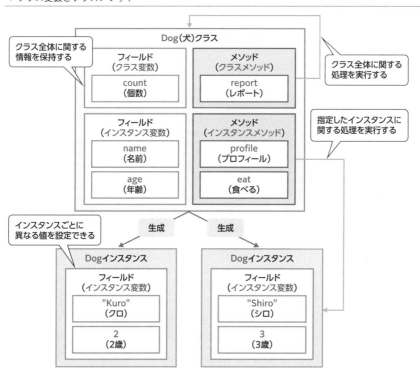

Dogクラスで宣言した、クラス変数とクラスメソッドを利用してみましょう。クラス外からクラス変数やクラスメソッドを使うには、次のように書きます。クラスメソッドを呼び出す方法は、Chapter3で学んだ通りです。

▌クラス変数の読み書き

クラス名.フィールド名

クラスメソッドの呼び出し（再掲）

> **クラス名.メソッド名(引数, …)**

　クラス内からクラス変数やクラスメソッドを利用する場合は、上記の「クラス名.」の部分を省略できます。つまり、クラス内からインスタンス変数やインスタンスメソッドを使う場合と同じ記法になります。

　上記で宣言したDogクラスでは、countメソッドはprivateなので、publicなreportメソッドを呼び出してみましょう。**問題⑱ Kennelクラスを改造し、blackとwhiteのインスタンスを生成した後に、reportメソッドを呼び出して**ください。

▼step09\Kennel.java

```
 1  public class Kennel {
 2      public static void main(String[] args) {
 3
 4          // blackのインスタンスを生成し、情報を出力
 5          Dog black=new Dog("Kuro", 2);
 6          System.out.println(black.profile());
 7
 8          // whiteのインスタンスを生成し、情報を出力
 9          Dog white=new Dog("Shiro", 3);
10          System.out.println(white.profile());
11
12          // 生成したインスタンスの個数を出力
13          Dog.report();
14      }
15  }
```

　上記のプログラムで、インスタンスメソッドとクラスメソッドの呼び出し方の違いを確認してください。profileはインスタンスメソッドなので、「インスタンス.メソッド名(…)」のように呼び出します。reportはクラスメソッドなので、「クラス名.メソッド名(…)」のように呼び出します。

```
> javac step09/*.java
> java -cp step09 Kennel
Kuro(2)                      ← 1個目のインスタンス
Shiro(3)                     ← 2個目のインスタンス
2 instances were created.    ← 今までに生成したインスタンスの個数
```

クラス全体に関する情報を管理するための、クラス変数とクラスメソッドについて学びました。ここで、今までに何度も宣言してきた、mainメソッドに注目してください。staticを付けて宣言しているmainメソッドは、実はクラスメソッドです。

mainメソッドの宣言（再掲）

```
public class クラス名 {
    public static void main(String[] args) {
        宣言や文
        …
    }
    …
}
```

次はクラスやインスタンスの初期化を行う、static初期化子やインスタンス初期化子について学びましょう。

クラスやインスタンスを初期化する初期化子

static初期化子（スタティックしょきかし）は、最初にクラスを利用したときに、自動的に実行される処理です。クラス全体の初期化処理を書きたいときに使います。

static初期化子

```
public class クラス名 {
    static {
        宣言や文
        …
    }
    …
}
```

インスタンス初期化子は、インスタンスを生成するたびに、自動的に実行される処理です。本章で後述するように、コンストラクタをオーバーロードした状況で、共通の初期化処理を書きたいときなどに使います。

▌インスタンス初期化子

```
public class クラス名 {
    {
        宣言や文
        …
    }
    …
}
```

　簡単なプログラムで、static初期化子とインスタンス初期化子の動作を確認してみましょう。問題⑲ Dogクラスを改造して、「Dog class:」（犬クラス）と出力するstatic初期化子と、「Dog instance:」（犬インスタンス）と出力するインスタンス初期子を宣言してください。

▼step10\Dog.java

```
1  public class Dog {
2
3      // フィールド
4      private String name;
5      private int age;
6
7      // コンストラクタ
8      public Dog(String name, int age) {
9          this.name=name;
10         this.age=age;
11     }
12
13     // メソッド
14     public String profile() {
15         return name+"("+age+")";
16     }
17
18     // static初期化子
19     static {
20         System.out.println("Dog class:");
21     }
22
23     // インスタンス初期化子
24     {
25         System.out.println("Dog instance:");
26     }
27 }
```

　上記のプログラム例では、プログラムを簡単にするために、前問のクラス変数と
クラスメソッドは削除しました。コンストラクタからもクラス変数に関する処理を
削除しています。

　このDogクラスを使ってみましょう。Kennelクラスからクラスメソッドに関する
処理を削除した、次のプログラムを実行してください。

▼ step10\Kennel.java

```java
 1  public class Kennel {
 2      public static void main(String[] args) {
 3
 4          // blackのインスタンスを生成し、情報を出力
 5          Dog black=new Dog("Kuro", 2);
 6          System.out.println(black.profile());
 7
 8          // whiteのインスタンスを生成し、情報を出力
 9          Dog white=new Dog("Shiro", 3);
10          System.out.println(white.profile());
11      }
12  }
```

　実行結果から、初期化子が実行されるタイミングを確認してください。static初
期子は最初にクラスを利用したときに1回だけ実行され、インスタンス初期化子は
インスタンスを生成するたびに実行されます。

```
> javac step10/*.java
> java -cp step10 Kennel
Dog class:      ← static初期化子
Dog instance:   ← インスタンス初期化子
Kuro(2)         ← profileメソッド
Dog instance:   ← インスタンス初期化子
Shiro(3)        ← profileメソッド
```

　クラスやインスタンスの初期化処理が書ける、static初期化子とインスタンス初
期化子について学びました。次はコンストラクタのオーバーロードと、インスタン
ス初期化子の活用方法について学びましょう。

コンストラクタをオーバーロードする

　メソッドと同様に、コンストラクタもオーバーロードできます。仮引数の構成（型や個数）が異なるコンストラクタを宣言すると、オーバーロードになります。コンストラクタをオーバーロードすると、インスタンスの生成時に指定した実引数の構成に応じて、仮引数の構成が一致するコンストラクタが自動的に呼び出されます。

　コンストラクタをオーバーロードするときには、他のコンストラクタの処理を流用したいことがあります。この場合に役立つのが、次のようなthis（ディス）キーワードを使った、他のコンストラクタの呼び出しです。以下の呼び出しは、コンストラクタのブロック内の、先頭だけに書けます。

▌他のコンストラクタの呼び出し

```
this(引数, …);
```

　例えば、本章で作成したコンストラクタは、以下の①に相当します。ここで以下の②と③に相当するコンストラクタを、オーバーロードを使って追加することを考えてみましょう。

● **①引数がnameとageのコンストラクタ**

　nameフィールドに引数nameを、ageフィールドに引数ageを設定します。

● **②引数がageのみのコンストラクタ**

　nameフィールドに「A dog」（犬）を、ageフィールドに引数ageを設定します。

● **③引数無しのコンストラクタ**

　nameフィールドに「A dog」を、ageフィールドに0を設定します。

　②と③のコンストラクタには、①と同様にフィールドに値を設定する処理を書くこともできます。一方で、thisを使って①のコンストラクタを呼び出すことで、①の処理を流用することも可能です。

　後者の方法を使って、コンストラクタをオーバーロードしてみましょう。 問題 ⑳ **Dogクラスを改造して、上記の②（引数がageのみ）と③（引数無し）のコンストラクタを追加**してください。

```java
 1  public class Dog {
 2
 3      // フィールド
 4      private String name;
 5      private int age;
 6
 7      // コンストラクタ①：引数はnameとage
 8      public Dog(String name, int age) {
 9          this.name=name;
10          this.age=age;
11      }
12
13      // コンストラクタ②：引数はageのみ
14      public Dog(int age) {
15          this("A dog", age);
16      }
17
18      // コンストラクタ③：引数無し
19      public Dog() {
20          this("A dog", 0);
21      }
22
23      // メソッド
24      public String profile() {
25          return name+"("+age+")";
26      }
27
28      // インスタンス初期化子
29      {
30          System.out.println("Dog instance:");
31      }
32  }
```

　上記のDogクラスでは、プログラムを簡単にするために、static初期子は削除しました。インスタンス初期化子は、コンストラクタのオーバーロードと関係があるので残しています。

このDogクラスを使ってみましょう。**問題㉑** Kennelクラスを改造して、blackは引数を2のみ、whiteは引数を無しにして、オーバーロードされたコンストラクタを呼び出してください。

▼ step11＼Kennel.java

```
 1  public class Kennel {
 2      public static void main(String[] args) {
 3
 4          // 引数がageのみのコンストラクタを使って、
 5          // インスタンスを生成し、情報を出力
 6          Dog black=new Dog(2);
 7          System.out.println(black.profile());
 8
 9          // 引数無しのコンストラクタを使って、
10          // インスタンスを生成し、情報を出力
11          Dog white=new Dog();
12          System.out.println(white.profile());
13      }
14  }
```

　オーバーロードされたコンストラクタの中から、実引数と仮引数の構成が一致するコンストラクタが、自動的に呼び出されます。上記のプログラムでは、blackについては②のコンストラクタが、whiteについては③のコンストラクタが呼び出されます。

```
> javac step11/*.java
> java -cp step11 Kennel
Dog instance:  ← インスタンス初期化子
A dog(2)       ← 犬(2歳)
Dog instance:  ← インスタンス初期化子
A dog(0)       ← 犬(0歳)
```

　いずれのコンストラクタを呼び出した場合にも、インスタンス初期化子が実行されていることに注目してください。このようにインスタンス初期化子は、どのコンストラクタにも共通の初期化処理を書くために活用できます。

　今回のプログラム(Dog.java)の場合は、こういった共通の初期化処理を、①のコンストラクタに書くこともできます。②と③のコンストラクタが、①のコンストラ

クタを流用しているからです。このような流用の関係が無い場合や、流用の関係が複雑な場合には、インスタンス初期化子が役立ちます。

　本章ではJavaにおけるオブジェクト指向プログラミングの基本を学びました。プログラムの目的に合わせて、独自のクラスを宣言し、その中に必要なフィールド・メソッド・コンストラクタを宣言します。メソッドやコンストラクタのオーバーロード、フィールド・メソッド・コンストラクタに対するアクセス制御、クラス変数やクラスメソッド、クラスやインスタンスの初期化子についても学びました。

　次章では、既存のクラスを拡張して新しいクラスを宣言する、継承について学びます。

Chapter8の復習

☐ フィールド

問題❶ Dogクラスを宣言し、String型のnameフィールドと、int型のageフィールド
を宣言してください。　　　　　　　　　　　　　　　　　　　　➡275ページ

問題❷ Kennelクラスとmainメソッドを宣言し、2個のDogインスタンスを生成して、
それぞれ変数blackと変数whiteに格納します。そしてnameフィールドと
ageフィールドに、blackは"Kuro"と2を、whiteは"Shiro"と3を設定したうえ
で、「名前(年齢)」の形式で出力してください。　　　　　　　　➡277ページ

問題❸ Kennelクラスから、blackのnameフィールドを設定する処理と、whiteの
ageフィールドを設定する処理を削除したうえで、フィールドの値を確認し
てください。　　　　　　　　　　　　　　　　　　　　　　　　➡279ページ

☐ コンストラクタ

問題❹ Dogクラスを改造して、引数nameと引数ageを受け取るコンストラクタを宣
言し、各引数の値をnameフィールドとageフィールドに設定してください。
　　　　　　　　　　　　　　　　　　　　　　　　　　　　　　➡281ページ

問題❺ Kennelクラスを、コンストラクタを利用するように改造します。blackは
"Kuro"と2、whiteは"Shiro"と3を引数に指定して、コンストラクタを呼び出
してください。　　　　　　　　　　　　　　　　　　　　　　　➡282ページ

☐ メソッド

問題❻ Dogクラスを改造して、「nameフィールド(ageフィールド)」という形式の
文字列を返す、profileメソッドを宣言してください。　　　　　➡285ページ

問題❼ Kennelクラスにおいて、「名前(年齢)」を出力する処理を、profileメソッド
の呼び出しを利用するように改造してください。　　　　　　　➡286ページ

問題⑧ Dogクラスを改造して、food（食物）を引数として受け取り、「名前(年齢) eats 食物.」と出力する、eatメソッドを追加してください。「名前(年齢)」の文字列は、既存のprofileメソッドを使って作成します。　　　　➡287ページ

問題⑨ Kennelクラスを改造し、blackに対する引数は"fish"、whiteに対する引数は"meat"として、eatメソッドを呼び出してください。　　　　➡288ページ

☐ オーバーロード

問題⑩ Dogクラスに対して、「名前(年齢) drinks water.」と出力する、引数無しのeatメソッドを追加してください。　　　　➡289ページ

問題⑪ Kennelクラスを改造し、blackに対する引数は"fruit"、whiteに対する引数は無しで、eatメソッドを呼び出してください。　　　　➡290ページ

☐ アクセス制御

問題⑫ Dogクラスを改造して、フィールドにはprivate、コンストラクタとメソッドにはpublicのアクセス修飾子を適用してください。　　　　➡293ページ

問題⑬ Kennelクラスを改造し、blackに対する引数は無し、whiteに対する引数は"cheese"で、eatメソッドを呼び出してください。　　　　➡294ページ

☐ ゲッタとセッタ

問題⑭ Kennelクラスで、blackのインスタンスを生成した後に、「black.age++;」（blackのageフィールドに1を加算する）という処理を追加してください。どんなエラーが発生するのかを確認します。　　　　➡295ページ

問題⑮ Dogクラスを改造して、nameフィールドとageフィールドのために、それぞれpublicなゲッタとセッタを追加してください。　　　　➡297ページ

問題⑯ Kennelクラスを改造し、blackはageフィールドに1を加算し、whiteはnameフィールドを大文字に変換してから、profileメソッドを使って情報を出力してください。　　　　➡298ページ

☐ クラス変数とクラスメソッド

問題⑰ Dogクラスを改造して、クラス変数のcountと、クラスメソッドのreportを宣言します。そして、コンストラクタにはcountに1を加算する処理を追加し、reportメソッドには「個数 instances were created.」（○○個のインスタンスが生成された）と出力する処理を記述してください。　　➡302ページ

問題⑱ Kennelクラスを改造し、blackとwhiteのインスタンスを生成した後に、reportメソッドを呼び出してください。　　➡304ページ

☐ 初期化子

問題⑲ Dogクラスを改造して、「Dog class:」（犬クラス）と出力するstatic初期化子と、「Dog instance:」（犬インスタンス）と出力するインスタンス初期子を宣言してください。Kennelクラスを実行し、初期化子が実行されるタイミングを確認します。　　➡306ページ

☐ コンストラクタのオーバーロード

問題⑳ Dogクラスを改造して、引数がageのみのコンストラクタと、引数無しのコンストラクタを追加してください。thisキーワードを使います。　➡308ページ

問題㉑ Kennelクラスを改造して、blackは引数を2のみ、whiteは引数を無しにして、オーバーロードされたコンストラクタを呼び出してください。　➡310ページ

Chapter 9

継承を活用すると
オブジェクト指向らしくなる

Javaではいろいろなクラスを組み合わせてプログラムを開発します。開発を進める中でクラスの種類が増えてくると、複数の似たクラスができることがあります。
継承（けいしょう）という機能を使うと、複数のクラスから共通する部分を抽出し、スーパークラスという別のクラスにまとめられます。そして元のクラス群は、スーパークラスからの差分を記述した、サブクラスとして書き直せます。
継承を上手に活用すると、プログラムから重複を取り除き、見通しをよくできます。
本章ではスーパークラス・サブクラス・インタフェースといった、継承に関連するさまざまな機能を学びます。

本章の学習内容

1. 継承とスーパークラス・サブクラス
2. オーバーライド
3. 抽象メソッドと抽象クラス
4. superキーワード
5. インタフェース
6. Objectクラス
7. instanceof演算子
8. パターンマッチング

01 継承を使って似たクラスをまとめる

けいしょう
継承（inheritance、インヘリタンス）を使うと、複数のクラスに共通する部分をスーパークラスにまとめて、プログラムを整理できます。まずは今までに学んだ方法（Chapter8）で、複数のクラスを宣言してみましょう。次に継承を活用して、これらのクラスをまとめてみます。

最初のクラスを宣言する

複数の似たクラスを使う例として、図形を描画するプログラムを考えてみましょう。プレゼンテーションを作成するソフトウェアのように、矩形や円といったいろいろな図形を画面に配置するプログラムです。

図形の種類ごとに、Rectangle（レクタングル、矩形）やCircle（サークル、円）といったクラスを宣言することにします。これらのクラスには、図形の座標を保持するフィールドと、図形ごとに異なる情報（サイズや半径など）を保持するフィールドを宣言します。また、図形を描画するためのdraw（ドロー、描画する）メソッドも宣言します。

本章ではプログラムを簡単にするために、drawメソッドはグラフィックスで図形を描画するのではなく、テキストで図形の情報を出力することにします。一方で、本章で作成するクラスの構造は、実際にグラフィックスを描画するプログラムにも応用できます。

▼ 図形のクラス

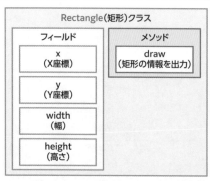
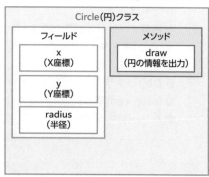

Chapter8と同様に、本章ではクラスを段階的に改良していきます。本章のサンプルプログラムは、chapter9フォルダ内の、step01〜step15フォルダに収録しました。コンパイルや実行は、chapter9をカレントディレクトリにした状態で各実行例のように操作してください。

まずは矩形を表すRectangleクラスを宣言しましょう。**問題❶ Rectangleクラスを宣言し、座標を表すxとy、幅と高さを表すwidthとheightの各フィールドを、int型で宣言します。さらに、コンストラクタとdrawメソッドを宣言**してください。drawメソッドが出力する情報は、「rectangle (X座標,Y座標) size:幅x高さ」の形式にします。

▼step01\Rectangle.java

```
 1  public class Rectangle {
 2
 3      // フィールド（X座標、Y座標、幅、高さ）
 4      private int x, y, width, height;
 5
 6      // コンストラクタ
 7      public Rectangle(int x, int y, int width, int height) {
 8          this.x=x;
 9          this.y=y;
10          this.width=width;
11          this.height=height;
12      }
13
14      // メソッド（矩形の情報を出力）
15      public void draw() {
16          System.out.printf(
17              "rectangle (%d,%d) size:%dx%d\n", x, y, width, height);
18      }
19  }
```

上記のdrawメソッドでは、情報の出力にSystem.out.printfメソッド（Chapter6）を使いました。このようにSystem.out.printfメソッドは、文字列の中に値を埋め込んで出力したいときに便利です。

次は、Rectangleクラスを利用するプログラムを書きましょう。クラス名は、図形を描画する領域を表すCanvas（キャンバス）にします。**問題❷ Canvasクラスを宣**

言し、mainメソッドを宣言します。Rectangleインスタンスを、座標(100, 200)、サイズ11x22で生成し、drawメソッドで情報を出力してください。

▼ step01\Canvas.java

```
1  public class Canvas {
2      public static void main(String[] args) {
3
4          // 矩形のインスタンスを生成し、情報を出力
5          Rectangle r=new Rectangle(100, 200, 11, 22);
6          r.draw();
7      }
8  }
```

```
> javac step01/*.java
> java -cp step01 Canvas
rectangle (100,200) size:11x22    ← 矩形、座標(100, 200)、サイズ11×22
```

継承を活用する準備として、まずは矩形(Rectangle)クラスを宣言しました。次は矩形クラスに似たクラスとして、円(Circle)クラスを宣言してみます。

似たクラスを宣言する

円を表すCircleクラスを宣言しましょう。 問題❸ **Circleクラスを宣言し、座標を表すxとy、半径を表すradiusの各フィールドを、int型で宣言します。さらに、コンストラクタとdrawメソッドを宣言**してください。drawメソッドが出力する情報は、「circle (X座標,Y座標) radius:半径」の形式にします。

▼ step02\Circle.java

```
1  public class Circle {
2
3      // フィールド (X座標、Y座標、半径)
4      private int x, y, radius;
5
6      // コンストラクタ
7      public Circle(int x, int y, int radius) {
8          this.x=x;
9          this.y=y;
```

```
10          this.radius=radius;
11      }
12
13      // メソッド（円の情報を出力）
14      public void draw() {
15          System.out.printf("circle (%d,%d) radius:%d\n", x, y, radius);
16      }
17  }
```

Circleクラスを利用するプログラムも書きましょう。**問題❹ Canvasクラスを改**
造し、Circleインスタンスを、座標(300, 400)、半径34で生成し、drawメソッド
で情報を出力する処理を追加してください。

▼ step02\Canvas.java

```
 1  public class Canvas {
 2      public static void main(String[] args) {
 3
 4          // 矩形のインスタンスを生成し、情報を出力
 5          Rectangle r=new Rectangle(100, 200, 11, 22);
 6          r.draw();
 7
 8          // 円のインスタンスを生成し、情報を出力
 9          Circle c=new Circle(300, 400, 34);
10          c.draw();
11      }
12  }
```

上記のプログラムを実行するには、前出のRectangle.javaも必要です。Circle.
javaやCanvas.javaと同じフォルダに、Rectangle.javaも配置（またはコピー）してお
いてください。

```
> javac step02/*.java
> java -cp step02 Canvas
rectangle (100,200) size:11x22   ← 矩形、座標(100, 200)、サイズ11×22
circle (300,400) radius:34       ← 円、座標(300, 400)、半径34
```

矩形（Rectangle）クラスに似た、円（Circle）クラスを宣言しました。次は継承を
使って、これらのクラスに共通する処理を一箇所にまとめてみましょう。

共通の部分をスーパークラスにまとめる

作成したRectangleクラスとCircleクラスを見比べると、次のような共通の部分があることに気づきます。以下については、RectangleクラスとCircleクラスの両方に、似たようなプログラムが書かれています。

①座標を表すフィールド (x, y) と、これらを初期化する処理
②「名前 (X座標,Y座標)」という情報を出力する処理

▼共通の部分がある複数のクラス

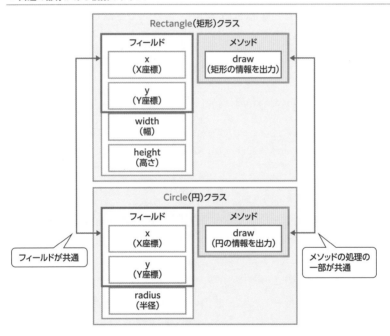

継承を使うと、上記のような共通の部分をスーパークラスにまとめられます。そして元のクラスは、スーパークラスとの差分を記述したサブクラスとして書き直せます。今回はRectangleクラスとCircleクラスのスーパークラスとして、Figure（フィギュア、図形）クラスを宣言することにします。

スーパークラスで宣言したメンバ（フィールドやメソッドなど）は、サブクラスでも利用できます。この性質のことを「継承」と呼びます。今回の場合は、スーパークラスのFigureで宣言したメンバを、サブクラスのRectangleやCircleでも利用で

きます。なお、コンストラクタはメンバではなく、サブクラスに継承されません。

　共通の部分のうち、まずは①の部分を、次のようにスーパークラスにまとめてみましょう。スーパークラスのFigureクラスでxとyのフィールドを宣言し、サブクラスのRectangleやCircleでこれらのフィールドを継承します。

▼共通の部分をスーパークラスにまとめる

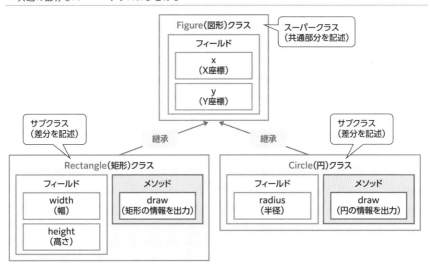

　上記の図では、サブクラスとスーパークラスの関係を、サブクラスからスーパークラスに向かう矢印で示しました。この矢印の向きは、オブジェクト指向に基づく設計でよく利用される、UML（Unified Modeling Language、ユニファイド・モデリング・ランゲージ、統一モデリング言語）の記法に合わせています。UMLでは、サブクラスからスーパークラスに向かう白抜きの矢印を使います。

　スーパークラスを宣言する方法は、通常のクラスを宣言する方法と同じです。ただし、メンバのアクセス修飾子（Chapter8）には、protected（プロテクテッド）を指定する場合があります。protectedは、スーパークラスのメンバに使うことが多いアクセス修飾子です。protectedに指定したメンバは、同じパッケージ（Chapter12）のクラスと、他のパッケージのサブクラスからアクセスできます。

　Figureクラスを宣言してみましょう。**問題⑤** **Figureクラスを宣言し、座標を表す**
xとyのフィールドと、コンストラクタを宣言してください。アクセス修飾子につい

ては、フィールドはprotected、コンストラクタはpublicにします。

▼ step03\Figure.java

```
 1  // Figureクラス（スーパークラス）
 2  public class Figure {
 3
 4      // フィールド（X座標、Y座標）
 5      protected int x, y;
 6
 7      // コンストラクタ
 8      public Figure(int x, int y) {
 9          this.x=x;
10          this.y=y;
11      }
12  }
```

　次に、サブクラスのRectangleとCircleを宣言しましょう。これらのサブクラスには、スーパークラスとの差分を記述します。サブクラスの宣言は、extends（エクステンズ、拡張する）キーワードを使って、次のように書きます。

▌サブクラスの宣言

```
public class クラス名 extends スーパークラス名 {
    …
}
```

　上記でextendsの後には、スーパークラスに指定するクラス名を1個だけ書きます。このように、スーパークラスを1個だけ指定する方式のことを、単一継承と呼びます。複数のスーパークラスを指定する方式は、多重継承と呼びます。Javaは単一継承のみに対応しています。

　サブクラスのコンストラクタでは、ブロック内の先頭でsuper（スーパー）キーワードを使って、スーパークラスのコンストラクタを呼び出します。渡す引数の構成は、スーパークラスのコンストラクタに合わせます。なお、スーパークラスにコンストラクタが無いときや、コンストラクタの引数が無いときは、以下の呼び出しを省略できます。

▌スーパークラスのコンストラクタの呼び出し

```
super(引数, …);
```

Rectangleクラスを宣言してみましょう。 問題6 **RectangleクラスをFigureクラス**
のサブクラスとして宣言し、幅と高さを表すwidthとheightの各フィールドを、int
型で宣言します。さらに、コンストラクタとdrawメソッドを宣言してください。

フィールドはprivate、コンストラクタとメソッドはpublicにします。コンストラ
クタでは、xとyのフィールドはsuperキーワードを使って初期化し、widthとheight
のフィールドは通常の代入を使って初期化します。drawメソッドは前問のままで
大丈夫です。

▼ step03\Rectangle.java

```
 1  // Rectangleクラス (Figureクラスのサブクラス)
 2  public class Rectangle extends Figure {
 3
 4      // フィールド (幅、高さ)
 5      private int width, height;
 6
 7      // コンストラクタ
 8      public Rectangle(int x, int y, int width, int height) {
 9          super(x, y);
10          this.width=width;
11          this.height=height;
12      }
13
14      // メソッド (矩形の情報を出力)
15      public void draw() {
16          System.out.printf(
17              "rectangle (%d,%d) size:%dx%d\n", x, y, width, height);
18      }
19  }
```

上記のRectangleクラスでは、xとyのフィールドは宣言していません。これらは
スーパークラスのFigureから継承されるので、Rectangleクラスで宣言していなく
ても、フィールドは存在しています。

コンストラクタにも注目してください。引数として受け取ったx・y・width・
heightのうち、xとyはsuperキーワードを使ってスーパークラスのコンストラクタ
に渡し、widthとheightは通常の代入で処理しています。このように、スーパーク
ラスで宣言したフィールドはスーパークラスで初期化し、サブクラスで宣言した

フィールドはサブクラスで初期化するのが一般的です。

　Rectangleクラスと同じ要領で、Circleクラスも宣言しましょう。**問題⑦ Circleク**
ラスをFigureクラスのサブクラスとして宣言し、半径を表すradiusフィールドを、
int型で宣言します。さらに、コンストラクタとdrawメソッドを宣言してください。
コンストラクタでは、xとyのフィールドはsuperキーワードを使って初期化し、
radiusフィールドは通常の代入を使って初期化します。drawメソッドは前問のまま
で大丈夫です。

▼ step03\Circle.java

```
 1  // Circleクラス (Figureクラスのサブクラス)
 2  public class Circle extends Figure {
 3
 4      // フィールド (半径)
 5      private int radius;
 6
 7      // コンストラクタ
 8      public Circle(int x, int y, int radius) {
 9          super(x, y);
10          this.radius=radius;
11      }
12
13      // メソッド (円の情報を出力)
14      public void draw() {
15          System.out.printf("circle (%d,%d) radius:%d\n", x, y, radius);
16      }
17  }
```

　Rectangleクラスと同様に、上記のCircleクラスでは、xとyのフィールドは宣言
していません。これらはスーパークラスのFigureから継承されるので、Circleクラ
スで宣言していなくても、フィールドは存在しています。

　RectangleクラスとCircleクラスを利用してみましょう。前問のCanvasクラスが
そのまま使えます。Figure.java、Rectangle.java、Circle.javaと同じフォルダに、
Canvas.javaも配置(またはコピー)しておいてください。以下、前問のクラスをそ
のまま利用する場合は、該当のフォルダに前問のソースファイルを配置(またはコ
ピー)してから、コンパイル・実行してください。

　上記のプログラムは、次のようにコンパイル・実行します。前問と同じ実行結果
が得られれば成功です。

```
> javac step03/*.java
> java -cp step03 Canvas
rectangle (100,200) size:11x22    ← 矩形、座標(100, 200)、サイズ11×22
circle (300,400) radius:34        ← 円、座標(300, 400)、半径34
```

　RectangleクラスとCircleクラスから、共通の部分をスーパークラスのFigureに抽出したうえで、両クラスを書き直しました。以前のプログラムと比較してみてください。共通の部分を一箇所にまとめたので、プログラムから重複を除去できました。重複が少ないプログラムは、上手に記述すれば、開発や修正を容易にできる可能性があります。

　次はスーパークラスにメソッドを追加して、さらにプログラムを整理してみましょう。

column

なぜプログラムから重複を除去するべきなのか

　プログラムに重複した部分があると、開発や修正が難しくなります。例えば、何か新しい機能を追加しようとしたり、発生した問題を解決しようとしたときに、重複した部分の全てについて手直しが必要になってしまうからです。もし、重複した部分が同一ではなく、微妙に異なっていると、さらに厄介です。重複した部分の各々について、プログラムを手直ししてよいのかどうかや、どのように手直しするべきなのかを検討する必要が生じてしまいます。プログラムから完全に重複を取り除くのは難しい場合もありますが、継承などの機能を活用して、できるだけ重複が無い状態にしておくことがおすすめです。

さらに共通の部分をスーパークラスにまとめる

　前述のように、RectangleクラスとCircleクラスには、次のような共通の部分がありました。

①座標を表すフィールド(x, y)と、これらを初期化する処理
②「名前 (X座標,Y座標)」という情報を出力する処理

　上記の①については、Figureクラスにまとめることができました。次は②につい

ても、Figureクラスにまとめてみましょう。

　スーパークラスのFigureに対して、「名前 (X座標,Y座標)」という情報を出力する、header (ヘッダ、表題) メソッドを追加します。サブクラスのRectangleとCircleでは、headerメソッドを利用して情報の先頭部分を出力することで、プログラムを簡潔にすることを狙います。

▼ さらに共通の部分をスーパークラスにまとめる

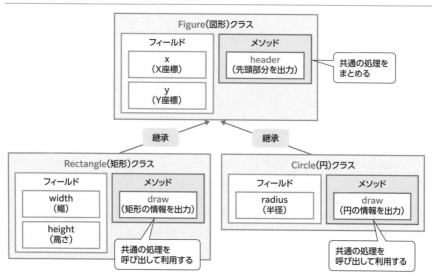

　まずはFigureクラスを改造します。 問題 ⑧ Figureクラスに対して、String型の引数nameを受け取るheaderメソッドを追加し、「名前 (X座標,Y座標)」という情報を出力してください。headerメソッドはprotectedにします。

▼ step04\Figure.java

```
 1  public class Figure {
 2
 3      // フィールド (X座標、Y座標)
 4      protected int x, y;
 5
 6      // コンストラクタ
 7      public Figure(int x, int y) {
 8          this.x=x;
 9          this.y=y;
10      }
```

```
11
12      // メソッド（情報の先頭部分を出力）
13      protected void header(String name) {
14          System.out.printf("%s (%d,%d) ", name, x, y);
15      }
16  }
```

次はRectangleクラスを宣言しましょう。**問題9** **Rectangleクラスのdrawメソッド を改造し、headerメソッドを呼び出してから、残りの情報を出力するように書き換え**てください。

▼ step04\Rectangle.java

```
1  public class Rectangle extends Figure {
2
3      // フィールド（幅、高さ）
4      private int width, height;
5
6      // コンストラクタ
7      public Rectangle(int x, int y, int width, int height) {
8          super(x, y);
9          this.width=width;
10          this.height=height;
11      }
12
13      // メソッド（矩形の情報を出力）
14      public void draw() {
15          header("rectangle");
16          System.out.printf("size:%dx%d\n", width, height);
17      }
18  }
```

上記のプログラムでは、headerメソッドの呼び出しに注目してください。Rectangleクラスではheaderメソッドを宣言していませんが、スーパークラスのFigureから継承されるので、headerメソッドは存在しています。継承したメソッドは、クラス内で宣言したメソッドと同じ方法で呼び出せます。

同様にCircleクラスも宣言しましょう。**問題10** **Circleクラスのdrawメソッドを改造し、headerメソッドを呼び出してから、残りの情報を出力するように書き換えて**

ください。

▼ step04\Circle.java

```
 1  public class Circle extends Figure {
 2
 3      // フィールド（半径）
 4      private int radius;
 5
 6      // コンストラクタ
 7      public Circle(int x, int y, int radius) {
 8          super(x, y);
 9          this.radius=radius;
10      }
11
12      // メソッド（円の情報を出力）
13      public void draw() {
14          header("circle");
15          System.out.printf("radius:%d\n", radius);
16      }
17  }
```

　前問のCanvasクラスをそのまま使って、次のようにコンパイル・実行してみて
ください。前問と同じ実行結果ならば成功です。

```
> javac step04/*.java
> java -cp step04 Canvas
rectangle (100,200) size:11x22    ← 矩形、座標(100, 200)、サイズ11×22
circle (300,400) radius:34        ← 円、座標(300, 400)、半径34
```

　継承を使って、スーパークラスとサブクラスを宣言することで、複数のクラスに
共通の部分を一箇所にまとめる方法を学びました。次はメソッドのオーバーライド
という機能を使って、クラスを利用する側のプログラムを簡潔にする方法を学びま
しょう。

いろいろなサブクラスを
まとめて管理する

　今までのプログラムでは、サブクラスのインスタンスをクラスごとに別の型の変数で管理していました。具体的には、RectangleインスタンスはRectangle型の変数で、CircleインスタンスはCircle型の変数で管理します。

　実用的な図形描画プログラムでは多くの図形を扱うので、これらのインスタンスを配列などで管理する必要があります。例えば、Rectangle型とCircle型の配列を宣言し、それぞれのインスタンスを格納する方法が考えられます。しかし、クラスごとに別々の配列を使う方法は、図形の種類が多くなると、管理が煩雑になるのが問題です。

▼インスタンスをクラス別の配列で管理する

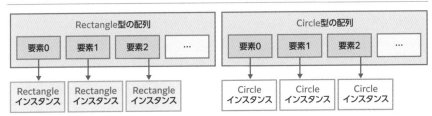

　いろいろなクラスのインスタンスを簡単に管理するには、スーパークラスとサブクラスの関係を使います。実は、サブクラスのインスタンスは、スーパークラス型の変数や配列に格納できます。例えば、Figure型の配列を宣言し、RectangleインスタンスとCircleインスタンスを一括して格納する、といったことが可能です。

▼インスタンスを一括して管理する

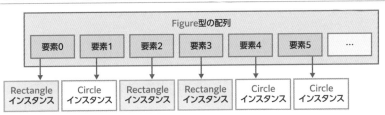

　スーパークラス型の配列でインスタンスを一括して管理する場合には、各サブクラスが持つ独自の処理を、どのように呼び出すのかが問題になります。例えばRectangleクラスとCircleクラスは、それぞれ独自のdrawメソッドを持ちます。Rectangleインスタンスに対してはRectangleクラスのdrawメソッドを、Circleクラスに対してはCircleクラスのdrawメソッドを、それぞれ呼び出す必要があります。

　いろいろなサブクラスのインスタンスを一括して管理しているときに、各インスタンスのクラスに対応したメソッドの呼び出しを可能にするのが、これから学ぶオーバーライドという機能です。

オーバーライドでポリモーフィズムを実現する

　オーバーライド（override）とは、スーパークラスで宣言したメソッドをサブクラスで再び宣言することです。メソッドをオーバーライドすると、スーパクラスにおけるメソッドの内容を、サブクラスごとに書き換えられます。

　例えばスーパークラスのFigureに、drawメソッドを宣言します。サブクラスのRectangleとCircleでは、名前と引数の構成が同じdrawメソッドを宣言することにより、drawメソッドをオーバーライドします。

▼オーバーライド

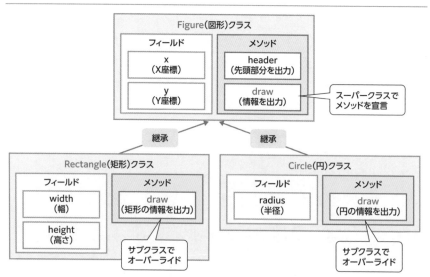

オーバーライドが役立つのは、サブクラスのインスタンスをスーパークラス型の変数や配列で管理している場合です。例えばFigure型の配列に、RectangleインスタンスとCircleインスタンスを一括して管理しているとします。ここで、各インスタンスに対してdrawメソッドを呼び出すと、インスタンスのクラスに応じたメソッドが呼び出されます。

▼ クラスごとのメソッドが呼び出される

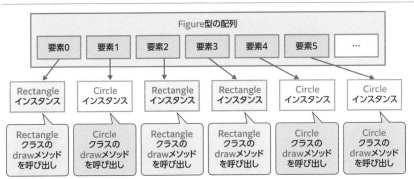

Rectangleインスタンスに対しては、Rectangleクラスのdrawメソッドが呼び出され、座標とサイズが表示されます。一方、Circleインスタンスに対しては、Circleクラスのdrawメソッドが呼び出され、座標と半径が表示されます。

このように、いろいろなクラスのインスタンスを一括して管理していても、インスタンスが属するクラスに応じた動作をすることを、ポリモーフィズムと呼びます。日本語では多態性（たたいせい）や多相性（たそうせい）とも呼びます。

オーバーライドを使ってみましょう。まずはFigureクラスを変更します。 問題⓫
Figureクラスに対して、drawメソッドの宣言を追加してください。このdrawメソッドはpublicとし、何も出力しないことにします。

▼ step05\Figure.java

```
1  public class Figure {
2
3      // フィールド（X座標、Y座標）
4      protected int x, y;
5
6      // コンストラクタ
7      public Figure(int x, int y) {
8          this.x=x;
```

```
 9          this.y=y;
10      }
11
12      // メソッド（情報の先頭部分を出力）
13      protected void header(String name) {
14          System.out.printf("%s (%d,%d) ", name, x, y);
15      }
16
17      // メソッド（情報を出力、サブクラスでオーバーライド）
18      public void draw() {}
19  }
```

上記のdrawメソッドは、ブロックを空にしたので何も処理を行いません。この
drawメソッドは、サブクラスでオーバーライドするための土台の役割を果たしま
す。

次はCanvasクラスを変更します。 問題⑫ Figure型の配列figureを宣言し、
RectangleインスタンスとCircleインスタンスを生成して格納したうえで、各要素に
対してdrawメソッドを呼び出すプログラムを書いてください。Rectangleクラスと
Circleクラスのコンストラクタに渡す引数は、前問のCanvasクラスと同じにします。

▼ step05\Canvas.java

```
 1  public class Canvas {
 2      public static void main(String[] args) {
 3
 4          // 配列の宣言と初期化
 5          Figure[] figure={
 6              new Rectangle(100, 200, 11, 22),
 7              new Circle(300, 400, 34)
 8          };
 9
10          // 各要素に対してdrawメソッドを呼び出す
11          for (Figure f: figure) {
12              f.draw();
13          }
14      }
15  }
```

スーパークラスであるFigure型の配列figureに、サブクラスであるRectangleとCircleのインスタンスを一括して格納していることに注目してください。そして拡張for文を使って、配列figureからFigure型の変数fにインスタンスを取り出し、drawメソッドを呼び出します。

変数fはFigure型ですが、Figureクラスにdrawメソッドを宣言しておいたので、変数fを使ってdrawメソッドを呼び出せます。変数fに格納されているのはRectangleまたはCircleのインスタンスなので、各クラスでオーバーライドしたdrawメソッドが実行されます。

RectangleクラスとCircleクラスは前間のまま使って、次のようにコンパイル・実行してください。以下の実行結果のように、インスタンスのクラスごとに、オーバーライドしたdrawメソッドが呼び出されていることが確認できます。このような動作がポリモーフィズムです。

```
> javac step05/*.java
> java -cp step05 Canvas
rectangle (100,200) size:11x22   ← Rectangleクラスのdrawメソッド
circle (300,400) radius:34       ← Circleクラスのdrawメソッド
```

異なるクラスのインスタンスを一括して管理しているときに、オーバーライドを使って、クラスごとに異なるメソッドを実行する方法を学びました。次はオーバーライドに関連する、@Overrideアノテーションについて学びます。

@Overrideアノテーションでオーバーライドの失敗を防ぐ

アノテーション（annotation、注釈）は、Javaコンパイラ（javacコマンド）などのツールに対して情報を与えるために、プログラムに目印を付ける機能です。アノテーションにはいろいろな種類があり、ここで学ぶ@Overrideはその1つです。本書ではJavaが提供する既存のアノテーションを利用しますが、独自のアノテーションを作成することもできます。

@Overrideアノテーションは次のように、オーバーライドしたメソッドの直前に書きます。@Overrideとメソッドの宣言の間に、改行を入れても構いません。なお、@はアットマークと呼ばれる記号です。

@Overrideアノテーション

```
@Override アクセス修飾子 戻り値型 メソッド名(型 引数名, …) {
    …
}
```

@Overrideアノテーションを書かなくてもプログラムは動作します。一方で、@Overrideアノテーションを書くと、オーバーライドの失敗を防ぐ効果があります。ここでオーバーライドの失敗とは、メソッドをオーバーライドしたつもりが、オーバーライドになっておらず、プログラムが意図通りに動作しないことです。

オーバーライドの失敗を実際に体験してみましょう。RectangleクラスとCircleクラスについて、メソッド名のdrawをdrew（drawの過去形）に変更してください。コンパイル・実行すると、エラーは発生しないのですが、何も出力されなくなってしまいます。

```
> javac step05/*.java
> java -cp step05 Canvas
                    ← 何も出力されない
```

オーバーライドが成功するには、メソッド名と引数の構成がスーパークラスのメソッドと同じメソッドを、サブクラスで宣言する必要があります。drawをdrewに変更すると、メソッド名が異なるのでオーバーライドに失敗します。また例えば、RectangleクラスやCircleクラスのdrawメソッドに引数を追加した場合も、引数の構成が異なってしまうのでオーバーライドに失敗します。

@Overrideアノテーションを書くと、このようなオーバーライドの失敗を防げます。オーバーライドするつもりのメソッドに対して、実際に@Overrideアノテーションを書いてみましょう。**問題⓭ RectangleクラスとCircleクラスのdrawメソッドに、@Overrideアノテーションを追加**してください。

▼ step06\Rectangle.java

```
1  public class Rectangle extends Figure {
2
3      // フィールド（幅、高さ）
4      private int width, height;
5
6      // コンストラクタ
7      public Rectangle(int x, int y, int width, int height) {
```

```
 8          super(x, y);
 9          this.width=width;
10          this.height=height;
11      }
12
13      // メソッド（矩形の情報を出力、オーバーライド）
14      @Override public void draw() {
15          header("rectangle");
16          System.out.printf("size:%dx%d\n", width, height);
17      }
18 }
```

▼ step06\Circle.java

```
 1 public class Circle extends Figure {
 2
 3      // フィールド（半径）
 4      private int radius;
 5
 6      // コンストラクタ
 7      public Circle(int x, int y, int radius) {
 8          super(x, y);
 9          this.radius=radius;
10      }
11
12      // メソッド（円の情報を出力、オーバーライド）
13      @Override public void draw() {
14          header("circle");
15          System.out.printf("radius:%d\n", radius);
16      }
17 }
```

　前問のCanvasクラスとFigureクラスをそのまま使って、次のようにコンパイル・実行してみてください。@Overrideアノテーションを書いても、オーバーライドに成功した場合は、実行結果は変わりません。

```
> javac step06/*.java
> java -cp step06 Canvas
rectangle (100,200) size:11x22    ← Rectangleクラスのdrawメソッド
circle (300,400) radius:34        ← Circleクラスのdrawメソッド
```

　@Overrideアノテーションを書いたうえで、オーバーライドに失敗すると、コンパイルエラーが表示されて、失敗を知らせてくれます。@Overrideアノテーションを書いたRectangleクラスとCircleクラスにおいて、メソッド名のdrawをdrewに変更してみてください。

　コンパイルすると、次のようなエラーが表示されます。このように@Overrideアノテーションには、オーバーライドの失敗を知らせる働きがあります。

```
> javac step06/*.java
step06\Circle.java:13: エラー:
メソッドはスーパータイプのメソッドをオーバーライドまたは実装しません
        @Override public void drew() {
        ^
step06\Rectangle.java:14: エラー:
メソッドはスーパータイプのメソッドをオーバーライドまたは実装しません
        @Override public void drew() {
        ^
エラー 2個
```

　オーバーライドの失敗を防ぐ、@Overrideアノテーションについて学びました。次はオーバーライドの土台として働く、抽象メソッドと抽象クラスについて学びましょう。

抽象メソッドと抽象クラスはオーバーライドの土台

　抽象メソッドとは、処理を記述しないメソッドです。処理がないので抽象メソッド自体は実行できないのですが、サブクラスでこのメソッドをオーバーライドするための土台として働きます。

　抽象クラスは、抽象メソッドを持つクラスです。抽象クラスのインスタンスは生成できないのですが、スーパークラスとして利用され、サブクラスの土台として働きます。

例えば本章で作成しているFigureクラスのdrawメソッドは、何も処理を行いません。このメソッドは、サブクラスであるRectangleやCircleにおいて、drawメソッドをオーバーライドするための土台になっています。この土台があることで、Figure型の変数や配列でRectangleやCircleのインスタンスを一括して管理する際に、drawメソッドを呼び出すことができ、ポリモーフィズムを活用できます。

このように何も処理をしないメソッドは、抽象メソッドにする方法があります。drawメソッドを抽象メソッドにした場合は、drawメソッドが属するFigureクラスを抽象クラスにします。抽象メソッドを持つクラスは、抽象クラスにする必要があります。

▼抽象メソッドと抽象クラス

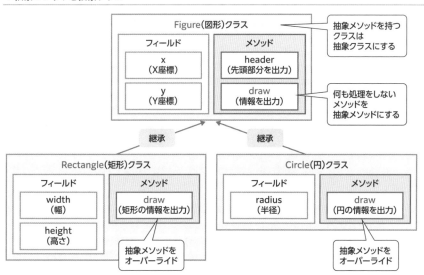

抽象メソッドと抽象クラスは、いずれも次のようにabstract（アブストラクト、抽象的な）修飾子を使って宣言します。publicなどのアクセス修飾子とabstractは、どちらが前でも構いません。例えば「public abstract」でも、「abstract public」でも大丈夫です。

抽象メソッドと抽象クラスの宣言

```
public abstract class クラス名 {
    アクセス修飾子 abstract 戻り値型 メソッド名(型 引数名, …);
    …
}
```

　抽象メソッドには、処理のブロックは書かずに、;（セミコロン）だけを書きます。{}のような空のブロックを書いた、何も処理をしない通常のメソッドとは異なることに注意してください。

　抽象クラスの中に通常のメソッドと抽象メソッドが混在しても構いません。ただし、1つでも抽象メソッドがある場合は、通常のクラスではなく抽象クラスにする必要があります。

　Figureクラスを題材に、抽象メソッドと抽象クラスを使ってみましょう。**問題⑭** **Figureクラスを抽象クラスに変更し、drawメソッドを抽象メソッドに変更**してください。

▼ step07\Figure.java

```
1  // 抽象クラス
2  public abstract class Figure {
3
4      // フィールド（X座標、Y座標）
5      protected int x, y;
6
7      // コンストラクタ
8      public Figure(int x, int y) {
9          this.x=x;
10         this.y=y;
11     }
12
13     // 通常のメソッド（情報の先頭部分を出力）
14     protected void header(String name) {
15         System.out.printf("%s (%d,%d) ", name, x, y);
16     }
17
18     // 抽象メソッド（情報を出力、サブクラスでオーバーライド）
19     public abstract void draw();
20 }
```

　上記のプログラムでは、Figureクラスとdrawメソッドに、それぞれabstractキーワードを追加して、抽象クラスと抽象メソッドに変更しました。drawメソッドに関しては、{}というブロックを;に書き換えました。

　他のクラスへの変更はありません。次のようにコンパイル・実行すると、前問と同じ実行結果が得られます。

```
> javac step07/*.java
> java -cp step07 Canvas
rectangle (100,200) size:11x22    ← Rectangleクラスのdrawメソッド
circle (300,400) radius:34        ← Circleクラスのdrawメソッド
```

　前述のように、抽象クラスのインスタンスは生成できません。Figureクラスを使っ
て確認してみましょう。Canvasクラスの配列figureに対し、Figureインスタンスを
座標 (500, 600) で生成して追加してください。

　コンパイルすると、次のようなエラーが表示されます。Figureクラスは抽象クラ
スなので、インスタンスが生成できません。

```
> javac step07/*.java
> java -cp step07 Canvas
step07\Canvas.java:8: エラー :
Figureはabstractです。インスタンスを生成することはできません
                    new Figure(500, 600)
                    ^
エラー 1個
```

　このように、あるクラスを抽象クラスにすると、インスタンスの生成を禁止でき
ます。なお、抽象メソッドがないクラスについても、abstractを付けて宣言すれば、
抽象クラスにできます。

　オーバーライドの土台として働く、抽象メソッドと抽象クラスについて学びまし
た。次は、superキーワードを使って、スーパークラスのメソッドを呼び出す方法
を学びましょう。

column

抽象メソッドや抽象クラスを使うかどうかの判断

　オーバーライドの土台となるメソッドは、何も処理をしない通常のメソッドとして
宣言する方法と、抽象メソッドとして宣言する方法があります。どちらを選択するべ
きかは、そのクラスのインスタンスを生成するかどうか、で判断するとよいでしょう。
　インスタンスを生成する場合は、通常のメソッドとして宣言します。生成しない場
合は、抽象メソッドとして宣言したうえで、クラスも抽象クラスとして宣言します。

superでスーパークラスのメソッドを呼び出す

　サブクラスはスーパークラスのメソッドを継承します。継承したメソッドは、クラス内のメソッドと同じ方法で呼び出せます。例えば、Figureクラスから継承したheaderメソッドは、RectangleクラスやCircleクラスにおいて、「header()」のように通常の方法で呼び出せます。

　一方で、スーパークラスのメソッドをサブクラスでオーバーライドした場合は、後者(サブクラス側のメソッド)が呼び出されます。前者(スーパークラスのメソッド)を呼び出したい場合には、メソッド名が同じなので、通常の方法では呼び出せません。前者を呼び出すには、次のようにsuper(スーパー)キーワードを使います。

▎superを使ったスーパークラスのメソッド呼び出し

```
super.メソッド名(引数, …)
```

　上記のsuperは、スーパークラスのインスタンスを表します。thisとの違いに注意してください。thisはクラス(ここではサブクラス)自身のインスタンスを表します。

　superはフィールドにも適用できます。スーパークラスから継承したフィールドは、通常はフィールド名だけでアクセスできます。一方、サブクラスで同じ名前のフィールドを宣言した場合は、継承したフィールドが隠されてしまい、通常の方法では読み書きできなくなります。この場合は、次のようにsuperを使って書きます。

▎superを使ったスーパークラスのフィールドの読み書き

```
super.フィールド名
```

　superを使ってメソッドを呼び出してみましょう。Circle(円)クラスをスーパークラスとし、新たにFlowerCircle(花丸)クラスをサブクラスとして宣言します。

問題⑮ FlowerCircleクラスを宣言し、コンストラクタとdrawメソッドを宣言します。drawメソッドでは、「flower(空白)」と出力した後に、スーパークラスのdrawメソッドを呼び出してください。出力の結果が「flower circle (X座標, Y座標) radius:半径」の形式になるようにします。

▼step08\FlowerCircle.java

```
 1  // FlowerCircleクラス（Circleクラスのサブクラス）
 2  class FlowerCircle extends Circle {
 3
 4      // コンストラクタ
 5      public FlowerCircle(int x, int y, int radius) {
 6          super(x, y, radius);
 7      }
 8
 9      // メソッド（花丸の情報を出力、オーバーライド）
10      @Override public void draw() {
11          System.out.print("flower ");
12
13          // スーパークラスのdrawメソッドを呼び出し
14          super.draw();
15      }
16  }
```

　上記のdrawメソッドでは、superを使って、スーパークラスのdrawメソッドを呼び出します。もし「super.draw()」ではなく「draw()」と書いてしまうと、上記のdrawメソッド自身を呼び出してしまいます。呼び出されたdrawメソッドでは、またdrawメソッド自身を呼び出して…という具合に、drawメソッドが無限に呼び出される結果になります。

　FlowerCircleクラスを使ってみましょう。 問題⓰ **Canvasクラスの配列figureに対し、FlowerCircleインスタンスを座標（500, 600）、半径56で生成して追加**してください。

▼step08\Canvas.java

```
 1  public class Canvas {
 2      public static void main(String[] args) {
 3
 4          // 配列の宣言と初期化
 5          Figure[] figure={
 6              new Rectangle(100, 200, 11, 22),
 7              new Circle(300, 400, 34),
 8              new FlowerCircle(500, 600, 56)
 9          };
10
```

```
11              // 各要素に対してdrawメソッドを呼び出す
12              for (Figure f: figure) {
13                  f.draw();
14              }
15          }
16  }
```

他のクラスは前問のままで、次のようにコンパイル・実行してください。以下の実行結果のように、FlowerCircleクラスのdrawメソッドにおいて、Circleクラスのdrawメソッドを呼び出せていることが確認できます。

```
> javac step08/*.java
> java -cp step08 Canvas
rectangle (100,200) size:11x22      ← Rectangleインスタンスの出力
circle (300,400) radius:34          ← Circleインスタンスの出力
flower circle (500,600) radius:56   ← FlowerCircleインスタンスの出力
```

FlowerCircleクラスのdrawメソッドについて、superを使わないとどうなるか、実験してみましょう。FlowerCircleクラスのdrawメソッドにおいて、「super.draw()」を「draw()」に書き換えてください。

コンパイル・実行すると、次のようにjava.lang.StackOverflowError（ジャバ・ラング・スタック・オーバーフロー・エラー）という例外が発生して、プログラムが異常終了します。これは、メソッドの呼び出しに使うスタックというメモリ領域を使い尽くしてしまったという例外です。

```
> javac step08/*.java
> java -cp step08 Canvas
flower flower flower flower flower flower flower flower flower …
Exception in thread "main" java.lang.StackOverflowError
        at java.base/java.io.PrintStream.write(PrintStream.java:792)
        at java.base/java.io.PrintStream.print(PrintStream.java:1002)
        at FlowerCircle.draw(FlowerCircle.java:11)
        at FlowerCircle.draw(FlowerCircle.java:14)
        …
```

スーパークラスとサブクラスに、メソッド名と引数の構成が同じメソッドがある

ときに、superキーワードを使って、スーパークラスのメソッドを呼び出す方法を学びました。次は、継承やオーバーライドを制限する方法を学びましょう。

⛴ finalで継承やオーバーライドを禁止する

final（ファイナル、最終の）修飾子は、値が変わらない変数（Chapter4）を宣言するために使いますが、クラスやメソッドと組み合わせる使い方もあります。finalを使うと、継承やオーバーライドを禁止できます。

finalクラス（finalを付けたクラス）は、次のように宣言します。アクセス修飾子（ここではpublic）とfinalの順序を逆にして、「final public」と書いても構いません。

| finalクラスの宣言

```
public final class クラス名 {
    …
}
```

finalクラスは、継承（サブクラスの作成）を禁止するために使います。あるクラスの機能が完結していて、サブクラスで機能の拡張や変更をさせたくない場合にfinalクラスにします。

finalクラスを使ってみましょう。Circleクラスをfinalクラスにしてみます。Circleクラスの宣言を、「public class Circle」から「public final class Circle」に変更してください。

コンパイルすると、次のようなエラーが表示されます。Circleクラスをfinalクラスにしたので、サブクラスであるFlowerCircleクラスを宣言できなくなります。以下のエラーを確認したら、Circleクラスの宣言からfinalを削除して、元に戻しておいてください。

```
> javac step08/*.java
step08\FlowerCircle.java:2: エラー : final Circleからは継承できません
class FlowerCircle extends Circle {
                           ^
エラー 1個
```

次はfinalメソッドについて学びましょう。finalメソッド（finalを付けたメソッド）は、クラスの中で次のように宣言します。アクセス修飾子とfinalの順序は、逆にし

ても構いません。

| finalメソッドの宣言

```
アクセス修飾子 final 戻り値型 メソッド名(型 引数名, …) {
    …
}
```

　finalメソッドは、オーバーライドを禁止するために使います。あるメソッドの内容が完結していて、サブクラスで内容を変更させたくない場合にfinalメソッドにします。

　finalメソッドを使ってみましょう。Circleクラスのdrawメソッドをfinalメソッドにしてみます。Circleクラスのdrawメソッドの宣言を、「@Override public void draw」から「@Override public final void draw」に変更してください。

　コンパイルすると、次のようなエラーが表示されます。Circleクラスのdrawメソッドをfinalメソッドにしたので、サブクラスのFlowerCircleクラスにおいて、drawメソッドをオーバーライドできなくなります。

```
> javac step08/*.java
step08\FlowerCircle.java:10: エラー:
FlowerCircleのdraw()はCircleのdraw()をオーバーライドできません
        @Override public void draw() {
                              ^
  オーバーライドされたメソッドはfinalです
エラー 1個
```

　finalを使って継承やオーバーライドを禁止する方法を学びました。次はクラスに似ているものの、クラスとは異なるインタフェースについて学びましょう。

 column

sealedクラス

　sealedクラスはfinalクラスに似た機能です。sealedは「封印した」という意味で、英語ではシールドと読みますが、sealedクラスは日本語ではシールクラスと呼ばれています。finalクラスはサブクラスの作成を全面的に禁止しますが、sealedクラスは指定したサブクラスの作成だけを許可します。

何個でも実装できる
インタフェース

　継承を使うと複数のクラスを階層化できます。例えば本章では、Figueをスーパークラスとし、RectangleとCircleをサブクラスとして宣言しています。さらにCircleをスーパークラスとし、FlowerCircleをサブクラスとして宣言しました。このようにスーパークラスとサブクラスの関係を使って、クラスの階層を作ることで、関連性があるクラスを整理できます。

▼ クラスの階層

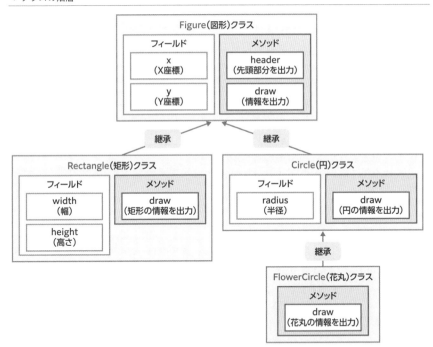

　ここで気になるのは、Javaは単一継承のみに対応しているので、サブクラスが指定できるスーパークラスが1つだけに制限されていることです。つまり、あるクラスの階層に所属しているクラスは、別のクラスの階層に同時には所属できません。

　多くの場合は単一継承でも問題がないのですが、あるクラスを複数の階層に所属

させたくなることも時々あります。こんなときに役立つのが、これから学ぶインタフェースです。インタフェースを使うと、クラスの階層とは別の方法で、関連性があるクラスを整理できます。

クラスの階層に所属するクラスを宣言する

インタフェースについて学ぶための準備と、継承の復習を兼ねて、新しいクラスを宣言してみましょう。Figureをスーパークラスとして、Label（ラベル）というサブクラスを新たに宣言します。Labelクラスは、図形描画プログラムにおける、テキストを配置する機能を想定したクラスです。

Labelクラスを宣言しましょう。 問題⑰ **LabelクラスをFigureクラスのサブクラスとして宣言し、テキストを表すtextフィールドを、String型で宣言します。さらに、コンストラクタとdrawメソッドを宣言**してください。コンストラクタでは、xとyのフィールドはsuperキーワードを使って初期化し、textフィールドは通常の代入を使って初期化します。drawメソッドが出力する情報は、「label (X座標,Y座標) text:テキスト」の形式にします。

▼step09\Label.java

```
 1  // Labelクラス（Figureクラスのサブクラス）
 2  public class Label extends Figure {
 3
 4      // フィールド（テキスト）
 5      private String text;
 6
 7      // コンストラクタ
 8      public Label(int x, int y, String text) {
 9          super(x, y);
10          this.text=text;
11      }
12
13      // メソッド（ラベルの情報を出力、オーバーライド）
14      @Override public void draw() {
15          header("label");
16          System.out.println("text:"+text);
17      }
18  }
```

上記のLabelクラスでは、Figureクラスのdrawメソッドをオーバーライドしています。情報の先頭部分を出力するには、RectangleクラスやCircleクラスと同様に、Figureクラスから継承したheaderメソッドを使います。

　Labelクラスを利用してみましょう。 問題⓲ **Canvasクラスの配列figureに対して、Labelインスタンスを座標 (700, 800)、テキスト「Hello」で生成して追加**してください。

▼ step09\Canvas.java

```
 1  public class Canvas {
 2      public static void main(String[] args) {
 3
 4          // 配列の宣言と初期化
 5          Figure[] figure={
 6              new Rectangle(100, 200, 11, 22),
 7              new Circle(300, 400, 34),
 8              new FlowerCircle(500, 600, 56),
 9              new Label(700, 800, "Hello")
10          };
11
12          // 各要素に対してdrawメソッドを呼び出す
13          for (Figure f: figure) {
14              f.draw();
15          }
16      }
17  }
```

　他のクラスは前問のままで、次のようにコンパイル・実行してください。ラベルの出力が追加されたことが確認できます。

```
> javac step09/*.java
> java -cp step09 Canvas
rectangle (100,200) size:11x22        ← 矩形、サイズ11×22
circle (300,400) radius:34            ← 円、半径34
flower circle (500,600) radius:56     ← 花丸、半径56
label (700,800) text:Hello           ← ラベル、テキスト「Hello」
```

347

今までのクラスと同じクラスの階層に、新しくLabelクラスを追加しました。次は、このクラスの階層に所属しないクラスを宣言してみましょう。

クラスの階層に所属しないクラスを宣言する

インタフェースについて学ぶための準備をもう少し続けます。まずは、前問で作成したLabelクラスを改造してみましょう。テキストの文字列を出力する機能を追加します。**問題⑲ Labelクラスに対して、textフィールドを出力するprintメソッドを追加**してください。

▼step10\Label.java

```
1  public class Label extends Figure {
2
3      // フィールド（テキスト）
4      private String text;
5
6      // コンストラクタ
7      public Label(int x, int y, String text) {
8          super(x, y);
9          this.text=text;
10     }
11
12     // メソッド（ラベルの情報を出力、オーバーライド）
13     @Override public void draw() {
14         header("label");
15         System.out.println("text:"+text);
16     }
17
18     // メソッド（テキストを出力）
19     public void print() {
20         System.out.println(text);
21     }
22 }
```

次に、Figureをスーパークラスとするクラスの階層には属さない、新しいクラスを宣言してみましょう。テキストエディタのプログラムを開発することを想定して、ソースコードを扱うためのCode（コード）クラスを宣言します。

Codeクラスには、ソースコードを格納するcodeフィールドと、ソースコードの

文字列を出力するprint（プリント、出力する）メソッドを宣言することにします。

問題⑳ **Codeクラスを宣言し、String型のcodeフィールド、コンストラクタ、print メソッドを宣言**してください。

▼step10\Code.java

```java
 1  public class Code {
 2
 3      // フィールド（コード）
 4      private String code;
 5
 6      // コンストラクタ
 7      public Code(String code) {
 8          this.code=code;
 9      }
10
11      // メソッド（コードを出力）
12      public void print() {
13          System.out.println(code);
14      }
15  }
```

LabelクラスとCodeクラスを利用してみましょう。テキストエディタのプログラムを想定して、新しくEditor（エディタ）クラスを宣言します。**問題㉑** **Editorクラスを宣言し、mainメソッドを宣言します。Labelインスタンスを座標（700, 800）、テキスト「Hello」で生成し、printメソッドを呼び出します。さらに、Codeインスタンスをソースコード「public void main(String[] args)」で生成し、printメソッドを呼び出して**ください。

▼step10\Editor.java

```java
 1  public class Editor {
 2      public static void main(String[] args) {
 3
 4          // Labelインスタンスを生成し、テキストを出力
 5          Label l=new Label(700, 800, "Hello");
 6          l.print();
 7
 8          // Codeインスタンスを生成し、コードを出力
 9          Code c=new Code("public void main(String[] args)");
```

```
10          c.print();
11      }
12  }
```

　次のようにコンパイル・実行してください。LabelクラスとCodeクラスについて、
それぞれprintメソッドの出力が得られます。

```
> javac step10/*.java
> java -cp step10 Editor
Hello                              ← Labelクラスのprintメソッド
public void main(String[] args)    ← Codeクラスのprintメソッド
```

　今までのクラスの階層には所属しない、新しいCodeクラスを作成しました。次
はいよいよ、インタフェースについて学びます。

インタフェースを使ってクラスとは別の階層を作る

　作成したLabelクラスとCodeクラスを見比べてみてください。いずれのクラスに
も、文字列(テキストとコード)を出力するprintメソッドがあります。本章で学ん
だように継承とオーバーライドを使えば、LabelインスタンスとCodeクラスを一括
して管理することで、プログラムを簡潔にできそうです。

　例えば、Printable(プリンタブル、出力可能)というスーパークラスを宣言し、
その中でprintメソッドを宣言することを考えてみましょう。LabelクラスとCodeク
ラスは、Printableクラスのサブクラスとして宣言し、printメソッドをオーバーラ
イドします。

　この方法の問題は、Labelクラスのスーパークラスが、FigureクラスとPrintable
クラスの2個になってしまうことです。Javaは単一継承なので、指定できるスーパー
クラスは1つだけです。LabelクラスをFigureクラスの階層に所属させるか、
Printableクラスの階層に所属させるか、どちらか一方に絞らなくてはなりません。

▼ 単一継承の制限

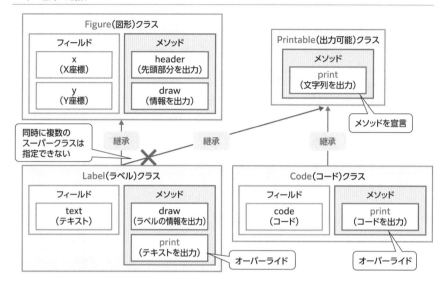

このような場合に役立つのがインタフェースです。インタフェースを使うと、クラスの階層とは別の方法で、関連性があるクラスを整理できます。

具体的には、Printableクラスを宣言するかわりに、Printableインタフェースを宣言し、その中でprintメソッドを宣言します。LabelクラスとCodeクラスについては、Printableインタフェースに対応させるために、クラスの宣言を変更します。

クラスをインタフェースに対応させることを、Javaでは実装と呼びます。例えば、Printableインタフェースに対応させる場合は、「Printableインタフェースを実装する」と表現します。

クラスの継承とインタフェースの実装は併用できます。例えばLabelクラスは、Figureクラスを継承するのと同時に、Printableインタフェースを実装できます。インタフェースは何個でも実装できるので、他のインタフェースを同時に実装することも可能です。

▼ クラスの継承とインタフェースの実装を併用する

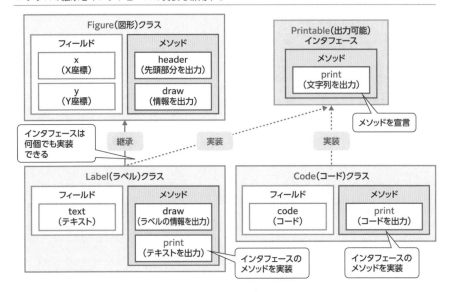

　上記の図では、クラスが実装するインタフェースを、クラスからインタフェース
に向かう破線の矢印で示しました。前述のUMLでは、クラスからインタフェース
に向かう破線の白抜きの矢印を使います。

　インタフェースは次のように宣言します。クラスの宣言に似ていますが、インタ
フェースの宣言にはinterface（インタフェース）キーワードを使います。アクセス
修飾子については、public以外も指定できます（Chapter12）。

インタフェースの宣言

```
public interface インタフェース名 {
    宣言
    …
}
```

　インタフェース名は識別子（Chapter4）の一種です。クラス名と同様の方法で命
名してください。

　クラスと同様に、インタフェースの中にはフィールドやメソッドなどの宣言を書
きます。これらのメンバはクラスのメンバとは性質が異なります。

● フィールド

デフォルトで「public static final」の修飾子が付きます。つまり、全てのクラスからアクセス可能（public）で、クラス変数（static）で、変更不可能な定数（final）になります。

● メソッド

デフォルトで「public」の修飾子が付くので、全てのクラスからアクセス可能になります。また、抽象メソッドのように；（セミコロン）だけを書くか、通常のメソッドのように{}のブロックを書いて処理を記述するかを選べます。；を書いた場合は、抽象メソッドをサブクラスでオーバーライドする必要があるのと同様に、インタフェースを実装したクラスでメソッドを再び宣言する必要があります。

● コンストラクタ

宣言できません。また抽象クラスと同様に、インタフェースのインスタンスは生成できません。

簡単にまとめると、インタフェースのフィールドは定数のクラス変数のみで、メソッドは抽象メソッドか通常のメソッドかが選べます。インタフェースは抽象クラスに似ていますが、インスタンス変数は持てません。

クラスと同様に、インタフェースは「インタフェース名.java」というファイルで宣言するのが基本です。Printableインタフェースを、Printable.javaファイルで宣言してみましょう。 **問題㉒ Printableインタフェースを宣言し、その中でprintメソッドを宣言**してください。printメソッドは、LabelクラスとCodeクラスに合わせて、戻り値も引数も無しとします。アクセス修飾子は記述しません。

▼step11\Printable.java

```
1  public interface Printable {
2      void print();
3  }
```

インタフェースを宣言したら、次はインタフェースを実装します。インタフェースを実装するクラスは、implements（インプリメンツ、実装する）キーワードを使って、次のように宣言します。インタフェース名を,（カンマ）で区切って並べれば、

複数のインタフェースを同時に実装することもできます。

▌インタフェースの実装

```
public class クラス名 implements インタフェース名, … {
    …
}
```

　継承とインタフェースを併用する場合は、extendsとimplementsを同時に使って、次のようにクラスを宣言します。インタフェース名とは異なり、指定できるスーパークラス名は1つだけであることに注意してください。なお、以下では紙面の都合で、implementsの前で改行しましたが、この改行は必須ではありません。

▌インタフェースの実装（継承と併用）

```
public class クラス名 extends スーパークラス名
    implements インタフェース名, … {
    …
}
```

　Printableインタフェースを、LabelクラスとCodeクラスで実装してみましょう。

問題㉓ LabelクラスとCodeクラスの宣言を、Printableインタフェースを実装するように変更したうえで、printメソッドに@Overrideアノテーションを付加してください。

▼step11\Label.java

```
 1  // Labelクラス（Figureクラスを継承、Printableインタフェースを実装）
 2  public class Label extends Figure implements Printable {
 3
 4      // フィールド（テキスト）
 5      private String text;
 6
 7      // コンストラクタ
 8      public Label(int x, int y, String text) {
 9          super(x, y);
10          this.text=text;
11      }
12
13      // Figureクラスのdrawメソッドをオーバーライド
14      @Override public void draw() {
15          header("label");
16          System.out.println("text:"+text);
```

```
17      }
18
19      // Printableインタフェースのprintメソッドを実装
20      @Override public void print() {
21          System.out.println(text);
22      }
23  }
```

▼ step11\Code.java

```
 1  // Codeクラス（Printableインタフェースを実装）
 2  public class Code implements Printable {
 3
 4      // フィールド（コード）
 5      private String code;
 6
 7      // コンストラクタ
 8      public Code(String code) {
 9          this.code=code;
10      }
11
12      // Printableインタフェースのprintメソッドを実装
13      @Override public void print() {
14          System.out.println(code);
15      }
16  }
```

　上記のprintメソッドのように、インタフェースで宣言したメソッドを、インタフェースを実装したクラスで再び宣言することを、「メソッドを実装する」と表現します。形式としては、スーパークラスで宣言したメソッドを、サブクラスでオーバーライドすることに似ています。

　Printableインタフェースのprintメソッドのように、インタフェースで抽象メソッドのように宣言したメソッドは、インタフェースを実装したクラスにおいて忘れずに実装する必要があります。オーバーライドと同様に、メソッドに@Overrideアノテーションを付加しておくと、実装の失敗を知らせる働きがあります。

　これで準備は整いました。Printableインタフェースを使って、LabelインスタンスとCodeインスタンスを、一括して管理してみましょう。

　Editorクラスを変更します。**問題❷❹ Printable型の配列printableを宣言し、Label インスタンスとCodeインスタンスを生成して格納したうえで、各要素に対して printメソッドを呼び出す**プログラムを書いてください。LabelクラスとCodeクラ スのコンストラクタに渡す引数は、前問のEditorクラスと同じにします。

▼step11\Editor.java

```
 1  public class Editor {
 2      public static void main(String[] args) {
 3
 4          // 配列の宣言と初期化
 5          Printable[] printable={
 6              new Label(700, 800, "Hello"),
 7              new Code("public void main(String[] args)")
 8          };
 9
10          // 各要素に対してdrawメソッドを呼び出す
11          for (Printable p: printable) {
12              p.print();
13          }
14      }
15  }
```

　上記のプログラムでは、インタフェースであるPrintable型の配列printableに、 Printableインタフェースを実装したLabelとCodeのインスタンスを、一括して格納 しています。Canvasクラスにおいて、Figure型の配列figureにサブクラスのインス タンスを一括して格納したことに似ています。

　次のようにプログラムをコンパイルし、CanvasクラスとEditorクラスを実行して みてください。Labelクラスは、Figureをスーパークラスとするクラスの階層に所 属しながら、Printableインタフェースを実装するグループにも所属できています。 このように、クラスの階層とは別にグループを作れることがインタフェースの利点 です。

```
> javac step11/*.java
> java -cp step11 Canvas            ← Canvasクラスを実行
rectangle (100,200) size:11x22     ← Rectangleクラスのdrawメソッド
circle (300,400) radius:34         ← Circleクラスのdrawメソッド
flower circle (500,600) radius:56  ← FlowerCircleクラスのdrawメソッド
label (700,800) text:Hello         ← Labelクラスのdrawメソッド

> java -cp step11 Editor           ← Editorクラスを実行
Hello                              ← Labelクラスのprintメソッド
public void main(String[] args)    ← Codeクラスのprintメソッド
```

　クラスの階層とは別の方法で、関連性があるクラスを整理できる、インタフェースについて学びました。次は全てのクラスのスーパークラスである、Objectクラスについて学びましょう。

04 Objectは全てのクラスの スーパークラス

　Object（オブジェクト）クラスは、Javaが提供するクラスの1つで、あらゆるクラスのスーパークラスです。クラスを宣言したときに明示的にスーパークラスを指定しないと、Objectクラスが直接のスーパークラスになります。本章で作成した例では、FigureクラスとCodeクラスについては、Objectクラスが直接のスーパークラスです。

▼ Objectクラス

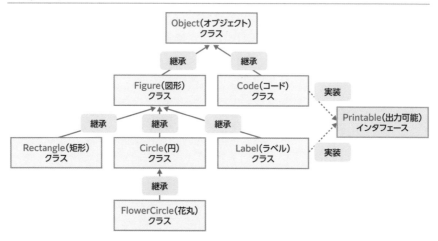

　Objectクラスは、オブジェクトに関する基本的な機能を提供します。本章で作成したクラスを題材に、Objectクラスの機能を学んでみましょう。

インスタンスを一括して管理する

　既に学んだように、スーパークラス型の変数や配列には、サブクラスのインスタンスを一括して格納できます。Objectクラスは全てのクラスのスーパークラスなので、Object型の変数や配列には、あらゆるクラスのインスタンスを格納できます。

　Object型の配列に、LabelクラスとCodeクラスのインスタンスを一括して格納してみましょう。Editorクラスを変更します。 問題 25 Object型の配列objectを宣言し、

Labelインスタンスと**Code**インスタンスを生成して格納したうえで、**System.out.**
printlnメソッドで各要素を出力するプログラムを書いてください。Labelクラスと
Codeクラスのコンストラクタに渡す引数は、前問のEditorクラスと同じにします。

▼ step12\Editor.java

```java
 1  public class Editor {
 2      public static void main(String[] args) {
 3
 4          // 配列の宣言と初期化
 5          Object[] object={
 6              new Label(700, 800, "Hello"),
 7              new Code("public void main(String[] args)")
 8          };
 9
10          // 各要素を出力
11          for (Object o: object) {
12              System.out.println(o);
13          }
14      }
15  }
```

　上記のように、System.out.printlnメソッドでインスタンスを出力すると、以下
のような「クラス名@ハッシュ値」という形式の情報が出力されます。ハッシュ値
というのは、個々のインスタンスを区別するための整数で、HashMapクラス
（Chapter13）などで使います。

```
> javac step12/*.java
> java -cp step12 Editor
Label@27716f4   ← Labelクラス、ハッシュ値27716f4
Code@8efb846    ← Codeクラス、ハッシュ値8efb846
```

　上記の「クラス名@ハッシュ値」という文字列は、ObjectクラスのtoString（トゥ・
ストリング）メソッドが作成しています。LabelクラスやCodeクラスは、Objectク
ラスのサブクラスなので、toStringメソッドを継承しています。

　Object型の配列に、いろいろなクラスのインスタンスを一括して格納する方法を
学びました。次はtoStringメソッドについて学びましょう。

toStringメソッドはオブジェクトを文字列で表現する

Objectクラスの toString メソッドは、オブジェクトを表現する文字列を返すメソッドです。Objectクラスのサブクラス、つまり任意のクラスにおいて toString メソッドをオーバーライドすると、オブジェクトを表現する文字列を独自の形式に変更できます。

toString メソッドは次のようにオーバーライドします。以下で文字列の部分には、結果（式を評価した結果の値）が文字列になる式を書きます。

| toStringメソッドのオーバーライド

```
@Override public String toString() {
    …
    return 文字列;
}
```

toString メソッドをオーバーライドしてみましょう。 問題26 Labelクラスは「Label: テキスト」という文字列を、Codeクラスは「Code: コード」という文字列を返すように、各クラスで toString メソッドをオーバーライドしてください。

▼ step13\Label.java

```
 1  public class Label extends Figure implements Printable {
 2
 3      // フィールド（テキスト）
 4      private String text;
 5
 6      // コンストラクタ
 7      public Label(int x, int y, String text) {
 8          super(x, y);
 9          this.text=text;
10      }
11
12      // Figureクラスのdrawメソッドをオーバーライド
13      @Override public void draw() {
14          header("label");
15          System.out.println("text:"+text);
16      }
17
18      // Printableインタフェースのprintメソッドを実装
19      @Override public void print() {
```

```
20          System.out.println(text);
21      }
22
23      // ObjectクラスのtoStringメソッドをオーバーライド
24      @Override public String toString() {
25          return "Label: "+text;
26      }
27 }
```

▼ step13\Code.java

```
 1 public class Code implements Printable {
 2
 3      // フィールド（コード）
 4      private String code;
 5
 6      // コンストラクタ
 7      public Code(String code) {
 8          this.code=code;
 9      }
10
11      // Printableインタフェースのprintメソッドを実装
12      @Override public void print() {
13          System.out.println(code);
14      }
15
16      // ObjectクラスのtoStringメソッドをオーバーライド
17      @Override public String toString() {
18          return "Code: "+code;
19      }
20 }
```

　他のクラスは前問のままで、次のようにコンパイル・実行してください。各クラスでオーバーライドしたtoStringメソッドが呼び出されていることが確認できます。

```
> javac step13/*.java
> java -cp step13 Editor
Label: Hello                        ← LabelクラスのtoStringメソッド
Code: public void main(String[] args)  ← CodeクラスのtoStringメソッド
```

　Objectクラスのto Stringメソッドをオーバーライドして、オブジェクトを表現する文字列を変更する方法を学びました。次はインスタンスの型を判定する、instanceof演算子について学びましょう。

インスタンスの型を判定するinstanceof演算子

　instanceof（インスタンス・オブ）は、インスタンスの型を判定する演算子です。「instance of」は「…のインスタンス」を意味します。

　instanceof演算子は次のように使います。以下でインスタンスの部分には、結果がインスタンスになる式（例えばインスタンスを格納した変数など）を書きます。インスタンスを指定した参照型に変換できる場合、instanceof演算子はtrueを返します。変換できない場合はfalseを返します。

┃ instanceof演算子

```
インスタンス instanceof 参照型
```

　上記の参照型にクラスやインタフェースを指定したとき、インスタンスを指定した参照型に変換できるのは、次のような場合です。サブクラスのインスタンスである場合や、インタフェースを実装したクラスのインスタンスである場合も、含まれることに注目してください。

・指定したクラスのインスタンスである場合
・指定したクラスのサブクラスのインスタンスである場合
・指定したインタフェースを実装したクラスのインスタンスである場合

　パターンマッチングという機能を併用すると、instanceof演算子がtrueを返したときに、指定した変数にインスタンスを格納できます。インスタンスが特定の型の場合に、インスタンスをその型に変換したうえで処理を続けたいときに便利な機能です。

┃ instanceof演算子（パターンマッチング）

```
インスタンス instanceof 参照型 変数名
```

　instanceof演算子を使ってみましょう。 問題27 **Editorクラスにおいて、各要素を出力する処理を改造し、Figureクラスのインスタンスに対しては、drawメソッドを呼び出す**ように変更してください。if文とinstanceof演算子を組み合わせます。

▼ step14\Editor.java

```java
 1  public class Editor {
 2      public static void main(String[] args) {
 3
 4          // 配列の宣言と初期化
 5          Object[] object={
 6              new Label(700, 800, "Hello"),
 7              new Code("public void main(String[] args)")
 8          };
 9
10          // 各要素を出力
11          for (Object o: object) {
12
13              // Figureクラスのインスタンスに対しては、
14              // drawメソッドを呼び出す
15              if (o instanceof Figure f) {
16                  f.draw();
17              }
18
19              // それ以外の場合は、
20              // System.out.printlnメソッドで出力
21              else {
22                  System.out.println(o);
23              }
24          }
25      }
26  }
```

　上記のプログラムでは、instanceof演算子とパターンマッチングを併用しました。
変数oのインスタンスがFigureクラスまたはサブクラスのインスタンスならば、
instanceof演算子はtrueを返し、さらにインスタンスが変数fに格納されます。この
変数fを使ってdrawメソッドを呼び出します。

　次のようにコンパイル・実行してみてください。LabelクラスはFigureクラスの
サブクラスなので、instance演算子はtrueを返し、if文の条件が成立するので、
drawメソッドが呼び出されます。CodeクラスはFigureクラスのサブクラスではな
いので、instanceof演算子はfalseを返し、System.out.printlnメソッドが呼び出され、
toStringメソッドが返した文字列が出力されます。

```
> javac step14/*.java
> java -cp step14 Editor
label (700,800) text:Hello          ← Labelクラスのdrawメソッド
Code: public void main(String[] args)  ← CodeクラスのtoStringメソッド
```

　instanceof演算子を使ってインスタンスの型を判定する方法を学びました。次は switch文やswitch式と、パターンマッチングを併用する方法を学びましょう。

switchにパターンマッチングを組み合わせる

　instanceof演算子で使ったパターンマッチングは、Chapter5で学んだswitch文やswitch式でも使えます。以下は->（アロー）を使った記法ですが、:（コロン）を使っても書けます。

▎switch文・switch式（パターンマッチング）

```
switch (セレクタ式) {
    case 参照型A 変数名A -> 式A;
    case 参照型B 変数名B -> 式B;
    …
    default -> 式X;
}
```

　上記に対して、さらにガードと呼ばれる条件を書くこともできます。次のようにwhen（ウェン）キーワードと条件式を書くと、条件式の値がtrue（成立）のときだけ、そのcaseを実行します。

▎switch文・switch式（パターンマッチングとガード）

```
switch (セレクタ式) {
    case 参照型A 変数名A when 条件式A -> 式A;
    case 参照型B 変数名B when 条件式B -> 式B;
    …
    default -> 式X;
}
```

　switch文とパターンマッチングを使ってみましょう。**問題28 前問のEditorクラスにおける、if文とinstanceof演算子の処理を、switch文とパターンマッチングを使って書き換え**てください。

▼ step15\Editor.java

```java
 1  public class Editor {
 2      public static void main(String[] args) {
 3
 4          // 配列の宣言と初期化
 5          Object[] object={
 6              new Label(700, 800, "Hello"),
 7              new Code("public void main(String[] args)")
 8          };
 9
10          // 各要素を出力
11          for (Object o: object) {
12
13              // switch文とパターンマッチング
14              switch (o) {
15
16                  // Figureクラスのインスタンスに対しては、
17                  // drawメソッドを呼び出す
18                  case Figure f -> f.draw();
19
20                  // それ以外の場合は、
21                  // System.out.printlnメソッドで出力
22                  default -> System.out.println(o);
23              }
24          }
25      }
26  }
```

次のようにコンパイル・実行してみてください。実行結果は前問と同じです。

```
> javac step15/*.java
> java -cp step15 Editor
label (700,800) text:Hello                  ← Labelクラスのdrawメソッド
Code: public void main(String[] args)       ← CodeクラスのtoStringメソッド
```

switchとパターンマッチングの併用は、JDKのバージョン21から正式に採用された機能です。JDKのバージョンが21よりも古い場合は、コンパイル・実行の際に、プレビュー機能(試作中の機能)を有効にする必要があります。

　次のように、javac（Javaコンパイラ）やjava（JVM）のバージョンを確認したうえ
で、コンパイル・実行の際にオプションを追加してください。「--enable-preview」
はプレビュー機能を有効にするオプションで、「--release」はバージョンを指定す
るオプションです。「--release 19」の「19」の部分は、お使いのバージョンに合わ
せてください。

```
> javac -version                                          ← コンパイラ
javac 19.0.2                                              ← バージョン

> java -version                                           ← JVM
openjdk version "19.0.2" 2023-01-17                       ← バージョン
...

> javac --enable-preview --release 19 step15/*.java      ← コンパイル
> java --enable-preview -cp step15 Editor                ← 実行
```

　さて、インスタンスの型ごとに処理を変えるには、次のような方法があります。
いずれの方法も本章で学びました。

①継承とオーバーライド、またはインタフェースと実装を使う方法
②if文とinstanceof演算子、またはswitch文やswitch式を使う方法

　どちらの方法を使うべきかは、目的によって変わります。本書のおすすめは、基
本的には①の方法を使い、①では対応が難しい例外的な場合に限って②の方法を使
う、という方針です。業務などで方針が決められている場合は、その方針に従って
ください。

> 　本章では継承を使って、似たクラスをまとめる方法を学びました。スーパー
> クラス・サブクラス・オーバーライド・インタフェースといった機能を上手に
> 使うと、関連性があるクラスを整理し、簡潔なプログラムでいろいろな種類の
> インスタンスを管理できます。また、全てのクラスのスーパークラスである、
> Objectクラスについても学びました。
> 　次章では特定の場面で役立つ、特殊なクラスについて学びます。

Chapter9の復習

□継承

問題❶ Rectangleクラスを宣言し、座標を表すxとy、幅と高さを表すwidthとheight の各フィールドをint型で宣言します。さらに、コンストラクタとdrawメ ソッドを宣言してください。drawメソッドが出力する情報は、「rectangle (X 座標,Y座標) size:幅x高さ」の形式にします。　　　　　　　　➡317ページ

問題❷ Canvasクラスを宣言し、mainメソッドを宣言します。Rectangleインスタ ンスを、座標(100, 200)、サイズ11x22で生成し、drawメソッドで情報を 出力してください。　　　　　　　　　　　　　　　　　　　➡318ページ

問題❸ Circleクラスを宣言し、座標を表すxとy、半径を表すradiusの各フィールド を、int型で宣言します。さらに、コンストラクタとdrawメソッドを宣言し てください。drawメソッドが出力する情報は、「circle (X座標,Y座標) radius:半径」の形式にします。　　　　　　　　　　　　　　➡318ページ

問題❹ Canvasクラスを改造し、Circleインスタンスを、座標(300, 400)、半径34 で生成し、drawメソッドで情報を出力する処理を追加してください。

➡319ページ

問題❺ Figureクラスを宣言し、座標を表すxとyのフィールドと、コンストラクタを 宣言してください。　　　　　　　　　　　　　　　　　　　➡321ページ

問題❻ RectangleクラスをFigureクラスのサブクラスとして宣言し、幅と高さを表 すwidthとheightの各フィールドを、int型で宣言します。さらに、コンスト ラクタとdrawメソッドを宣言してください。　　　　　　　➡323ページ

問題❼ CircleクラスをFigureクラスのサブクラスとして宣言し、半径を表すradius フィールドを、int型で宣言します。さらに、コンストラクタとdrawメソッ ドを宣言してください。　　　　　　　　　　　　　　　　➡324ページ

問題⑧ Figureクラスに対して、String型の引数nameを受け取るheaderメソッドを追加し、「名前 (X座標,Y座標)」という情報を出力してください。 ➡326ページ

問題⑨ Rectangleクラスのdrawメソッドを改造し、headerメソッドを呼び出してから、残りの情報を出力するように書き換えてください。 ➡327ページ

問題⑩ Circleクラスのdrawメソッドを改造し、headerメソッドを呼び出してから、残りの情報を出力するように書き換えてください。 ➡327ページ

□ ポリモーフィズム

問題⑪ Figureクラスに対して、drawメソッドの宣言を追加してください。
➡331ページ

問題⑫ Figure型の配列figureを宣言し、RectangleインスタンスとCircleインスタンスを生成して格納したうえで、各要素に対してdrawメソッドを呼び出すプログラムを書いてください。 ➡332ページ

問題⑬ RectangleクラスとCircleクラスのdrawメソッドに、@Overrideアノテーションを追加してください。 ➡334ページ

問題⑭ Figureクラスを抽象クラスに変更し、drawメソッドを抽象メソッドに変更してください。 ➡338ページ

問題⑮ FlowerCircleクラスを宣言し、コンストラクタとdrawメソッドを宣言します。drawメソッドでは、「flower（空白）」と出力した後に、スーパークラスのdrawメソッドを呼び出してください。出力の結果が「flower circle (X座標,Y座標) radius:半径」の形式になるようにします。 ➡340ページ

問題⑯ Canvasクラスの配列figureに対し、FlowerCircleインスタンスを座標(500,600)、半径56で生成して追加してください。 ➡341ページ

□インタフェース

問題⑰ Labelクラスを Figure クラスのサブクラスとして宣言し、テキストを表す
textフィールドを、String型で宣言します。さらに、コンストラクタとdraw
メソッドを宣言してください。drawメソッドが出力する情報は、「label（X
座標,Y座標）text:テキスト」の形式にします。 ➡346ページ

問題⑱ Canvasクラスの配列figureに対して、Labelインスタンスを座標（700,
800）、テキスト「Hello」で生成して追加してください。 ➡347ページ

問題⑲ Labelクラスに対して、textフィールドを出力するprintメソッドを追加して
ください。 ➡348ページ

問題⑳ Codeクラスを宣言し、String型のcodeフィールド、コンストラクタ、code
フィールドを出力するprintメソッドを宣言してください。 ➡349ページ

問題㉑ Editorクラスを宣言し、mainメソッドを宣言します。Labelインスタンスを
座標（700, 800）、テキスト「Hello」で生成し、printメソッドを呼び出します。
さらに、Codeインスタンスをソースコード「public void main(String[]
args)」で生成し、printメソッドを呼び出してください。 ➡349ページ

問題㉒ Printableインタフェースを宣言し、その中でprintメソッドを宣言してくだ
さい。 ➡353ページ

問題㉓ Editorクラスにおいて、LabelクラスとCodeクラスの宣言を、Printableイン
タフェースを実装するように変更したうえで、printメソッドに@Overrideア
ノテーションを付加してください。 ➡354ページ

問題㉔ Printable型の配列printableを宣言し、LabelインスタンスとCodeインスタ
ンスを生成して格納したうえで、各要素に対してprintメソッドを呼び出す
プログラムを書いてください。 ➡356ページ

☐ Objectクラス
問題㉕ Editorクラスにおいて、Object型の配列objectを宣言し、Labelインスタン
スとCodeインスタンスを生成して格納したうえで、System.out.printlnメ
ソッドで各要素を出力してください。➡358ページ

☐ toStringメソッド
問題㉖ Labelクラスは「Label: テキスト」という文字列を、Codeクラスは「Code:
コード」という文字列を返すように、各クラスでtoStringメソッドをオーバー
ライドしてください。➡360ページ

☐ instanceof演算子
問題㉗ Editorクラスにおいて、各要素を出力する処理を改造し、Figureクラスのイ
ンスタンスに対しては、drawメソッドを呼び出すように変更してください。
if文とinstanceof演算子を組み合わせます。➡362ページ

☐ パターンマッチング
問題㉘ 前問のEditorクラスにおける、if文とinstanceof演算子の処理を、switch文
とパターンマッチングを使って書き換えてください。➡364ページ

実践編

Chapter 10

特定の場面で役立つ
特殊なクラス

実はクラスにはいろいろな種類があります。前章までに学んだのは、最も基本的なクラスであり、おそらく最もよく使うクラスです。一方で、特定の場面においては、特殊なクラスが役立ちます。本章ではこういった特殊なクラスを宣言したり、インスタンスを生成したり、活用したりする方法を学びます。

最も基本的なクラスに比べると、本章で学ぶ特殊なクラスは、使用頻度がやや低く、内容も少し難しくなります。本章については、後で必要になったときに学んでも大丈夫です。

本章の学習内容

- ❶ 匿名クラス
- ❷ ネストクラス
- ❸ staticクラス
- ❹ 内部メンバクラス
- ❺ ローカルクラス
- ❻ レコードクラス
- ❼ 列挙型と列挙定数

01 一度きりの用途に便利な
匿名クラス

　匿名クラスは、「1回インスタンスを生成したら終わり」という一度きりの用途に便利なクラスです。例えばGUI（Graphical User Interface、グラフィカル・ユーザ・インタフェース、グイ）を使うプログラムで、ボタンなどをクリックしたときの動作を記述するために、このような一度きりのクラスを使うことがあります。

　匿名クラスはその名の通り、名前が無いクラスです。無名（むめい）クラスとも呼びます。名前を付けないので、クラス名を考えたり、クラス名と同じファイルに記述したり、といった手間が省けます。

　匿名クラスについて学ぶために、まずは匿名クラスを使わないでプログラムを書いてみましょう。次に匿名クラスを使って、プログラムを簡潔に書き直します。

匿名クラスを使わないで書く

　匿名クラスを使わずに、次のようなクラスとインタフェースを書いてみましょう。GUIを使ったプログラムを想定しています。ボタンをクリックしたら、指定したタスク（仕事）が実行されるというプログラムです。

　このプログラムでは、Button（ボタン）クラスとTask（タスク）インタフェースを宣言します。ボタンにはTaskインスタンスを登録しておき、クリックされたらTaskインタフェースのrun（ラン、実行する）メソッドを呼び出して、タスクを実行します。

　ボタンごとに異なるタスクを登録したいので、Taskインタフェースを実装した複数のクラスを宣言し、これらのインスタンスをボタンに登録します。今回は、ファイルを読み込むLoadTask（ロード・タスク）クラスと、ファイルを書き込むSaveTask（セーブ・タスク）クラスを宣言し、それぞれrunメソッドを実装することにします。

▼ ボタンとタスクを使ったプログラムの構成

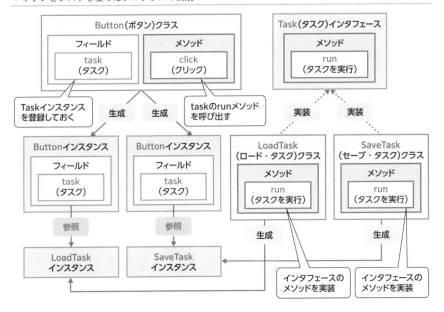

　まずはTaskインタフェースを宣言しましょう。**問題①** **Taskインタフェースを宣言し、引数無し・戻り値無しのrunメソッドを宣言**してください。

▼ anonymous\Task.java

```
1  public interface Task {
2
3      // メソッド（タスクを実行）
4      void run();
5  }
```

　上記でフォルダ名のanonymous（アノニマス）は、匿名という意味です。本章のサンプルプログラムは、chapter10フォルダ内のサブフォルダに収録しました。コンパイルや実行は、chapter10をカレントディレクトリにした状態で、各実行例のように操作してください。

　次はButtonクラスを宣言します。**問題②** **Buttonクラスを宣言し、Task型のtaskフィールド、コンストラクタ、clickメソッドを宣言**してください。コンストラクタは引数をtaskフィールドに設定します。clickメソッドはtaskフィールドを使ってrunメソッドを呼び出します。

▼ anonymous\Button.java

```
 1  public class Button {
 2
 3      // フィールド（タスク）
 4      Task task;
 5
 6      // コンストラクタ
 7      public Button(Task task) {
 8          this.task=task;
 9      }
10
11      // メソッド（クリック）
12      public void click() {
13          task.run();
14      }
15  }
```

　続いては、Taskインタフェースを実装したクラスを宣言します。**問題❸** **Taskイ****ンタフェースを実装したLoadTaskクラスを宣言し、runメソッドを実装**してください。このrunメソッドは「Load」と出力することにします。

▼ anonymous\LoadTask.java

```
 1  // LoadTaskクラス（Taskインタフェースを実装）
 2  public class LoadTask implements Task {
 3
 4      // runメソッドを実装
 5      public void run() {
 6          System.out.println("Load");
 7      }
 8  }
```

　同様に、もう1つクラスを宣言します。**問題❹** **Taskインタフェースを実装した****SaveTaskクラスを宣言し、runメソッドを実装**してください。このrunメソッドは「Save」と出力することにします。

```
1  // SaveTaskクラス (Taskインタフェースを実装)
2  public class SaveTask implements Task {
3
4      // runメソッドを実装
5      public void run() {
6          System.out.println("Save");
7      }
8  }
```

LoadTaskクラスとSaveTaskクラスのrunメソッドには、@Overrideアノテーション（Chapter9）を付加しても構いません。本章ではプログラム例を簡単にするために、@Overrideアノテーションは省略しました。

最後にWindow（ウィンドウ）クラスを宣言し、LoadボタンとSaveボタンを配置します。**問題5 Windowクラスを宣言し、mainメソッドを宣言します。Button型の変数loadと変数saveを宣言し、Buttonインスタンスを生成して格納したうえで、clickメソッドを呼び出して**ください。Buttonクラスのコンストラクタには、LoadTaskインスタンスとSaveTaskインスタンスを生成して渡します。

▼anonymous\Window.java

```
1  public class Window {
2      public static void main(String[] args) {
3
4          // ロードボタンとセーブボタンを作成
5          Button load=new Button(new LoadTask());
6          Button save=new Button(new SaveTask());
7
8          // 各ボタンをクリック
9          load.click();
10         save.click();
11     }
12 }
```

次のようにコンパイル・実行してください。LoadTaskクラスとSaveTaskクラスで実装した、runメソッドが呼び出されます。

```
> javac anonymous/*.java
> java -cp anonymous Window
Load   ← ロード（LoadTaskクラスのrunメソッド）
Save   ← セーブ（SaveTaskクラスのrunメソッド）
```

　匿名クラスを使わずに、GUIのボタンを模したプログラムを書いてみました。このプログラムの問題は、LoadTaskクラスやSaveTaskクラスのように、タスクごとに異なるクラスを宣言する必要があることです。次に学ぶ匿名クラスを使うと、こういったクラスの宣言を簡略化できます。

匿名クラスを使ってプログラムを簡潔にする

　匿名クラスは次のように宣言します。以下で型の部分には、匿名クラスが継承するスーパークラスか、匿名クラスが実装するインタフェースを書きます。また、スーパークラスのコンストラクタに渡す引数が存在する場合は、以下の引数の部分に書きます。

匿名クラスの宣言

```
new 型(引数, …) {
    宣言
    …
}
```

　上記の宣言の部分には、匿名クラスのメンバの宣言を書きます。例えば、スーパークラスのメソッドをオーバーライドしたり、インタフェースのメソッドを実装したい場合には、そのメソッドの宣言を書きます。

　匿名クラスの特長は、スーパークラスのサブクラスを宣言したり、インタフェースを実装したクラスを宣言したりするのと同時に、宣言したクラスのインスタンスを作成できることです。別途クラスを宣言する必要が無いので、プログラムを簡潔にできます。

　前問のプログラムを、匿名クラスを使って書いてみましょう。Taskインタフェースと Buttonクラスはそのまま使います。LoadTaskクラスと SaveTaskクラスは不要になります。

Windowクラスを、匿名クラスを使うように変更します。**問題⑥ Windowクラスを改造して、LoadTaskインスタンスとSaveTaskインスタンスを生成するかわりに、Taskインタフェースを実装した匿名クラスを宣言し、runメソッドを実装**してください。runメソッドは、それぞれ「Load」および「Save」と出力するように実装します。

▼anonymous2\Window.java

```
 1  public class Window {
 2      public static void main(String[] args) {
 3
 4          // 匿名クラスを使って、ロードボタンを作成
 5          Button load=new Button(new Task() {
 6              public void run() {
 7                  System.out.println("Load");
 8              }
 9          });
10
11          // 匿名クラスを使って、セーブボタンを作成
12          Button save=new Button(new Task() {
13              public void run() {
14                  System.out.println("Save");
15              }
16          });
17
18          // 各ボタンをクリック
19          load.click();
20          save.click();
21      }
22  }
```

　上記のプログラムでは、生成した匿名クラスのインスタンスを、Buttonクラスのコンストラクタに渡しています。runメソッドには、@Overrideアノテーション（Chapter9）を付加しても構いません。

　次のようにコンパイル・実行してください。LoadTaskクラスとSaveTaskクラスが不要になってプログラムが簡潔になり、かつ前問と同じ実行結果が得られています。

```
> javac anonymous2/*.java
> java -cp anonymous2 Window
Load   ← ロード(匿名クラスのrunメソッド)
Save   ← セーブ(匿名クラスのrunメソッド)
```

　もし、匿名クラスのインスタンスを変数に代入したい場合には、変数の型を何にすればよいのでしょうか。匿名クラスには名前が無いので、匿名クラスの名前を変数の型にはできません。そこで、継承したスーパークラスや実装したインタフェースを、変数の型にします。あるいはvarを指定して型推論(Chapter4)を使うこともできます。

　一度きりの用途に便利な、匿名クラスについて学びました。次は、別のクラスの中で宣言する、ネストクラスについて学びます。

02 他のクラスの中にある
ネストクラス

　ネストクラス（nested class、ネステッド・クラス）とは、他のクラス（あるいはインタフェース）の中で宣言するクラスのことです。ネストクラスには次の4種類があります。前述の匿名クラスも、ネストクラスの一種です。

▼ネストクラス

種類	内容
匿名クラス	インスタンスの生成と同時に宣言する、名前がないクラス
staticクラス	他のクラスの中で宣言する、staticなクラス
内部メンバクラス	他のクラスの中で宣言する、staticではないクラス
ローカルクラス	メソッドの中で宣言するクラス

　ネストクラスは、クラス・インスタンス・メソッドに関連が深いクラスを宣言するときに役立ちます。ネストクラスについて学ぶために、まずは通常のクラスを宣言し、次にネストクラスを使ってプログラムを書き直してみましょう。

通常のクラスを宣言する

　飲食店のメニューを管理するプログラムを書いてみましょう。次のようなクラスを通常のクラスとして宣言します。

・商品の名前と価格を管理する、Item（アイテム）クラス
・商品の配列を管理する、Menu（メニュー）クラス
・メニューや商品を作成して出力する、Shop（ショップ）クラス

▼ 飲食店のメニューを管理するプログラムの構成

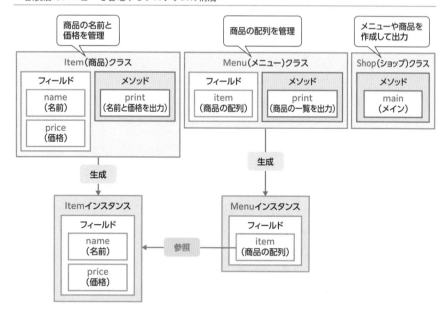

　まずはItemクラスを宣言します。**問題7 Itemクラスを宣言し、name（名前）と price（価格）のフィールド、コンストラクタ、print（出力）メソッドを宣言**してください。printメソッドは、商品の情報を「名前 価格 yen」の形式で出力することにします。

▼ nested\Item.java

```
1  // 商品クラス
2  public class Item {
3
4      // フィールド（名前、価格）
5      private String name;
6      private int price;
7
8      // コンストラクタ
9      public Item(String name, int price) {
10          this.name=name;
11          this.price=price;
12      }
13
```

```
14      // メソッド（名前と価格を出力）
15      public void print() {
16          System.out.printf("%-7s %d yen\n", name, price);
17      }
18  }
```

上記のprintメソッドでは、System.out.printfメソッド（Chapter6）を使って、商品の名前を7桁の左詰め（%-7s）で出力します。これは後ほど、桁を揃えてメニューを出力するためです。

次はMenuクラスを宣言しましょう。**問題❽** **Menuクラスを宣言し、Itemクラスの配列であるitemフィールドと、配列の全要素を出力するprintメソッドを宣言し**てください。配列は、100円のburger（バーガー）、150円のpotato（ポテト）、120円のshake（シェイク）で初期化することにします。

▼nested\Menu.java

```
1  // メニュークラス
2  public class Menu {
3
4      // フィールド（商品の配列）
5      private Item[] item={
6          new Item("burger", 100),
7          new Item("potato", 150),
8          new Item("shake", 120)
9      };
10
11     // メソッド（商品の一覧を出力）
12     public void print() {
13         for (Item i: item) {
14             i.print();
15         }
16     }
17  }
```

上記のitemフィールドに注目してください。フィールドはコンストラクタで初期化するだけではなく、宣言と同時に初期値を与えて初期化することもできます（Chapter8）。

最後はShopクラスを宣言します。 問題9 **Shopクラスとmainメソッドを宣言したうえで、Menuインスタンスを生成して出力し、さらにItemインスタンスを生成して出力**してください。Itemインスタンスについては、200円のhotcake（ホットケーキ）で初期化することにします。

▼ nested\Shop.java

```java
 1  // ショップクラス
 2  public class Shop {
 3      public static void main(String[] args) {
 4
 5          // メニューのインスタンスを生成して出力
 6          Menu menu=new Menu();
 7          menu.print();
 8
 9          // 商品のインスタンスを生成して出力
10          Item item=new Item("hotcake", 200);
11          item.print();
12      }
13  }
```

次のようにコンパイル・実行してください。商品の一覧が出力されれば成功です。

```
> javac nested/*.java
> java -cp nested Shop
burger  100 yen   ← バーガー    100円
potato  150 yen   ← ポテト      150円
shake   120 yen   ← シェイク    120円
hotcake 200 yen   ← ホットケーキ 200円
```

ネストクラスを学ぶ準備として、飲食店のメニューを管理するプログラムを、通常のクラスとして宣言しました。次はネストクラスの一種である、staticクラスについて学びましょう。

他のクラスに関連するstaticクラス

他のクラス（あるいはインタフェース）の中で、static（スタティック）修飾子を付

けて宣言したクラスは、staticクラスになります。staticネストクラスとも呼ばれます。

staticクラスは、あるクラスに関連が深いクラスを宣言したいときに役立ちます。これらのクラスを個別に宣言することもできますが、staticクラスを使うと、ソースファイルを1つにまとめられたり、クラス名を短くできたりといった利点があります。

staticクラスは次のように、クラスの中で宣言します。アクセス修飾子とstaticは前後を入れ替えても構いません。

Chapter
10

02

他のクラスの中にあるネストクラス

| staticクラスの宣言

```
public class 外側のクラス名 {
    アクセス修飾子 static class staticクラス名 {
        宣言
        …
    }
    …
}
```

staticクラスの中には、通常のクラスと同様に、フィールド・メソッド・コンストラクタの宣言を書きます。このstaticクラスは、外側のクラスのstaticメンバ（クラス変数やクラスメソッド）にもアクセスできます。

staticクラスを使ってみましょう。 問題⑩ **Menuクラスの中で、Itemクラスをstaticクラスとして宣言**してください。Itemクラスのアクセス修飾子はpublicにします。なお、前問で作成したItem.javaは不要になります。

▼ nested2\Menu.java

```
1  // メニュークラス
2  public class Menu {
3
4      // 商品クラス（staticクラス）
5      public static class Item {
6
7          // フィールド（名前、価格）
8          private String name;
9          private int price;
10
11         // コンストラクタ
12         public Item(String name, int price) {
```

```
13              this.name=name;
14              this.price=price;
15          }
16
17          // メソッド（名前と価格を出力）
18          public void print() {
19              System.out.printf("%-7s %d yen\n", name, price);
20          }
21      }
22
23      // フィールド（商品の配列）
24      private Item[] item={
25          new Item("burger", 100),
26          new Item("potato", 150),
27          new Item("shake", 120)
28      };
29
30      // メソッド（商品の一覧を出力）
31      public void print() {
32          for (Item i: item) {
33              i.print();
34          }
35      }
36  }
```

　上記のように、前問で書いたItemクラスの宣言を、そのままMenuクラスの中に書いたようなプログラムになります。Menuクラスの内部では、前問と同様にItemクラスが使えます。

　一方、Menuクラスの外部では、Itemクラスを「Menu.Item」のように指定する必要があります。一般にstaticクラスを使う際には、「外側のクラス名.staticクラス名」のように指定します。staticクラス型の変数を宣言し、インスタンスを生成して初期化するには、次のように書きます。

| staticクラス型の変数の宣言とインスタンスの生成

```
外側のクラス名.staticクラス名 変数名 =
    new 外側のクラス名.staticクラス名(引数, …);
```

新しいMenuクラスとItemクラスを利用してみましょう。 **問題⑪ Shopクラスを改造し、Itemクラスを使う処理を、Menu.Itemクラスを使う処理に変更**してください。Menuクラスを使う処理は前問のままで大丈夫です。

▼nested2\Shop.java

```
 1  public class Shop {
 2      public static void main(String[] args) {
 3
 4          // メニューのインスタンスを生成して出力
 5          Menu menu=new Menu();
 6          menu.print();
 7
 8          // 商品のインスタンスを生成して出力
 9          Menu.Item item=new Menu.Item("hotcake", 200);
10          item.print();
11      }
12  }
```

前問のプログラムでItemだった部分をMenu.Itemに書き換えました。実行結果は前問と同じです。

```
> javac nested2/*.java
> java -cp nested2 Shop
burger   100 yen   ← バーガー      100円
potato   150 yen   ← ポテト        150円
shake    120 yen   ← シェイク      120円
hotcake  200 yen   ← ホットケーキ  200円
```

あるクラスに関連が深いクラスを宣言したいときに役立つ、staticクラスについて学びました。次はstaticクラスと宣言の方法が似ている、内部メンバクラスについて学びましょう。

他のインスタンスに関連する内部メンバクラス

次の3種類のクラスは、内部クラスと呼ばれます。ここでは①の内部メンバクラスについて学びます。②の匿名クラスについては既に学びました。③のローカルクラスについては後述します。

① 内部メンバクラス

② 匿名クラス

③ ローカルクラス

　上記は全て内部クラスですが、特に①のことを内部クラスと呼んでいる場合も見受けられます。本書では②や③と区別するために、①は内部メンバクラスと呼ぶことにします。

　他のクラス（あるいはインタフェース）の中で、static修飾子を付けずに宣言したクラスは、内部メンバクラスになります。ただし、static修飾子を付けなくても暗黙的にstatic扱いのクラスになる場合（後述するレコードクラスや列挙型がネストクラスになった場合など）は、内部メンバクラスにはなりません。

　内部メンバクラスは、あるインスタンスに関連が深いクラスを宣言したいときに役立ちます。staticクラスとの違いに注意してください。staticクラスは、外側のクラスのstaticメンバにアクセスできるのでした。内部クラス（内部メンバクラス・匿名クラス・ローカルクラス）は、外側のクラスのstaticメンバに加えて、インスタンス変数やインスタンスメソッドにもアクセスできます。

　内部メンバクラスはstaticクラスと同様に、クラスの中で宣言します。staticクラスとは異なり、static修飾子は付けません。

┃ 内部メンバクラスの宣言

```
public class 外側のクラス名 {
    アクセス修飾子 class 内部メンバクラス名 {
        宣言
        …
    }
    …
}
```

　内部メンバクラスを使ってみましょう。問題⑫ Menuクラス（nested2\Menu.java）を改造して、「public static class Item」の箇所を、「public class Item」に変更してください。

▼nested3\Menu.java

```
1  // メニュークラス
2  public class Menu {
3
4      // 商品クラス(内部メンバクラス、static修飾子を付けない)
```

```
5      public class Item {
6
7      ※以下省略
```

内部メンバクラスは、変数の宣言方法はstaticクラスと同じですが、インスタンスの生成方法は異なります。内部メンバクラス型の変数を宣言し、インスタンスを生成して初期化するには、次のように書きます。

┃内部メンバクラス型の変数の宣言とインスタンスの生成

外側のクラス名.内部メンバクラス名 変数名 =
　　外側のクラスのインスタンス.new 内部メンバクラス名(引数, …);

　上記のように、内部メンバクラスのインスタンスを生成するには、外側のクラスのインスタンスを指定する必要があります。外側のクラスのインスタンスは、既に生成してあるものを指定しても、上記で指定する際にnew演算子で生成しても、どちらでも構いません。

　内部メンバクラスのインスタンスを生成してみましょう。 問題⑬ Shopクラス (nested2\Shop.java) を改造し、Itemクラスのインスタンスを生成する処理を、内部メンバクラス向けに変更してください。外側のクラスのインスタンスとして指定する、Menuクラスのインスタンスについては、変数menuに格納されているインスタンスを使います。

▼nested3\Shop.java

```
1  public class Shop {
2      public static void main(String[] args) {
3
4          // メニューのインスタンスを生成して出力
5          Menu menu=new Menu();
6          menu.print();
7
8          // メニューのインスタンスを指定し、
9          // 商品のインスタンスを生成して出力
10         Menu.Item item=menu.new Item("hotcake", 200);
11         item.print();
12     }
13 }
```

前問は「new Menu.Item」だった部分を、「menu.new Item」に書き換えました。実行結果は前問と同じです。

```
> javac nested3/*.java
> java -cp nested3 Shop
burger   100 yen    ← バーガー      100円
potato   150 yen    ← ポテト        150円
shake    120 yen    ← シェイク      120円
hotcake  200 yen    ← ホットケーキ 200円
```

あるインスタンスに関連が深いクラスを宣言したいときに役立つ、内部メンバクラスについて学びました。staticクラスと内部メンバクラスの違いは、後者は外側のクラスのインスタンス変数やインスタンスメソッドにアクセスできる、という点です。これらへのアクセスが不要ならばstaticクラスを使い、必要ならば内部メンバクラスを使うとよいでしょう。

次はメソッドの中で宣言する、ローカルクラスについて学びましょう。

メソッドの中だけで使うローカルクラス

メソッドの中で宣言したクラスは、**ローカルクラス**になります。ローカルクラスは、あるメソッドの中だけで使うクラスを宣言したいときに役立ちます。

ローカルクラスは次のように宣言します。アクセス修飾子やstaticは付けないことに注意してください。

❘ ローカルクラスの宣言

```
public class 外側のクラス名 {
    戻り値型 メソッド名(型 引数名, …) {
        class ローカルクラス名 {
            宣言
            …
        }
        …
    }
    …
}
```

ローカルクラスを使ってみましょう。**問題⑭** **Menuクラス (nested3\Menu.java)** を改造して、printメソッドの中でItemクラスをローカルクラスとして宣言します。

Item型の配列である item フィールドも、print メソッドの中でローカル変数として宣言してください。

▼ nested4\Menu.java

```
1  // メニュークラス
2  public class Menu {
3
4      // メソッド（商品の一覧を出力）
5      public void print() {
6
7          // 商品クラス（ローカルクラス）
8          class Item {
9
10             // フィールド（名前、価格）
11             private String name;
12             private int price;
13
14             // コンストラクタ
15             public Item(String name, int price) {
16                 this.name=name;
17                 this.price=price;
18             }
19
20             // メソッド（名前と価格を出力）
21             public void print() {
22                 System.out.printf("%-7s %d yen\n", name, price);
23             }
24         }
25
26         // 商品の配列（ローカル変数）
27         Item[] item={
28             new Item("burger", 100),
29             new Item("potato", 150),
30             new Item("shake", 120)
31         };
32
33         // 商品の一覧を出力
34         for (Item i: item) {
35             i.print();
36         }
37     }
38 }
```

　上記のプログラムでは、Itemクラスの宣言と配列itemの宣言および生成を、全てprintメソッドで行います。Itemクラスはローカルクラスに変わりましたが、内容は前問と同じです。

　新しいMenuクラスを利用してみましょう。問題⑮ Shopクラス（nested3\Shop.java）を改造し、Itemクラスを使う処理を削除してください。

▼nested4\Shop.java

```
1  public class Shop {
2      public static void main(String[] args) {
3
4          // メニューのインスタンスを生成して出力
5          Menu menu=new Menu();
6          menu.print();
7      }
8  }
```

　Itemクラスを使う処理を削除するのは、Itemクラスはローカルクラスなので、クラスが宣言されているprintメソッドの外部からは利用できないからです。Menuクラスを使う処理については、実行結果は以前と同じです。

```
> javac nested4/*.java
> java -cp nested4 Shop
burger   100 yen   ← バーガー  100円
potato   150 yen   ← ポテト    150円
shake    120 yen   ← シェイク  120円
```

　あるメソッドの中だけで使いたいクラスを宣言するときに役立つ、ローカルクラスについて学びました。今までに学んだ、匿名クラス・staticクラス・内部メンバクラス・ローカルクラスについては、それぞれをどんな目的に使うのかを区別して、もし役立つ場面に出会ったら利用してみてください。

　次は定番のクラスを簡単に記述できる、レコードクラスについて学びましょう。

03 定番のクラスを簡単に作れる
レコードクラス

レコードクラスは、いくつかの値をまとめて管理するような定番のクラスを、簡単に宣言するための機能です。レコード（record）は「記録」という意味ですが、コンピュータの分野では「ひとまとまりのデータ」という意味があります。

レコードクラスを宣言する

レコードクラスは次のように宣言します。後述するように、以下の{}の中には、フィールド・メソッド・コンストラクタの宣言を書くこともできます。宣言を追加する必要が無ければ、{}の中は空でも構いません。

▍レコードクラスの宣言

```
public record クラス名(型 フィールド名, …) {
    宣言
    …
}
```

レコードクラスを宣言すると、次のようなフィールド・メソッド・コンストラクタが自動的に宣言されます。通常のクラスに比べると、以下を手作業で宣言する必要が無いので、プログラムを大幅に簡潔にできます。

● **フィールド**

指定したフィールド名を持つ、privateかつfinal（変更不可能）なフィールドです。

● **メソッド**

フィールド名と同じ名前で、引数が無く、各フィールドの値を返す、publicなメソッドです。

● **コンストラクタ**

各フィールドに引数の値を設定する、publicなコンストラクタです。

● equalsメソッド

全てのフィールドの値が一致した場合にtrueを返すように、Objectクラス(Chapter9)のequalsメソッドをオーバーライドします。

● toStringメソッド

インスタンスを表す文字列として、クラス名やフィールドの値を含む文字列を返すように、ObjectクラスのtoStringメソッド(Chapter9)をオーバーライドします。

● hashCodeメソッド

インスタンスのハッシュ値(Chapter9)を返すように、ObjectクラスのhashCode(ハッシュ・コード)メソッドをオーバーライドします。

ネストクラスの題材として作成したItemクラスを、レコードクラスとして書き直してみましょう。**問題⓰ Itemクラスをレコードクラスとして宣言し、フィールドとしてString型のname(名前)と、int型のprice(価格)を宣言**してください。

▼record\Item.java

```
1  // Itemクラス (レコードクラス) の宣言
2  public record Item(String name, int price) {}
```

以前に宣言したItemクラスと比べてみてください。レコードクラスを使うと、とても簡潔なプログラムでクラスを宣言できます。

Itemクラスを使ってみましょう。**問題⓱ Shopクラスとmainメソッドを宣言したうえで、引数に"burger"と100を指定して、Itemインスタンスを生成します。そして、このインスタンス自体と、nameメソッドの戻り値、priceメソッドの戻り値を出力**してください。

▼record\Shop.java

```
1  public class Shop {
2      public static void main(String[] args) {
3
4          // 商品のインスタンスを生成
5          Item a=new Item("burger", 100);
6
7          // インスタンス自体を出力 (toStringメソッド)
```

```
 8          System.out.println(a);
 9
10          // nameフィールドの値を出力
11          System.out.println(a.name());
12
13          // priceフィールドの値を出力
14          System.out.println(a.price());
15      }
16  }
```

　上記のプログラムでは、生成したインスタンスをItem型の変数aに格納しました。実行結果は次の通りです。

```
> javac record/*.java
> java -cp record Shop
Item[name=burger, price=100]    ← インスタンスを表す文字列
burger                           ← nameフィールドの値
100                              ← priceフィールドの値
```

　いくつかの値をまとめて管理するクラスを簡単なプログラムで宣言できる、レコードクラスについて学びました。次はレコードクラスのequalsメソッドを使ってみます。

レコードクラスのインスタンスを比較する

　前述のようにレコードクラスでは、インスタンス同士が等しいかどうかを調べるequalsメソッドが自動的に宣言されます。このequalsメソッドは、レコードクラスの全てのフィールドの値が一致するときにtrueを返します。

　equalsメソッドを使ってインスタンスを比較してみましょう。 問題⑱ **Shopクラスとmainメソッドを宣言したうえで、"burger"と100を格納したインスタンスa、同じく"burger"と100を格納したインスタンスb、"potato"と150を格納したインスタンスcを生成し、aとbの比較結果と、aとcの比較結果を出力**してください。

▼record2\Shop.java

```
 1  public class Shop {
 2      public static void main(String[] args) {
 3
 4          // インスタンスa，b，cを生成
 5          Item a=new Item("burger", 100);
 6          Item b=new Item("burger", 100);
 7          Item c=new Item("potato", 150);
 8
 9          // インスタンスaとbを比較
10          System.out.println(a.equals(b));
11
12          // インスタンスaとcを比較
13          System.out.println(a.equals(c));
14      }
15  }
```

　上記のプログラムを実行するには、前出のItem.java（record\Item.java）も必要です。Shop.javaと同じフォルダに、Item.javaも配置（またはコピー）しておいてください。

　実行結果は次の通りです。インスタンスaとbは全てのフィールドの値が一致するので、equalsメソッドはtrue（等しい）を返します。インスタンスaとcはフィールドの値が異なるので、equalsメソッドはfalse（等しくない）を返します。

```
> javac record2/*.java
> java -cp record2 Shop
true    ← aとbは等しい
false   ← aとcは等しくない
```

　レコードクラスにおいて自動的に宣言される、equalsメソッドを使ってみました。インスタンス同士が等しいかどうかを調べたいことはよくあるので、equalsメソッドが自動的に用意されるのは便利です。

　次はレコードクラスに対して、独自の宣言を追加する方法を学びましょう。

レコードクラスに独自の宣言を追加する

レコードクラスの宣言において、{}の中でフィールド・メソッド・コンストラクタなどを宣言すると、これらをレコードクラスに追加できます。自動的に宣言されるフィールド・メソッド・コンストラクタ以外にも、機能を追加したいときに役立ちます。

Itemクラスにメソッドを追加してみましょう。[問題⑲] **Itemクラスに対して、商品の情報を「名前 価格 yen」の形式で出力する、printメソッドを追加**してください。ネストクラスの題材として作成したprintメソッドと同様の内容です。

▼record3\Item.java

```
1  // Itemクラス（レコードクラス）の宣言
2  public record Item(String name, int price) {
3
4      // printメソッドを追加
5      public void print() {
6          System.out.printf("%-7s %d yen\n", name, price);
7      }
8  }
```

上記のItemクラスを利用してみましょう。[問題⑳] **Shopクラスとmainメソッドを宣言したうえで、引数に"burger"と100、"potato"と150、"shake"と120を渡して3個のItemインスタンスを生成し、Item型の配列に格納します。さらに、各要素に対してprintメソッドを呼び出し**てください。

▼record3\Shop.java

```
1  public class Shop {
2      public static void main(String[] args) {
3
4          // 商品の配列
5          Item[] item={
6              new Item("burger", 100),
7              new Item("potato", 150),
8              new Item("shake", 120)
9          };
10
11         // 商品の一覧を出力
```

```
12              for (Item i: item) {
13                  i.print();
14              }
15          }
16  }
```

　上記のShopクラスでは、Itemクラスに追加したprintメソッドを呼び出します。実行結果は次の通りで、各商品の情報が出力されます。

```
> javac record3/*.java
> java -cp record3 Shop
burger  100 yen  ← バーガー 100円
potato  150 yen  ← ポテト   150円
shake   120 yen  ← シェイク  120円
```

　レコードクラスとして宣言したItemクラスと、通常のクラスとして宣言したItemクラス（ネストクラスの例）を比較してみてください。レコードクラスを使うと、基本的な機能の宣言を省略して必要な機能だけを追加できるので、クラスの宣言がとても簡潔になります。

　定番のクラスを簡単に作れる、レコードクラスについて学びました。次は関連する値をまとめて宣言するための、列挙型について学びます。

04 関連する定数を まとめて宣言できる列挙型

　列挙型は、関連する定数をまとめて宣言したいときに役立つ機能です。例えば、1月から12月までを表す定数として、JAN・FEB・MAR・APR・MAY・JUN・JUL・AUG・SEP・OCT・NOV・DECという12個の定数を宣言することを考えてみましょう。変数などを使って、これらの定数を1個ずつ宣言することも可能ですが、個数が多いので手間がかかります。列挙型を使うと、簡潔なプログラムで、このような定数をまとめて宣言できます。

列挙型を宣言する

　列挙型は次のように、enum（イニューム）キーワードを使って宣言します。enumはenumeration（イニュームレイション、列挙）の略と思われます。

▌列挙型の宣言

```
public enum 列挙型名 {
    列挙定数名, …
}
```

　上記のように、列挙型の宣言の中では列挙定数を並べて宣言します。列挙定数は識別子（Chapter4）の一種です。定数なので、一般に英大文字が使われます。

　列挙型を宣言してみましょう。問題㉑ **月を表す列挙型Monthを宣言し、列挙定数としてJAN・FEB・MAR・APR・MAY・JUN・JUL・AUG・SEP・OCT・NOV・DECを宣言**してください。

▼ enum\Month.java

```
1  public enum Month {
2      JAN, FEB, MAR, APR, MAY, JUN, JUL, AUG, SEP, OCT, NOV, DEC
3  }
```

　列挙型を使うと、上記のように多くの定数を簡潔なプログラムで宣言できます。もし、変数を使ってこれらの定数を宣言するとなると、各定数を異なる値で初期化する必要があるので、列挙型よりも記述に手間がかかります。

宣言した列挙型を利用してみましょう。宣言した列挙定数を使うには、次のように書きます。

▎列挙定数の使用

列挙型名.列挙定数名

列挙型を使って、変数を宣言することも可能です。この変数には、初期化や代入を使って、同じ列挙型の列挙定数を格納できます。

▎列挙型の変数を宣言

列挙型名 変数名;

列挙型Monthを使ってみましょう。問題㉒ **Year (年) クラスとmainメソッドを宣言して、列挙定数JANを出力するとともに、Month型の変数mに格納した列挙定数FEBを出力**してください。

▼enum\Year.java

```
1  public class Year {
2      public static void main(String[] args) {
3
4          // 列挙定数JANの出力
5          System.out.println(Month.JAN);
6
7          // 列挙定数FEBを変数に格納したうえで出力
8          Month m=Month.FEB;
9          System.out.println(m);
10     }
11 }
```

実行結果は次の通りです。列挙定数を出力すると、列挙定数名が出力されます。

```
> javac enum/*.java
> java -cp enum Year
JAN   ←1月
FEB   ←2月
```

関連する定数をまとめて宣言できる、列挙型について学びました。次は列挙定数の一覧を取得してみましょう。

valuesメソッドで列挙定数の一覧を取得する

values（バリューズ）メソッドは、列挙型を宣言したときに自動的に宣言される
メソッドです。valuesメソッドは、列挙定数の一覧が格納された配列を返します。

| 列挙定数の一覧を取得

```
列挙型名.values()
```

valuesメソッドを使って、列挙定数の一覧を出力してみましょう。**問題㉓ Yearク
ラスを改造して、列挙型Monthの列挙定数の一覧を出力**してください。拡張for文
とvaluesメソッドを組み合わせるとよいでしょう。

▼ enum2\Year.java

```java
 1  public class Year {
 2      public static void main(String[] args) {
 3
 4          // 列挙定数の一覧を出力
 5          for (Month m: Month.values()) {
 6              System.out.print(m+" ");
 7          }
 8
 9          // 改行を出力
10          System.out.println();
11      }
12  }
```

上記のプログラムでは、列挙定数を半角空白で区切って出力し、最後に改行を出
力します。実行するには、前出のMonth.java（enum\Month.java）も必要です。
Year.javaと同じフォルダに、Month.javaも配置（またはコピー）しておいてくださ
い。実行結果は次の通りです。

```
> javac enum2/*.java
> java -cp enum2 Year
JAN FEB MAR APR MAY JUN JUL AUG SEP OCT NOV DEC   ← 1月～12月
```

列挙定数の一覧を取得する、valuesメソッドについて学びました。次は列挙型に
対して、独自の宣言を追加する方法を学びます。

列挙型に独自の宣言を追加する

列挙型の中で、フィールド・メソッド・コンストラクタなどを宣言することも可能です。次のように、列挙定数名を宣言した後に;（セミコロン）を書き、続いてフィールド・メソッド・コンストラクタなどを宣言します。

列挙型に宣言を追加

```
public enum 列挙型名 {
    列挙定数名, …;
    宣言
    …
}
```

列挙定数とは、実は列挙型のインスタンスです。そのため、例えばフィールドやコンストラクタを宣言すれば、各列挙定数に付加的な情報を格納できます。

列挙型の中でフィールドを宣言する場合は、final（ファイナル）修飾子を付けて定数にする必要があります。また、コンストラクタを宣言する場合は、アクセス修飾子は省略するかprivateにします。いずれの場合も、コンストラクタのアクセス制限はprivateになります。

コンストラクタを宣言した場合は、列挙定数ごとにコンストラクタを呼び出す必要があります。コンストラクタに渡す引数は、次のように列挙定数名ごとに()を使って指定します。

列挙定数に対するコンストラクタの呼び出し

```
public enum 列挙型名 {
    列挙定数名(引数, …), …;
    宣言
    …
}
```

列挙型Monthにフィールドとコンストラクタを追加してみましょう。付加的な情報として月の日数を、各列挙定数に格納できるようにします。**問題24 列挙型Monthに対して、日数を表すpublicでint型のdaysフィールドと、コンストラクタを宣言したうえで、列挙定数ごとにコンストラクタの引数を指定**してください。コンストラクタの引数は、FEB（2月）が28、APR（4月）・JUN（6月）・SEP（9月）・NOV（11月）が30、他の月は31です。コンストラクタは、渡された引数をdaysフィールドに代入します。

▼enum3\Month.java

```
 1  public enum Month {
 2
 3      // 列挙定数とコンストラクタの呼び出し
 4      JAN(31), FEB(28), MAR(31), APR(30), MAY(31), JUN(30),
 5      JUL(31), AUG(31), SEP(30), OCT(31), NOV(30), DEC(31);
 6
 7      // フィールド（日数）
 8      public final int days;
 9
10      // コンストラクタ
11      Month(int days) {
12          this.days=days;
13      }
14  }
```

　上記の列挙型Monthを利用して、各月の日数を出力してみましょう。 問題25
Yearクラスを改造して、次の実行例のように各月の名前と日数を出力してください。
日数を出力するには、valuesメソッドで列挙定数の一覧を取得したうえで、days
フィールドを出力します。

```
> javac enum3/*.java
> java -cp enum3 Year
JAN FEB MAR APR MAY JUN JUL AUG SEP OCT NOV DEC   ← 1月～12月
31  28  31  30  31  30  31  31  30  31  30  31    ← 各月の日数
```

▼enum3\Year.java

```
 1  public class Year {
 2      public static void main(String[] args) {
 3
 4          // 名前の一覧を出力
 5          for (Month m: Month.values()) {
 6              System.out.print(m+" ");
 7          }
 8          System.out.println();
 9
10          // 日数の一覧を出力
11          for (Month m: Month.values()) {
```

```
12                  System.out.print(m.days+"  ");
13          }
14          System.out.println();
15      }
16  }
```

　列挙型にフィールドとコンストラクタを追加することにより、列挙定数ごとに付加的な情報を格納する方法を学びました。関連する値をまとめて宣言したい場合には、列挙型を活用してみてください。

　本章では、特定の場面で役立つ特殊なクラスについて学びました。匿名クラスは一度だけ使うクラスに、ネストクラスはクラス・インスタンス・メソッドに関連が深いクラスに、レコードクラスはいくつかの値をまとめて管理するクラスに、列挙型は関連する定数をまとめて宣言する際に、それぞれ役立ちます。これらの特殊なクラスを使わなくてもプログラムは書けますが、特定の場面においては、特殊なクラスを使うと簡潔なプログラムで目的を達成できます。

　次章では不測の事態から復帰するための、例外処理について学びます。

□ 匿名クラス

問題① Taskインタフェースを宣言し、引数無し・戻り値無しのrunメソッドを宣言してください。 ➡373ページ

問題② Buttonクラスを宣言し、Task型のtaskフィールド、コンストラクタ、clickメソッドを宣言してください。コンストラクタは引数をtaskフィールドに設定します。clickメソッドはtaskフィールドを使ってrunメソッドを呼び出します。 ➡373ページ

問題③ Taskインタフェースを実装したLoadTaskクラスを宣言し、「Load」と出力するrunメソッドを実装してください。 ➡374ページ

問題④ Taskインタフェースを実装したSaveTaskクラスを宣言し、「Save」と出力するrunメソッドを実装してください。 ➡374ページ

問題⑤ Windowクラスを宣言し、mainメソッドを宣言します。Button型の変数loadと変数saveを宣言し、Buttonインスタンスを生成して格納したうえで、clickメソッドを呼び出してください。Buttonクラスのコンストラクタには、LoadTaskインスタンスとSaveTaskインスタンスを生成して渡します。

➡375ページ

問題⑥ Windowクラスを改造して、LoadTaskインスタンスとSaveTaskインスタンスを生成するかわりに、Taskインタフェースを実装した匿名クラスを宣言し、runメソッドを実装してください。runメソッドは、それぞれ「Load」および「Save」と出力するように実装します。 ➡377ページ

□ ネストクラス

問題⑦ Itemクラスを宣言し、name（名前）とprice（価格）のフィールド、コンストラクタ、print（出力）メソッドを宣言してください。printメソッドは、商品の情報を「名前 価格 yen」の形式で出力します。 ➡380ページ

問題⑧ Menuクラスを宣言し、Itemクラスの配列であるitemフィールドと、配列の全要素を出力するprintメソッドを宣言してください。配列は、100円のburger（バーガー）、150円のpotato（ポテト）、120円のshake（シェイク）で初期化します。　　　　　　　　　　　　　　　　　　　　→381ページ

問題⑨ Shopクラスとmainメソッドを宣言したうえで、Menuインスタンスを生成して出力し、さらにItemインスタンスを生成して出力してください。Itemインスタンスについては、200円のhotcake（ホットケーキ）で初期化することにします。　　　　　　　　　　　　　　　　　　→382ページ

□ **staticクラス**

問題⑩ Menuクラスの中で、Itemクラスをstaticクラスとして宣言してください。Itemクラスのアクセス修飾子はpublicにします。　　　　　　　　→383ページ

問題⑪ Shopクラスを改造し、Itemクラスを使う処理を、Menu.Itemクラスを使う処理に変更してください。　　　　　　　　　　　　　　　　　→385ページ

□ **内部メンバクラス**

問題⑫ 問題10のMenuクラスを改造して、「public static class Item」の箇所を、「public class Item」に変更してください。　　　　　　　→386ページ

問題⑬ Shopクラスを改造し、Itemクラスのインスタンスを生成する処理を、内部メンバクラス向けに変更してください。　　　　　　　　　　→387ページ

□ **ローカルクラス**

問題⑭ Menuクラスを改造して、printメソッドの中でItemクラスをローカルクラスとして宣言してください。Item型の配列であるitemフィールドも、printメソッドの中でローカル変数として宣言します。　　　　　　→388ページ

問題⑮ Shopクラスを改造し、Itemクラスを使う処理を削除してください。

→390ページ

□ レコードクラス

問題⑯ Itemクラスをレコードクラスとして宣言し、フィールドとしてString型の name（名前）と、int型のprice（価格）を宣言してください。 ➡392ページ

問題⑰ Shopクラスとmainメソッドを宣言したうえで、引数に"burger"と100を指定して、Itemインスタンスを生成します。そして、このインスタンス自体と、nameメソッドの戻り値、priceメソッドの戻り値を出力してください。

➡392ページ

問題⑱ Shopクラスとmainメソッドを宣言したうえで、"burger"と100を格納したインスタンスa、同じく"burger"と100を格納したインスタンスb、"potato"と150を格納したインスタンスcを生成し、aとbの比較結果と、aとcの比較結果を出力してください。equalsメソッドを使います。 ➡393ページ

問題⑲ Itemクラスに対して、商品の情報を「名前 価格 yen」の形式で出力する、printメソッドを追加してください。 ➡395ページ

問題⑳ Shopクラスとmainメソッドを宣言したうえで、引数に"burger"と100、"potato"と150、"shake"と120を渡して3個のItemインスタンスを生成し、Item型の配列に格納します。さらに、各要素に対してprintメソッドを呼び出してください。 ➡395ページ

□ 列挙型

問題㉑ 月を表す列挙型Monthを宣言し、列挙定数としてJAN・FEB・MAR・APR・MAY・JUN・JUL・AUG・SEP・OCT・NOV・DECを宣言してください。

➡397ページ

問題㉒ Year（年）クラスとmainメソッドを宣言して、列挙定数JANを出力するとともに、Month型の変数mに格納した列挙定数FEBを出力してください。

➡398ページ

問題23 Yearクラスを改造して、列挙型Monthの列挙定数の一覧を出力してください。

➡399ページ

問題24 列挙型Monthに対して、月の日数を表すpublicでint型のdaysフィールドと、コンストラクタを宣言したうえで、列挙定数ごとにコンストラクタの引数を指定してください。コンストラクタの引数は、FEB（2月）が28、APR（4月）・JUN（6月）・SEP（9月）・NOV（11月）が30、他の月は31です。コンストラクタは、渡された引数をdaysフィールドに代入します。 ➡400ページ

問題25 Yearクラスを改造して、次の実行例のように各月の名前と日数を出力してください。

```
> javac enum3/*.java
> java -cp enum3 Year
JAN FEB MAR APR MAY JUN JUL AUG SEP OCT NOV DEC   ← 1月～12月
31  28  31  30  31  30  31  31  30  31  30  31    ← 各月の日数
```

➡401ページ

Chapter 11

例外処理で
不測の事態から復帰する

例外とは、Javaプログラムで何か例外的な事態が発生したことを通知するための
機能です。例外が発生すると、プログラムが異常終了し、発生した例外の内容が
表示されます。

プログラムによっては、例外が発生しても、まだ処理を続けたい場合があります。
こういった場合に役立つのが、本章で学ぶ例外処理です。プログラムに例外処理
を書いておけば、例外が発生しても、復帰して処理を継続できます。

本章の学習内容

① try文
② catch節
③ finally節
④ 例外クラスと例外オブジェクト
⑤ checked例外とunchecked例外
⑥ throw文とthrows節
⑦ assert文

01 try文とcatch節で 例外をキャッチする

　例外処理を書くには、try（トライ）文とcatch（キャッチ）節を使います。try（試みる）は「例外が発生する可能性がある処理を試みる」と考えて、catch（捕まえる）は「発生した例外を捕まえる」と考えると覚えやすいでしょう。

　catchで例外を捕まえることを「キャッチする」や「捕捉する」などと呼びます。本書ではcatchというキーワードが覚えやすくなることを狙って、「キャッチする」と呼ぶことにします。

　例外処理について学ぶために、まずは例外処理を使わずにプログラムを書いてみます。次にtry文とcatch節を使って、プログラムに例外処理を追加し、動作がどのように変化するのかを調べます。

例外処理を使わないで書く

　例外処理を使わないプログラムの例として、割り勘のプログラムを書いてみましょう。2個のコマンドライン引数（Chapter7）の間で除算を行います。**問題❶** **2個のコマンドライン引数を整数に変換し、変数aと変数bに格納したうえで、a/bの値を出力**するプログラムを書いてください。コマンドライン引数は文字列なので、Integer.parseIntメソッド（Chapter7）を使って、整数に変換します。

▼try\Try.java

```
 1  public class Try {
 2      public static void main(String[] args) {
 3
 4          // 2個のコマンドライン引数を整数aと整数bに変換
 5          int a=Integer.parseInt(args[0]);
 6          int b=Integer.parseInt(args[1]);
 7
 8          // aをbで割った結果を出力
 9          System.out.println(a/b);
10      }
11  }
```

本章のサンプルプログラムは、chapter11フォルダ内のサブフォルダに収録しました。コンパイルや実行は、chapter11をカレントディレクトリにした状態で、各実行例のように操作してください。

　「1200円を3人で割り勘する」という想定で、次のようにコンパイル・実行してみてください。この場合は正しい結果が得られます。

```
> javac try/*.java
> java -cp try Try 1200 3   ← 1200円を3人で割り勘
400                         ← 400円
```

　今度はコマンドライン引数を指定しないで、次のように実行してみてください。例外が発生してプログラムが異常終了します。

```
> java -cp try Try
Exception in thread "main" java.lang.ArrayIndexOutOfBoundsException:
（mainスレッドで例外が発生）
Index 0 out of bounds for length 0
（インデックスの0は、長さ0の配列の範囲外である）
        at Try.main(Try.java:5)
（Tryクラスのmainメソッド、Try.javaの5行目）
```

　ArrayIndexOutOfBoundsException（アレイ・インデックス・アウト・オブ・バウンズ・エクセプション）は、有効なインデックスの範囲を超えて配列の要素を読み書きしたときに発生する例外です。上記のプログラムでは、配列argsの長さが0であるにも関わらずargs[0]を読もうとしたことが、例外の原因です。

　一般のユーザにプログラムを使ってもらう場合には、プログラムが異常終了すると使いにくく感じるでしょう。例えば、異常終了するかわりにプログラムの使い方を表示すれば、ずっと使いやすくなりそうです。

　次は例外処理を書いて、プログラムが異常終了しないように改良してみましょう。

try文とcatch節で例外処理を書く

　例外処理は、try文とcatch節を使って、次のように書きます。以下で型の部分には、例えばArrayIndexOutOfBoundsExceptionのような、キャッチしたい例外の型を書きます。

| try文とcatch節

```
try {
    文;
    …
} catch (型 変数名) {
    文;
    …
}
```

　上記の変数名は、catch節の中だけで使える変数です。この変数には、発生した例外を表すオブジェクトが格納されています。このオブジェクトは例外オブジェクトと呼ばれます。

　try文とcatch節は、次のように動作します。tryの直後に書かれたブロックはtryブロック、catchの直後に書かれたブロックはcatchブロックと呼ばれます。

■ tryブロックを実行します。

■ tryブロックの最後まで例外が発生しなかった場合は、catchブロックは実行せずに終了します。

■ 例外が発生した場合は、tryブロックの実行を中止し、catch節に移動します。

■ catch節に書かれた例外の型が、発生した例外をキャッチできる場合は、catchブロックを実行して終了します。

■ catch節に書かれた例外の型が、発生した例外をキャッチできない場合は、catchブロックは実行せずに終了します。

　■については、catch節に書かれた例外の型が発生した例外のクラスに一致するか、例外のクラスのスーパークラスであれば、例外をキャッチできます。スーパークラスを利用する場合については後述します。

　■については、例外の処理が完了していません。もし、このtry文を囲む外側のtry文が無い場合や、発生した例外をそのtry文がキャッチできない場合は、プログラムが強制終了します。

　try文の動作を以下に図示します。例外が発生したかどうかと例外がキャッチできるかどうかで、この場合は3通りの動作をします。

▼try文の動作（例外が発生しない）

```
try {
    文
} catch (型 変数名) {
    文
}
次の文
```

①例外が発生しない

実行しない

②実行

▼try文の動作（キャッチできる例外が発生）

```
try {
    文
} catch (型 変数名) {
    文
}
次の文
```

①例外が発生

②キャッチできる

③実行

④実行

▼try文の動作（キャッチできない例外が発生）

```
try {
    文
} catch (型 変数名) {
    文
}
次の文
```

①例外が発生

②キャッチできない

実行しない

実行しない

③外側のtry文でキャッチするか、
強制終了

　前問のプログラムに対して、例外処理を書いてみましょう。**問題❷ Try.javaを改造して、ArrayIndexOutOfBoundsExceptionに対する例外処理を追加し、例外が発生したら「usage: java Try \<integer\> \<integer\>」（使い方：java Try 整数 整数）と出力**してください。

▼try2\Try.java

```
1  public class Try {
2      public static void main(String[] args) {
3
4          // 例外が発生する可能性がある処理
5          try {
6              int a=Integer.parseInt(args[0]);
```

411

```
 7                  int b=Integer.parseInt(args[1]);
 8                  System.out.println(a/b);
 9          }
10
11         // ArrayIndexOutOfBoundsExceptionが発生したときの処理
12         catch (ArrayIndexOutOfBoundsException e) {
13                  System.out.println("usage: java Try <integer> <integer>");
14         }
15     }
16 }
```

　前間のプログラムの処理をtryブロックの中に書き、例外が発生したときの処理をcatchブロックに書きました。コマンドライン引数を指定せずに、プログラムを実行してみてください。次のように使い方が表示されます。

```
> javac try2/*.java
> java -cp try2 Try
usage: java Try <integer> <integer>   ← 使い方：java Try 整数 整数
```

　これで例外処理は完成…かと思えば、実は他の例外も発生する可能性があります。例えば「abc」のような、整数に変換できない値をコマンドライン引数に指定してみてください。NumberFormatException（ナンバー・フォーマット・エクセプション、数値の形式に関する例外）という、別の種類の例外が発生してしまいます。

```
> java -cp try2 Try abc 3
Exception in thread "main" java.lang.NumberFormatException:
（mainスレッドで例外が発生）
For input string: "abc"
（入力文字列「abc」に対して）
        at java.base/java.lang.NumberFormatException.forInputString
            (NumberFormatException.java:67)
        at java.base/java.lang.Integer.parseInt(Integer.java:661)
        at java.base/java.lang.Integer.parseInt(Integer.java:777)
        at Try.main(Try.java:6)
```

NumberFormatExceptionについても例外処理を書いてみましょう。そのために
は、次に学ぶように複数のcatch節を並べます。

catch節を追加して別の例外もキャッチする

複数のcatch節を並べて書くと、複数種類の例外をキャッチして、例外ごとに異
なる処理を実行できます。以下では2個のcatch節を並べましたが、もっと多くの
catch節を並べることも可能です。

▌複数のcatch節を並べる

```
try {
    文;
    ...
} catch (型A 変数名A) {
    文;
    ...
} catch (型B 変数名B) {
    文;
    ...
}
```

上記の変数名Aと変数名Bは、各catchブロックの中だけで有効な変数名です。し
たがって変数名Aと変数名Bは、同じ変数名にしても構いません。

なお、複数種類の例外に対して同じ処理を実行する場合は、次のようにも書けま
す。catch節の型の部分に、|（オア、バーティカルバー）で区切って複数の型を並べ
ます。以下では2個の型を並べましたが、もっと多くの型を並べることも可能です。

▌複数の例外を同じcatch節で処理する

```
try {
    文;
    ...
} catch (型A|型B 変数名) {
    文;
    ...
}
```

前間のプログラムに対してcatch節を追加してみましょう。 **問題❸** **Try.javaを改
造して、NumberFormatExceptionに対するcatch節を追加し、例外が発生したら
「error: specify integers」**（エラー：整数を指定せよ）**と出力**してください。

▼ try3\Try.java

```
1  public class Try {
2      public static void main(String[] args) {
3
4          // 例外が発生する可能性がある処理
5          try {
6              int a=Integer.parseInt(args[0]);
7              int b=Integer.parseInt(args[1]);
8              System.out.println(a/b);
9          }
10
11         // ArrayIndexOutOfBoundsExceptionが発生したときの処理
12         catch (ArrayIndexOutOfBoundsException e) {
13             System.out.println("usage: java Try <integer> <integer>");
14         }
15
16         // NumberFormatExceptionが発生したときの処理
17         catch (NumberFormatException e) {
18             System.out.println("error: specify integers");
19         }
20     }
21 }
```

　ArrayIndexOutOfBoundsExceptionのcatch節の下に、NumberFormatException のcatch節を書きました。これらのcatch節については、上下を入れ替えても正しく動作します。catch節の上下を入れ替えられない場合については後述します。

　プログラムを実行し、「abc」のような整数に変換できない値を指定してみてください。前問は強制終了してしまいましたが、今回は次のようなエラーメッセージが表示されます。

```
> javac try3/*.java
> java -cp try3 Try abc 3
error: specify integers      ← エラー：整数を指定せよ
```

　これでようやく例外処理は完成…かと思えば、実はまだ他の例外も発生する可能性があります。例えば「1200円を0人で割り勘する」のように、2番目のコマンドライン引数に「0」を指定してみてください。次のように、ArithmeticException（ア

リスメティック・エクセプション、算術演算の例外）という、また別の種類の例外
が発生してしまいます。

```
> java -cp try3 Try 1200 0
Exception in thread "main" java.lang.ArithmeticException: / by zero
（mainスレッドで例外が発生…0による除算）
        at Try.main(Try.java:8)
```

次はArithmeticExceptionについても、例外処理を書いてみましょう。

いろいろな種類の例外を個別に処理する

ArithmeticExceptionに対する例外処理は、ArrayIndexOutOfBoundsException
やNumberFormatExceptionに対するのと同様に、catch節を追加すれば書けます。
問題④ Try.javaを改造して、ArithmeticExceptionに対するcatch節を追加し、例外
が発生したら「error: division by zero」（エラー：0による除算）と出力してください。

▼try4\Try.java

```
 1  public class Try {
 2      public static void main(String[] args) {
 3
 4          // 例外が発生する可能性がある処理
 5          try {
 6              int a=Integer.parseInt(args[0]);
 7              int b=Integer.parseInt(args[1]);
 8              System.out.println(a/b);
 9          }
10
11          // ArrayIndexOutOfBoundsExceptionが発生したときの処理
12          catch (ArrayIndexOutOfBoundsException e) {
13              System.out.println("usage: java Try <integer> <integer>");
14          }
15
16          // NumberFormatExceptionが発生したときの処理
17          catch (NumberFormatException e) {
18              System.out.println("error: specify integers");
19          }
20
```

415

```
21              // ArithmeticExceptionが発生したときの処理
22          catch (ArithmeticException e) {
23              System.out.println("error: division by zero");
24          }
25      }
26  }
```

　前問と同様にcatch節を追加しました。上記の3個のcatch節は、順序を入れ替えても正しく動作します。

　プログラムを実行し、2番目のコマンドライン引数に「0」を指定してみてください。今度は強制終了せずに、次のようなエラーメッセージが表示されます。

```
> javac try4/*.java
> java -cp try4 Try 1200 0
error: division by zero        ← エラー：0による除算
```

　これで例外処理は完成です。次のようにプログラムを実行して、今までに試した各種の入力に対して、プログラムが正しく動作することを確かめてください。

```
> java -cp try4 Try 1200 3            ← 1200円を3人で割り勘
400                                   ← 400円

> java -cp try4 Try                   ← 引数を指定しない
usage: java Try <integer> <integer>  ← 使い方を表示

> java -cp try4 Try abc 3             ← 整数に変換できない値
error: specify integers              ← エラー：整数を指定せよ
```

　3個以上のコマンドライン引数を指定した場合、今回のプログラムは最初の2個だけを使い、残りは無視します。コマンドライン引数が3個以上の場合に、エラーメッセージや使い方を表示するには、lengthフィールド（Chapter7）を使ってコマンドライン引数の個数を確認します。

　いろいろな種類の例外に対して、個別に例外処理を書きました。この方法の利点は、例外の種類別に異なる処理ができることです。欠点は、例外処理の記述に手間がかかることです。次は、全種類の例外をまとめて処理する方法を学びましょう。

いろいろな種類の例外をまとめて処理する

前述のように、発生した例外をcatch節がキャッチできるのは、catch節に書かれた例外の型が発生した例外のクラスに一致するか、例外のクラスのスーパークラスである場合です。このスーパークラスを利用すると、多くの種類の例外をまとめて処理できます。

例外を表すクラスのことを、例外クラスと呼びます。今までに例外処理を書いてきた、ArrayIndexOutOfBoundsException・NumberFormatException・Arithmetic Exceptionは、Javaが提供する例外クラスの一部です。本章で扱う例外クラスには、次のような継承の関係があります。

▼Javaが提供する例外クラス（一部）

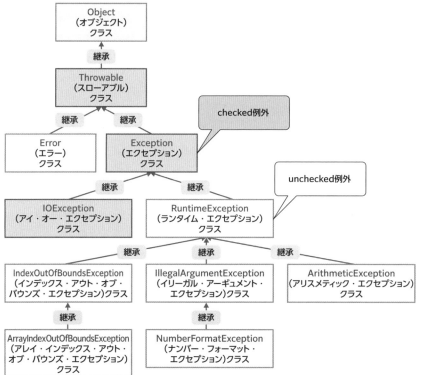

417

上記の例外クラスの中で、特に重要なクラスについて説明します。

● Throwable（スローアブル）クラス

例外を発生させることを、throw（スロー、投げる）と呼びます。Throwable（投げられる）クラスは、エラーと例外に共通するスーパークラスです。

● Error（エラー）クラス

例外的な事態のうち、特に深刻なもののスーパークラスです。Errorクラスとそのサブクラスについては、一般に例外処理を行いません。プログラムは強制終了します。

● Exception（エクセプション）クラス

例外のスーパークラスです。RuntimeExceptionクラス（とそのサブクラス）を除く、Exceptionクラスとそのサブクラスは、checked（チェックト、チェックされる）例外に分類されます。checked例外については、例外処理を書かないと、コンパイルエラーが発生します。checked例外は「検査例外」や「チェック例外」とも呼ばれます。なお、Throwableクラスもchecked例外です。

● RuntimeException（ランタイム・エクセプション）クラス

RuntimeExceptionクラスは、unchecked（アンチェックト、チェックされない）例外のスーパークラスです。unchecked例外については、例外処理を書かなくてもコンパイルエラーは発生しません。unchecked例外は「非検査例外」や「非チェック例外」とも呼ばれます。なお、Errorクラスとそのサブクラスも、unchecked例外です。

今までに例外処理のプログラムを書いた、ArrayIndexOutOfBoundsException・NumberFormatException・ArithmeticExceptionは、いずれもunchecked例外です。確かに、これらの例外クラスに対しては、例外処理を書かなくてもコンパイルエラーにはなりませんでした。

checked例外については、例えばIOException（アイ・オー・エクセプション、入出力の例外）があります。これはファイルの入出力（Chapter14）などで発生する可能性がある例外で、例外処理が必須です。例外処理を書かないとコンパイルエラーになります。

さて、例外クラスのスーパークラスを使うと、多くの種類の例外をまとめて処理

できます。前問のプログラムの例外処理を、1個のcatch節にまとめてみましょう。

問題⑤ Try.javaを改造して、複数のcatch節をExceptionに対する1個のcatch節にまとめたうえで、例外が発生したら使い方を出力してください。

▼ try5\Try.java

```java
 1  public class Try {
 2      public static void main(String[] args) {
 3
 4          // 例外が発生する可能性がある処理
 5          try {
 6              int a=Integer.parseInt(args[0]);
 7              int b=Integer.parseInt(args[1]);
 8              System.out.println(a/b);
 9          }
10
11          // Error以外の全ての例外 (Exceptionクラスとそのサブクラス)
12          // が発生したときの処理
13          catch (Exception e) {
14              System.out.println("usage: java Try <integer> <integer>");
15          }
16      }
17  }
```

Exceptionに対するcatch節を使うと、Errorクラスとそのサブクラス以外の、全ての例外をキャッチできます。例外の種類ごとに処理を変える必要がないときは、プログラムが簡潔になるので便利です。次のようにプログラムを実行して、どの例外に対しても、使い方が表示されることを確認してください。

```
> javac try5/*.java
> java -cp try5 Try 1200 3              ← 例外が発生しない場合
400                                      ← 除算の結果を表示

> java -cp try5 Try                      ← ArrayIndexOutOfBoundsException
usage: java Try <integer> <integer>      ← 使い方を表示

> java -cp try5 Try abc 3                ← NumberFormatException
usage: java Try <integer> <integer>      ← 使い方を表示
```

```
> java -cp try5 Try 1200 0          ← ArithmeticException
usage: java Try <integer> <integer> ← 使い方を表示
```

　Exceptionクラスは便利な一方で、想定外の例外が発生していても見逃してしまう危険があります。プログラムの開発中は、どんな例外が発生しているのかを確認しておくとよいでしょう。

　catch節で宣言した変数に格納された、例外オブジェクトを使うと、例外の内容を確認できます。例えば、以下のprintStackTrace（プリント・スタック・トレース）メソッドを使って、スタックトレースを出力することが可能です。printStackTraceメソッドは、例外やエラーのスーパークラスである、Throwableクラスのメソッドです。

┃スタックトレースの出力

例外オブジェクト.printStackTrace()

　スタックはメモリ領域の一種で、メソッドの呼び出しに関する情報を格納するために使います。そしてスタックトレースは、スタックに格納された、現在呼び出されているメソッドの状態に関する情報です。例外が発生したときに、スタックトレースを出力すると、どんな例外が、どのクラスのどのメソッドで発生したのかがわかります。例外が発生してプログラムが強制終了したときにも、スタックトレースが出力されます。

　スタックトレースを出力してみましょう。**問題6 Try.javaを改造して、catch節の例外処理に「e.printStackTrace();」を追加**してください。

▼try6\Try.java

```
1  public class Try {
2      public static void main(String[] args) {
3
4          // 例外が発生する可能性がある処理
5          try {
6              int a=Integer.parseInt(args[0]);
7              int b=Integer.parseInt(args[1]);
8              System.out.println(a/b);
9          }
10
11         // Error以外の全ての例外（Exceptionクラスとそのサブクラス）
12         // が発生したときの処理
```

```
13          catch (Exception e) {
14              System.out.println("usage: java Try <integer> <integer>");
15
16              // スタックトレースを出力
17              e.printStackTrace();
18          }
19      }
20  }
```

01 try文とcatch節で例外をキャッチする

　プログラムをコンパイルしてから、「abc」のような整数に変換できない値を指定して、実行してみてください。次のようなスタックトレースが出力されます。スタックトレースを見ると、発生した例外がNumberFormatExceptionであることや、Try.javaの6行目で使ったInteger.parseIntメソッドで例外が発生したことなどがわかります。

```
> javac try6/*.java
> java -cp try6 Try abc 3
usage: java Try <integer> <integer>
java.lang.NumberFormatException: For input string: "abc"
（文字列「abc」に対してNumberFormatExceptionが発生）
        at java.base/java.lang.NumberFormatException.forInputString
            (NumberFormatException.java:67)
（NumberFormatExceptionクラスのforInputStringメソッド）
        at java.base/java.lang.Integer.parseInt(Integer.java:661)
（IntegerクラスのparseIntメソッド）
        at java.base/java.lang.Integer.parseInt(Integer.java:777)
（IntegerクラスのparseIntメソッド）
        at Try.main(Try.java:6)
（Tryクラスのmainメソッド）
```

　Exceptionクラスを使って、いろいろな種類の例外をまとめて処理する方法を学びました。また、printStackTraceメソッドを使って、例外発生時にスタックトレースを出力する方法も学びました。

　次は、例外をまとめて処理しつつも、特定の例外は個別に処理する方法を学びましょう。

ある種類の例外は個別に処理する

Exceptionクラスを使うと、いろいろな例外をまとめて処理できます。一方で、特定の例外に対するcatch節を併用すれば、その例外に関しては個別に処理することが可能です。

例えば、Exceptionでいろいろな例外をまとめて処理しつつ、ArithmeticExceptionに関しては個別に処理することを考えてみましょう。この場合は、Exceptionに対するcatch節と、ArithmeticExceptionに対するcatch節を並べて書けば、目的が達成できます。

ここで注意が必要なのは、catch節は上から下に処理されるということです。発生した例外が上の方に書かれたcatch節で処理されると、下の方に書かれたcatch節は実行されません。

したがって、ExceptionとArithmeticExceptionの場合は、ArithmeticExceptionを上に、Exceptionを下に書く必要があります。一般に、例外クラスにスーパークラスとサブクラスの関係があるときには、サブクラスを上に、スーパークラスを下に書きます。

前問のプログラムに対して、ArithmeticExceptionの例外処理を追加してみましょう。 **問題❼** **Try.javaを改造して、ArithmeticExceptionに対するcatch節を追加し、例外が発生したら「error: division by zero」と出力**してください。

▼try7\Try.java

```
1  public class Try {
2      public static void main(String[] args) {
3
4          // 例外が発生する可能性がある処理
5          try {
6              int a=Integer.parseInt(args[0]);
7              int b=Integer.parseInt(args[1]);
8              System.out.println(a/b);
9          }
10
11         // ArithmeticExceptionが発生したときの処理
12         catch (ArithmeticException e) {
13             System.out.println("error: division by zero");
14         }
15
```

```
16              // Error以外の全ての例外が発生したときの処理
17          catch (Exception e) {
18              System.out.println("usage: java Try <integer> <integer>");
19          }
20      }
21  }
```

上記のように、サブクラスであるArithmeticExceptionを上に、スーパークラスであるExceptionを下に書きます。次のように、プログラムをいろいろなコマンドライン引数で実行してみてください。ArithmeticExceptionが発生した場合は、「error: division by zero」が出力されます。

Chapter

11

01

try文とcatch節で例外をキャッチする

```
> javac try7/*.java
> java -cp try7 Try 1200 3              ← 例外が発生しない場合
400                                      ← 除算の結果を表示

> java -cp try7 Try                      ← ArrayIndexOutOfBoundsException
usage: java Try <integer> <integer>      ← 使い方を表示

> java -cp try7 Try abc 3                ← NumberFormatException
usage: java Try <integer> <integer>      ← 使い方を表示

> java -cp try7 Try 1200 0               ← ArithmeticException
error: division by zero                  ← エラー：0による除算
```

catch節の順序を逆にすると、コンパイルエラーが発生します。実際に試してみましょう。Try.javaにおいて、Exceptionに対するcatch節を上に、ArithmeticExceptionに対するcatch節を下にしてみてください。プログラムをコンパイルすると、次のようなエラーが発生します。

```
> javac try7/*.java
try7\Try.java:17: エラー：
例外ArithmeticExceptionはすでに捕捉されています
                catch (ArithmeticException e) {
                ^
エラー 1個
```

　Exceptionクラスに対するcatch節と、特定の例外に対するcatch節を併用する方法を学びました。次は、try文の最後に必ず実行する、finally節について学びましょう。

最後に必ず実行するfinally節

　try文にはfinally（ファイナリー）節を付けることができます。finallyは「最後に」という意味です。finally節は、例外が発生しなかった場合でも、例外が発生した場合でも、必ず実行されます。

　finally節は次のように、try文の最後に書きます。catch節は1個でも、複数個でも構いません。また、finally節を書く場合は、catch節を書かないこともできます。

| try文とfinally節

```
try {
    文;
    …
} catch (型 変数名) {
    文;
    …
} finally {
    文;
    …
}
```

　finally節は次のように動作します。finallyの直後に書かれたブロックは、finallyブロックと呼ばれます。finallyブロックは、例外が発生してもしなくても、必ず最後に実行されるので、後片付けなどの処理を書くために使います。

1 tryブロックを実行します。

2 tryブロックの最後まで例外が発生しなかった場合は、finallyブロックを実行して終了します。

3 例外が発生した場合は、tryブロックの実行を中止し、catch節に移動します。

4 catch節に書かれた例外の型が、発生した例外をキャッチできる場合は、catchブロックとfinallyブロックを実行して終了します。

5 catch節に書かれた例外の型が、発生した例外をキャッチできない場合は、finallyブロックを実行して終了します。

　finally節の動作を以下に図示します。いずれの場合も、finallyブロックが実行されます。

▼finally節の動作（例外が発生しない）

```
try {
    文
} catch (型 変数名) {
    文
} finally {
    文
}
次の文
```

①例外が発生しない

実行しない

②実行

③実行

▼finally節の動作（キャッチできる例外が発生）

```
try {
    文
} catch (型 変数名) {
    文
} finally {
    文
}
次の文
```

①例外が発生

②キャッチできる

③実行

④実行

⑤実行

▼finally節の動作（キャッチできない例外が発生）

```
try {
    文
} catch (型 変数名) {
    文
} finally {
    文
}
次の文
```

①例外が発生

②キャッチできない

実行しない

③実行

実行しない

④外側のtry文でキャッチするか、
　強制終了

　finally節を使ってみましょう。前問のプログラムを改造して、例外が発生しても
しなくても、最後に「thank you」（ありがとう）と出力してみます。**問題⑧ Try.java**
にfinally節を追加し、「thank you」と出力してください。

▼ try8\Try.java

```java
 1  public class Try {
 2      public static void main(String[] args) {
 3
 4          // 例外が発生する可能性がある処理
 5          try {
 6              int a=Integer.parseInt(args[0]);
 7              int b=Integer.parseInt(args[1]);
 8              System.out.println(a/b);
 9          }
10
11          // ArithmeticExceptionが発生したときの処理
12          catch (ArithmeticException e) {
13              System.out.println("error: division by zero");
14          }
15
16          // Error以外の全ての例外が発生したときの処理
17          catch (Exception e) {
18              System.out.println("usage: java Try <integer> <integer>");
19          }
20
21          // 例外が発生してもしなくても、必ず最後に実行する処理
22          finally {
23              System.out.println("thank you");
24          }
25      }
26  }
```

　プログラムをコンパイルして、次のように実行してみてください。例外が発生し
てもしなくても、最後に必ずfinally節が実行されることが確認できます。

```
> javac try8/*.java
> java -cp try8 Try 1200 3          ← 例外が発生しない場合
400                                 ← 除算の結果を表示
thank you                           ← finally節

> java -cp try8 Try                 ← ArrayIndexOutOfBoundsException
usage: java Try <integer> <integer> ← 使い方を表示
thank you                           ← finally節
```

```
> java -cp try8 Try 1200 0          ← ArithmeticException
error: division by zero             ← エラー：0による除算
thank you                           ← finally節
```

　try文の最後に必ず実行される、finally節について学びました。これでtry文・catch節・finally節を使った例外処理については一段落です。try文に関しては、try-with-resources文というバリエーションもあり、こちらはファイルの入出力と一緒に学びます（Chapter14）。

　次は、自分のプログラムで例外を発生させる方法を学びましょう。

自分のプログラムで 例外を発生させる

　throw（スロー）文を使うと、自分のプログラムで例外を発生させることが可能です。何か例外的な事態が発生したときに、例外を発生させることで異常を知らせることができます。

　例外を使うのではなく、その場でエラーメッセージを出力したり、異常を表す戻り値をreturn文で返すという選択肢もあります。しかし、例外を使うと正常な処理と例外的な処理を分離できるので、プログラムの流れがわかりやすくなるという利点が得られます。

　特にコンストラクタの場合は戻り値が無いので、異常を知らせるために例外を使う必要があります。ここではthrow文の使い方を学ぶために、まずは例外を使わないコンストラクタを書いてみましょう。次にthrow文を使って、コンストラクタで例外を発生させてみます。

例外を使わないコンストラクタを書く

　throw文の使い方を学ぶために、ユーザ名とパスワードを管理するクラスを書いてみましょう。 問題9 Userクラスを宣言し、String型のnameとpasswordというフィールド、引数をnameとpasswordに設定するコンストラクタ、「name:名前 password:パスワード」の形式で情報を出力するprintメソッドを宣言してください。

▼throw\User.java

```
 1  public class User {
 2
 3      // フィールド（名前、パスワード）
 4      private String name, password;
 5
 6      // コンストラクタ
 7      public User(String name, String password) {
 8          this.name=name;
 9          this.password=password;
10      }
11
```

```
12        // メソッド (情報を出力)
13        public void print() {
14            System.out.println("name:"+name+" password:"+password);
15        }
16   }
```

次は、Userクラスを利用するプログラムを書いてみます。**問題⑩ Throwクラス**
とmainメソッドを宣言します。User型の変数userを宣言し、Userインスタンスを
生成して格納したうえで、printメソッドで情報を出力してください。コンストラ
クタの引数は、名前を「guest」（ゲスト）、パスワードを「abc123」とします。

▼ throw\Throw.java

```
 1   public class Throw {
 2        public static void main(String[] args) {
 3
 4            // Userインスタンスの生成
 5            User user=new User("guest", "abc123");
 6
 7            // 情報を出力
 8            user.print();
 9        }
10   }
```

次のようにプログラムを実行してください。名前とパスワードが出力されれば成
功です。

```
> javac throw/*.java
> java -cp throw Throw
name:guest password:abc123    ← 名前：guest、パスワード：abc123
```

throw文について学ぶ準備として、コンストラクタを持つクラスを宣言しました。
次はthrow文で例外を発生させてみましょう。

(throw文で例外を発生させる

throw文は次のように書きます。例外オブジェクトとは、例外を表すオブジェク
トで、例外クラスのインスタンスです。

throw文

```
throw 例外オブジェクト;
```

例外オブジェクトを生成したうえでthrow文を実行する場合は、次のように書きます。例外クラス名の部分には、Javaが提供する例外クラスの名前を指定するか、自分で宣言した例外クラスの名前を指定します。自分で例外クラスを宣言する場合は、Throwableクラスのサブクラスにする必要があります。

throw文（例外オブジェクトを生成）

```
throw new 例外クラス名(引数, …);
```

例外クラスのコンストラクタに渡す引数には、いくつかのパターンがあります。最もシンプルなのは、引数を渡さない方法です。よく使うのは、次のように例外を説明する文字列を渡す方法です。

例外インスタンスの生成（説明の文字列を渡す）

```
new 例外クラス名(文字列)
```

Userクラスでthrow文を使ってみましょう。**問題⑪ Userクラスのコンストラクタを改造して、引数のnameやpasswordが空文字列の場合に、throw文でRuntimeExceptionを発生**させてください。引数が空文字列かどうかは、StringクラスのisEmptyメソッド（Chapter4）で調べられます。RuntimeExceptionのコンストラクタに渡す引数は、nameについては「the name is empty」（名前が空である）、passwordについては「the password is empty」（パスワードで空である）にしてください。

▼ throw2\User.java

```
 1  public class User {
 2
 3      // フィールド （名前、パスワード）
 4      private String name, password;
 5
 6      // コンストラクタ
 7      public User(String name, String password) {
 8
 9          // 引数nameが空文字列ならば、例外を発生
10          if (name.isEmpty()) {
11              throw new RuntimeException("the name is empty");
```

```
12              }
13
14          // 引数passwordが空文字列ならば、例外を発生
15          if (password.isEmpty()) {
16              throw new RuntimeException("the password is empty");
17          }
18
19          // フィールドに引数を設定
20          this.name=name;
21          this.password=password;
22      }
23
24      // メソッド（情報を出力）
25      public void print() {
26          System.out.println("name:"+name+" password:"+password);
27      }
28 }
```

　上記のプログラムでは、RuntimeExceptionを発生させましたが、他の例外クラスを使っても構いません。例えば、引数の値が不適切なことを表す、IllegalArgumentException（イリーガル・アーギュメント・エクセプション）などを使ってもよいでしょう。

　ExceptionではなくRuntimeExceptionを使ったのは、例外処理を省略可能にするためです。前述のように、RuntimeExceptionクラスとそのサブクラスは、例外処理が必須ではないunchecked例外です。後ほど、例外処理が必須になるプログラムも書いてみます。

　Userクラスを利用してみましょう。User.javaと同じフォルダに、前問のThrow.javaを配置（またはコピー）したうえで、次のようにコンパイル・実行してください。実行結果は前問と同じです。

```
> javac throw2/*.java
> java -cp throw2 Throw
name:guest password:abc123    ← 名前：guest、パスワード：abc123
```

　次は例外を発生させてみましょう。名前を空文字列にしてみます。Throw.javaにおいて、「new User("guest", "abc123")」の部分を「new User("", "abc123")」に書き換えたうえで、コンパイル・実行してください。次のように、「the name is empty」という説明を伴った、RuntimeExceptionが発生すれば成功です。

```
> javac throw2/*.java
> java -cp throw2 Throw
Exception in thread "main" java.lang.RuntimeException:
 (mainスレッドでRuntimeExceptionが発生)
the name is empty
 (名前が空である)
        at User.<init>(User.java:11)
        at Throw.main(Throw.java:5)
```

同様に、パスワードを空文字列にしてみましょう。Throw.javaにおいて、「new User("guest", "abc123")」の部分を「new User("guest", "")」に書き換えたうえで、コンパイル・実行してください。次のように、「the password is empty」という説明を伴った、RuntimeExceptionが発生します。

```
> javac throw2/*.java
> java -cp throw2 Throw
Exception in thread "main" java.lang.RuntimeException:
 (mainスレッドでRuntimeExceptionが発生)
the password is empty
 (パスワードが空である)
        at User.<init>(User.java:16)
        at Throw.main(Throw.java:5)
```

throw文を使って例外を発生させる方法を学びました。次は発生させた例外を、try文で処理してみましょう。

発生させた例外をtry文で処理する

throw文で発生させた例外も、try文で処理できます。例外を生成する際に渡した説明の文字列は、次のようにgetMessage（ゲット・メッセージ）メソッドで取得することが可能です。

| 例外を説明する文字列の取得

```
例外オブジェクト.getMessage()
```

前間のプログラムに例外処理を追加してみましょう。**問題⑫ Throw.javaに対し**

て、try文とcatch節を追加し、例外が発生したら「error: 説明」のように例外の説明を出力してください。catch節がキャッチする例外の型はExceptionにします。

▼ throw3\Throw.java

```
 1  public class Throw {
 2      public static void main(String[] args) {
 3
 4          // 例外が発生する可能性がある処理
 5          try {
 6              User user=new User("guest", "abc123");
 7              user.print();
 8          }
 9
10          // 例外が発生したときの処理（例外の説明を出力）
11          catch (Exception e) {
12              System.out.println("error: "+e.getMessage());
13          }
14      }
15  }
```

　Userクラスのコンストラクタが発生させるのはRuntimeExceptionですが、ExceptionはRuntimeExceptionのスーパークラスなので、上記のcatch節でRuntimeExceptionもキャッチできます。Throw.javaと同じフォルダに、前問のUser.javaを配置（またはコピー）したうえで、次のようにコンパイル・実行してみてください。

```
> javac throw3/*.java
> java -cp throw3 Throw
name:guest password:abc123    ← 名前：guest、パスワード：abc123
```

　次は例外を発生させてみます。Throw.javaの「new User("guest", "abc123")」を「new User("", "abc123")」に書き換えたうえで、コンパイル・実行してください。以下のように例外の説明が出力されます。

```
> javac throw3/*.java
> java -cp throw3 Throw
error: the name is empty    ← エラー：名前が空である
```

今度はパスワードを空にしてみましょう。Throw.javaの「new User("guest", "abc123")」を「new User("guest", "")」に書き換えたうえで、コンパイル・実行してください。

```
> javac throw3/*.java
> java -cp throw3 Throw
error: the password is empty   ← エラー：パスワードが空である
```

throw文で発生した例外を、try文で処理する方法を学びました。また、例外に設定した説明を、getMessageメソッドで取得する方法も学びました。

次は、発生する例外を示すthrows節について学びましょう。

発生するchecked例外を示すthrows節

コンストラクタやメソッドの中でchecked例外が発生する場合、try文を使って例外処理を行うか、もしくはコンストラクタやメソッドにthrows（スローズ）節を付ける必要があります。throws節は、そのコンストラクタやメソッドで発生するchecked例外を示します。

throws節は次のように書きます。複数種類の例外が発生する場合は、例外クラス名を,（カンマ）で区切って並べます。

throws節（コンストラクタ）

```
クラス名(型 引数名, …) throws 例外クラス名, … {
    文;
    …
}
```

throws節（メソッド）

```
戻り値型 メソッド名(型 引数名, …) throws 例外クラス名, … {
    文;
    …
}
```

throws節の対象になる例外クラスは、指定した例外クラスとそのサブクラスです。例えば、throws節にExceptionクラスを指定した場合は、Exceptionクラスとそのサブクラス（Error以外の全ての例外）が対象になります。

Userクラスにおいて、unchecked例外のRuntimeExceptionではなく、checked例外のExceptionを発生させてみましょう。checked例外なので、throws節が必要になります。**問題⑬ Userクラスのコンストラクタについて、RuntimeExceptionをExceptionに変更したうえで、Exceptionに対するthrows節を追加**してください。

▼ throw4\User.java

```java
 1  public class User {
 2
 3      // フィールド（名前、パスワード）
 4      private String name, password;
 5
 6      // コンストラクタ（Exceptionを発生）
 7      public User(String name, String password) throws Exception {
 8
 9          // 引数nameが空文字列ならば、例外を発生
10          if (name.isEmpty()) {
11              throw new Exception("the name is empty");
12          }
13
14          // 引数passwordが空文字列ならば、例外を発生
15          if (password.isEmpty()) {
16              throw new Exception("the password is empty");
17          }
18
19          // フィールドに引数を設定
20          this.name=name;
21          this.password=password;
22      }
23
24      // メソッド（情報を出力）
25      public void print() {
26          System.out.println("name:"+name+" password:"+password);
27      }
28  }
```

上記のUserクラスを利用してみましょう。User.javaと同じフォルダに、前問のThrow.javaを配置（またはコピー）したうえで、次のようにコンパイル・実行してください。実行結果は前問と同じです。

```
> javac throw4/*.java
> java -cp throw4 Throw
name:guest password:abc123   ← 名前：guest、パスワード：abc123
```

　checked例外が発生するコンストラクタやメソッドにthrows節が無いと、コンパイルエラーが発生します。Userクラスのコンストラクタからthrows節を削除して、コンパイルしてみてください。以下のコンパイルエラーは、try文とcatch節で例外をキャッチ（捕捉）するか、throws節で例外を宣言する必要がある、という意味です。

```
> javac throw4/*.java
throw4\Throw.java:6: エラー: 例外Exceptionは報告されません。
スローするには、捕捉または宣言する必要があります
                User user=new User("guest", "abc123");
                          ^
エラー 1個
```

　自分のプログラムで例外を発生させたいときに役立つ、throw文とthrows節の使い方を学びました。次はデバッグやテストに活用できる、assert文について学びましょう。

デバッグやテストに役立つ assert文

assert（アサート）文は、プログラムのデバッグやテストに役立つ機能です。assertには「断言する」や「表明する」という意味があります。assert文を使うと、プログラマが「これは成立するはず」と考えている式を、プログラムに書いておけます。もし、プログラマが考え違いをしていたり、プログラマが考えた通りにプログラムが書けていなくて式が不成立だった場合は、assert文が例外を発生して、誤りを知らせてくれます。

assert文の使い方を学ぶために、まずはassert文を使わずにプログラムを書いてみましょう。次にassert文を使って、プログラムに対するテストを書いてみます。

assert文を使わないプログラムを書く

assert文を学ぶための題材として、**問題⑭ ある整数nが素数かどうかを判定する、prime（プライム）メソッド**を書いてください。素数とは、1とその数自身以外では割り切れない、2以上の整数のことです。英語では素数のことを、prime number（プライム・ナンバー）と呼びます。

ある整数nが素数かどうかを判定するシンプルな方法は、2以上n未満の整数で、nを割った余りを求めてみることです。いずれかの整数で割り切れたら、nは素数ではありません。どの整数でも割りきれず、かつnが2以上ならば、nは素数です。

以下は上記の方法に基づいたプログラムです。整数nが素数かどうかを判定するprimeメソッドと、コマンドライン引数で渡された整数が素数かどうかを判定するmainメソッドを宣言しました。

▼assert\Assert.java

```
1  public class Assert {
2
3      // 整数nが素数ならばtrueを返すメソッド
4      public static boolean prime(int n) {
5
6          // 2以上n未満の整数で、nを割った余りを求める
7          for (int i=2; i<n; i++) {
```

```
 8
 9              // 割り切れたら、nは素数ではない
10              if (n%i==0) {
11                  return false;
12              }
13          }
14
15          // 割り切れず、かつnが2以上ならば、nは素数である
16          return n>=2;
17      }
18
19      // mainメソッド
20      public static void main(String[] args) {
21
22          // コマンドライン引数で渡された整数が、素数かどうかを判定
23          try {
24              int n=Integer.parseInt(args[0]);
25              System.out.printf(
26                  "%d %s a prime number.\n", n, prime(n)?"is":"is not");
27          }
28
29          // 例外が発生したら、使い方を出力
30          catch (Exception e) {
31              System.out.println("usage: java Assert <integer>");
32          }
33      }
34 }
```

　上記のプログラムを読み解いてから、コンパイル・実行してみてください。そして、Assert.javaの動作をテストするために、コマンドライン引数に1～4の整数を与えて実行してください。

```
> javac assert/*.java
> java -cp assert Assert        ← コマンドライン引数が無い場合
usage: java Assert <integer>    ← 使い方を出力

> java -cp assert Assert 1
1 is not a prime number.        ← 1は素数ではない
> java -cp assert Assert 2
```

```
2 is a prime number.            ← 2は素数である
> java -cp assert Assert 3
3 is a prime number.            ← 3は素数である
> java -cp assert Assert 4
4 is not a prime number.        ← 4は素数ではない
```

　上記でテストした限りでは、プログラムは正しく動いているようです。ここで、
プログラムの一部を書き換えてみることにしましょう。primeメソッドの「return
n>=2;」を「return n>2;」に書き換えて、コンパイル・実行してください。プログ
ラムの変更後も正しく動くかどうか、先ほどと同様に1～4の整数を与えてテストし
ます。

```
> javac assert/*.java
> java -cp assert Assert       ← コマンドライン引数が無い場合
usage: java Assert <integer>   ← 使い方を出力

> java -cp assert Assert 1
1 is not a prime number.       ← 1は素数ではない
> java -cp assert Assert 2
2 is not a prime number.       ← 2は素数ではない（誤り）
> java -cp assert Assert 3
3 is a prime number.           ← 3は素数である
> java -cp assert Assert 4
4 is not a prime number.       ← 4は素数ではない
```

　上記のように、「2は素数ではない」という誤った判定がされたので、プログラム
の変更が間違っていたことがわかります。一般に、プログラムを変更したら必ずテ
ストを再実行して、間違いが無いことを確認する必要があります。
　しかし、手作業でテストを行うのは手間がかかりますし、目視による確認では誤
りを見逃すかもしれません。そこで役立つのがassert文を使ったテストです。

assert文を使ってプログラムをテストする

　assert文は次のように書きます。条件式だけを書く形式と、：（コロン）と式を付
ける形式があります。後者の形式は、エラーに関する詳細な情報を付加するために
使います。

assert文

```
assert 条件式;
```

assert文（詳細情報付き）

```
assert 条件式:式;
```

　assert文は条件式を評価し、true（成立）の場合は何もせず、false（不成立）の場合はAssertionError（アサーション・エラー）という例外を発生させます。AssertionErrorは通常はキャッチしないので、プログラムが強制終了し、例外とスタックトレースが表示されます。assert文に:と式を付けた場合は、詳細情報として、式の値も一緒に表示されます。

　assert文を使ってみましょう。**問題⓯ 前問のAssertクラスにstatic初期化子を追加し、assert文を使ったprimeメソッドのテストを記述**してください。テストは1〜4の整数に対して行います。

▼ assert2\Assert.java

```
 1  public class Assert {
 2
 3      // 整数nが素数ならばtrueを返すメソッド
 4      public static boolean prime(int n) {
 5          for (int i=2; i<n; i++) {
 6              if (n%i==0) {
 7                  return false;
 8              }
 9          }
10          return n>=2;
11      }
12
13      // static初期化子
14      static {
15          assert !prime(1):1;
16          assert prime(2):2;
17          assert prime(3):3;
18          assert !prime(4):4;
19      }
20
21      // mainメソッド
22      public static void main(String[] args) {
```

```
23        try {
24            int n=Integer.parseInt(args[0]);
25            System.out.printf(
26                "%d %s a prime number.\n", n, prime(n)?"is":"is not");
27        } catch (Exception e) {
28            System.out.println("usage: java Assert <integer>");
29        }
30    }
31 }
```

　上記のassert文では、!演算子（Chapter5）を使って「素数ではない」ことを表現しています。例えば、「!prime(1)」は「1は素数ではない」という意味で、「prime(2)」は「2は素数である」という意味です。

　assert文には詳細情報として、テストの対象になった値（1～4）を付けました。この値はAssertionErrorが発生したときに表示されるので、どの値で問題が起きたのかがわかりやすくなります。

　上記のプログラムでは、これらのassert文をstatic初期化子（Chapter8）に書きました。static初期化子は、クラスを利用したときに自動的に実行されるので、確実にテストを実行できます。

　さて、アサーション（assert文に関連する機能）を有効にするには、javaコマンドに-eaというオプションを付ける必要があります。eaはenable assertions（アサーションを有効にする）の略です。

　上記のプログラムをコンパイル・実行してみましょう。プログラムをコンパイルした後に、javaコマンドに–eaオプションを付けて、Assertクラスを実行してください。コマンドライン引数は、「無し」「100」「101」の3通りを試してみてください。

```
> javac assert2/*.java
> java -ea -cp assert2 Assert          ← コマンドライン引数が無い場合
usage: java Assert <integer>           ← 使い方を出力
> java -ea -cp assert2 Assert 100
100 is not a prime number.             ← 100は素数ではない
> java -ea -cp assert2 Assert 101
101 is a prime number.                 ← 101は素数である
```

441

　AssertionErrorが表示されなかったので、テストは成功したと思われます。試しに、あえてAssertionErrorを発生させてみましょう。primeメソッドの「return n>=2;」を「return n>2;」に書き換えたうえで、コンパイル・実行してください。

```
> javac assert2/*.java
> java -ea -cp assert2 Assert
Exception in thread "main" java.lang.AssertionError: 2
        at Assert.<clinit>(Assert.java:16)
```

　上記のようにAssertionErrorが発生しました。「java.lang.AssertionError: 2」と表示されているので、整数の2に対するテストが失敗したことがわかります。

　より本格的にプログラムのテストを行うには、例えばJUnit（ジェイ・ユニット）のような、テスト用のフレームワーク（枠組み）を使う方法もあります。一方でassert文を使うと、Javaが提供する基本的な機能だけで、いつでも手軽にテストを行えることが利点です。

　assert文の使い方を学びました。次はプログラムの改良に、assert文が役立つ例を見てみましょう。

プログラムの改良にassert文を役立てる

　プログラムを改良するために、プログラムを書き換えることはよくあります。その際に、assert文を使ったテストを書いておけば、改良の過程でうっかりプログラムに誤りを入れてしまっても、テストで検出できる可能性があります。

　前問のプログラムを改良してみましょう。primeメソッドでは、整数nがn未満の整数で割りきれるかどうかを調べますが、実はnの平方根以下の整数で割りきれるかどうかを調べれば十分で、この方が効率的です。**問題⑯ primeメソッドを、nの平方根以下の整数で割りきれるかどうかを調べるように改造**してください。平方根はMath.sqrtメソッド（Chapter3）で求めます。

```
 1  public class Assert {
 2
 3      // 整数nが素数ならばtrueを返すメソッド
 4      public static boolean prime(int n) {
 5          for (int i=2; i<=Math.sqrt(n); i++) {
 6              if (n%i==0) {
 7                  return false;
 8              }
 9          }
10          return n>=2;
11      }
12
13      // static初期化子
14      static {
15          assert !prime(1):1;
16          assert prime(2):2;
17          assert prime(3):3;
18          assert !prime(4):4;
19      }
20
21      // mainメソッド
22      public static void main(String[] args) {
23          try {
24              int n=Integer.parseInt(args[0]);
25              System.out.printf(
26                  "%d %s a prime number.\n", n, prime(n)?"is":"is not");
27          } catch (Exception e) {
28              System.out.println("usage: java Assert <integer>");
29          }
30      }
31  }
```

Chapter **11**

03
デ
バ
ッ
グ
や
テ
ス
ト
に
役
立
つ
assert文

　primeメソッドで「i<n」だった部分を、「i<=Math.sqrt(n)」に書き換えました。
次のようにコンパイル・実行してみてください。AssertionErrorが発生していない
ので、テストが成功したことがわかります。

```
> javac assert3/*.java
> java -ea -cp assert3 Assert          ← コマンドライン引数無し
usage: java Assert <integer>           ← 使い方を出力
> java -ea -cp assert3 Assert 100
100 is not a prime number.             ← 100は素数ではない
> java -ea -cp assert3 Assert 101
101 is a prime number.                 ← 101は素数である
```

　テストが失敗する場合も試してみましょう。primeメソッドの「i<=Math.sqrt(n)」を「i<Math.sqrt(n)」に書き換えて、コンパイル・実行してください。

```
> javac assert3/*.java
> java -ea -cp assert3 Assert
Exception in thread "main" java.lang.AssertionError: 4
        at Assert.<clinit>(Assert.java:18)
```

　上記のようにAssertionErrorが発生して、4に対するテストが失敗しました。プログラムを改良したときに、この例のように微妙な部分を間違えるといったことは、よく起こります。テストを書いておき、自動的にテストを実行するようにしておけば、誤りを検出できる可能性が高くなって安全性が増します。

　本章では、try文・catch節・finally節を使って、例外処理を書く方法を学びました。例外処理を使うと、プログラムが強制終了することを防いで、処理を継続できます。Javaが提供する例外クラスや、checked例外とunchecked例外の違い、自分のプログラムで例外を発生するthrow文、デバッグやテストに役立つassert文についても学びました。

　次章では複数のクラスをまとめる、パッケージについて学びます。

☐ try文とcatch節

問題❶ TryクラスとmainメソッドをA宣言します。2個のコマンドライン引数を整数に変換し、変数aと変数bに格納したうえで、a/bの値を出力するプログラムを書いてください。　　　　　　　　　　　　　　　　　　　　➡408ページ

問題❷ Tryクラスを改造して、ArrayIndexOutOfBoundsExceptionに対する例外処理を追加し、例外が発生したら「usage: java Try <integer> <integer>」（使い方：java Try 整数 整数）と出力してください。　　　　　➡411ページ

問題❸ Tryクラスを改造して、NumberFormatExceptionに対するcatch節を追加し、例外が発生したら「error: specify integers」（エラー：整数を指定せよ）と出力してください。　　　　　　　　　　　　　　　　　　➡413ページ

問題❹ Tryクラスを改造して、ArithmeticExceptionに対するcatch節を追加し、例外が発生したら「error: division by zero」（エラー：0による除算）と出力してください。　　　　　　　　　　　　　　　　　　　➡415ページ

問題❺ Tryクラスを改造して、複数のcatch節をExceptionに対する1個のcatch節にまとめたうえで、例外が発生したら使い方を出力してください。➡419ページ

問題❻ Tryクラスを改造して、catch節の例外処理に「e.printStackTrace();」を追加してください。　　　　　　　　　　　　　　　　　　　　　　➡420ページ

問題❼ Tryクラスを改造して、ArithmeticExceptionに対するcatch節を追加し、例外が発生したら「error: division by zero」と出力してください。　➡422ページ

☐ finally節

問題❽ Tryクラスにfinally節を追加し、「thank you」と出力してください。

　　　　　　　　　　　　　　　　　　　　　　　　　　　　➡425ページ

□throw文

問題 9 Userクラスを宣言し、String型のnameとpasswordというフィールド、引数を nameとpasswordに設定するコンストラクタ、「name:名前 password:パスワード」の形式で情報を出力するprintメソッドを宣言してください。　➡428ページ

問題 10 Throwクラスとmainメソッドを宣言します。User型の変数userを宣言し、Userインスタンスを生成して格納したうえで、printメソッドで情報を出力してください。コンストラクタの引数は、名前を「guest」（ゲスト）、パスワードを「abc123」とします。　➡429ページ

問題 11 Userクラスのコンストラクタを改造して、引数のnameやpasswordが空文字列の場合に、throw文でRuntimeExceptionを発生させてください。RuntimeExceptionのコンストラクタに渡す引数は、nameについては「the name is empty」（名前が空である）、passwordについては「the password is empty」（パスワードで空である）にします。　➡430ページ

問題 12 Throwクラスに対して、try文とcatch節を追加し、例外が発生したら「error: 説明」のように例外の説明を出力してください。　➡432ページ

問題 13 Userクラスのコンストラクタについて、RuntimeExceptionをExceptionに変更したうえで、Exceptionに対するthrows節を追加してください。　➡435ページ

□assert文

問題 14 Assertクラスを宣言し、整数nが素数かどうかを判定するprime（プライム）メソッドと、コマンドライン引数で渡された整数が素数かどうかを判定するmainメソッドを宣言してください。　➡437ページ

問題 15 Assertクラスにstatic初期化子を追加し、assert文を使ったprimeメソッドのテストを記述してください。テストは1〜4の整数に対して行います。　➡440ページ

問題 16 primeメソッドを、nの平方根以下の整数で割りきれるかどうかを調べるように改造してください。　➡442ページ

Chapter 12

関連するクラスを
パッケージにまとめる

Javaには数多くのクラスがあります。これらのクラスは、関連するクラス群ごとに、パッケージ（package）にまとめられています。

今までは、パッケージについて意識しないでプログラムを書いてきました。しかし、Javaが提供するいろいろなクラスを活用したり、自分で作成したクラスを整理したりするには、パッケージの使い方を知っておくと役立ちます。

本章では、Javaが提供するパッケージを利用する方法や、自分でパッケージを作成する方法を学びます。さらに、関連するパッケージ群をまとめるモジュール（module）や、クラス群を圧縮して収録するJARファイルについても学びます。

本章の学習内容

❶ パッケージとは
❷ モジュールとは
❸ import宣言
❹ import static宣言
❺ パッケージの作成と実行
❻ モジュールの作成と実行
❼ JARファイル

01 パッケージを利用する

パッケージは複数の関連するクラス（あるいはインタフェース）をまとめる機能です。今までに利用してきた、Javaが提供するいろいろなクラスもパッケージにまとめられています。ここではパッケージの仕組みや、Javaが提供する代表的なパッケージ、そしてパッケージを使いやすくするimport文やimport static文について学びましょう。

Javaが提供するパッケージを使う

実は今までに利用してきたJavaが提供するクラスは、全てパッケージに所属しています。例えば、値を出力するSystem.out.printlnメソッドの「System」は、java.lang（ジャバ・ラング）というパッケージに所属するSystemクラスです。

java.langは、Javaの最も基本的なクラスをまとめたパッケージです。java.langに所属するクラスに関しては、何も宣言をしなくても、クラス名を指定するだけで使えます。そのためSystemクラスについても、特にパッケージを意識せずにSystemというクラス名だけで使ってきました。

Javaには数多くのパッケージがありますが、以下はその一部です。入出力に関するパッケージ（java.io、java.nio）についてはChapter14で、java.utilに含まれるコレクション（データ構造）についてはChapter13で、それぞれ学びます。

下記のパッケージ名は、いずれもjavaから始まっています。パッケージは階層的になっていて、上位のjavaパッケージの中に下位のioやlangといったサブパッケージが所属する、という構造をしています。

▼ Javaが提供するパッケージの例

パッケージ名	機能
java.io	ファイルなどに対する旧来の入出力機能
java.lang	Javaの基本的な機能
java.math	精度を指定できる計算機能
java.net	ネットワーク機能
java.nio	ファイルなどに対する後発の入出力機能
java.security	セキュリティ機能
java.text	日付や数値などを多言語に対応させる機能
java.time	時間を扱う機能
java.util	コレクション・乱数・文字列処理などの機能

Javaが提供するパッケージについて学びました。次はパッケージをまとめるモジュールについて学びましょう。

パッケージをまとめるモジュール

モジュール（module）は、複数の関連するパッケージをまとめたり、どのパッケージを公開するのかを管理したりする機能です。関連するクラスをまとめるのがパッケージで、関連するパッケージをまとめるのがモジュールです。

先に紹介した、Javaが提供するパッケージの例は、いずれもjava.base（ジャバ・ベース）というモジュールに所属しています。java.baseは、Javaの最も基本的なパッケージをまとめたモジュールです。java.baseに所属するパッケージに関しては、何も宣言をしなくても使えます。そのため、今まではとくにモジュールを意識せずに、java.baseの機能を使ってきました。

大規模なプログラムを開発するようになると、パッケージやモジュールを意識する必要が生じます。自分で作成したクラス群をパッケージにまとめたり、さらに自分で作成したパッケージ群をモジュールにまとめたり、といった作業が発生します。しかし、小規模なプログラムを開発する際に、毎回パッケージやモジュールを作成するのでは手間がかかります。

そこでJavaは、無名パッケージや無名モジュールという機能を提供しています。パッケージを明示しないクラスは無名パッケージに所属し、モジュールを明示しな

いパッケージは無名モジュールに所属します。

そのため、パッケージやモジュールを意識しなくてもプログラムが書けるようになっています。今までに書いてきたプログラムも、実は無名パッケージと無名モジュールを利用してきました。

パッケージをまとめるモジュールについて学びました。次はクラスを簡単な名前で使えるようにする、import宣言について学びましょう。

クラスを簡単な名前で使うためのimport宣言

パッケージに所属しているクラスは、「パッケージ名.クラス名」のような、完全修飾名と呼ばれる名前で指定します。例えばSystemクラスの完全修飾名は、「java.lang.System」です。

java.langパッケージのクラスに関しては、java.langというパッケージ名を省略して、Systemのようなクラス名だけで指定できます。このようにパッケージ名を省略したクラス名のことを、単純名と呼びます。

java.langパッケージ以外のクラスについても、完全修飾名を指定すれば使えます。例えば、java.util（ジャバ・ユーティ）パッケージのArrays（アレイズ）クラスを使って、配列をソートして（値の大小順に並べ替えて）みましょう。Arraysクラスのsortメソッドは、配列を昇順（小さな値が前、大きな値が後）に並べ替えます。

▌配列のソート

```
java.util.Arrays.sort(配列)
```

sortメソッドを使って、試験の得点を並べ替えるプログラムを書いてみましょう。

問題❶ int型の配列scoreを宣言し、90、70、100、80、60で初期化します。sortメソッドで配列scoreを昇順にソートしたうえで、各要素の値を出力してください。

▼ Import.java

```
1  public class Import {
2      public static void main(String[] args) {
3
4          // 配列の初期化
5          int[] score={90, 70, 100, 80, 60};
6
```

```
 7          // 配列のソート
 8          java.util.Arrays.sort(score);
 9
10          // 各要素の値を出力
11          for (int s: score) {
12              System.out.print(s+" ");
13          }
14          System.out.println();
15      }
16  }
```

　上記のプログラムでは、拡張for文を使って、配列の各要素の値を出力します。実行すると、昇順にソートされた得点が出力されます。

```
> javac Import.java
> java Import
60 70 80 90 100   ← 得点を昇順にソートして出力
```

　上記のプログラムでは、java.util.Arraysのように、Arraysクラスを完全修飾名で指定しました。一方、次のようなimport（インポート）宣言を書くと、クラス（あるいはインタフェース）を単純名で指定できるようになります。import宣言は、ソースファイルの先頭（クラスの宣言よりも前）に書きます。

▌import宣言（特定のクラス）

```
import パッケージ名.クラス名;
```

　クラスに対してimport宣言を適用することを、クラスを「インポートする」と表現します。複数のクラスをインポートする場合は、import宣言を必要なだけ並べて書きます。
　同一のパッケージから複数のクラス（あるいはインタフェース）をインポートする場合には、次のように＊（アスタリスク）を使って書くこともできます。数多くのimport宣言を並べなくて済むことが、以下の記法の利点です。

▌import宣言（全てのクラス）

```
import パッケージ名.*;
```

import宣言を使ってみましょう。**問題❷** 前回のプログラム（Import.java）を改造して、java.util.*に対するimport宣言を追加し、Arraysクラスを単純名で指定してください。

▼ Import2.java

```java
1  // import宣言
2  import java.util.*;
3
4  // クラスの宣言
5  public class Import2 {
6      public static void main(String[] args) {
7
8          // 配列の初期化
9          int[] score={90, 70, 100, 80, 60};
10
11          // 配列のソート（Arraysクラスを単純名で指定）
12          Arrays.sort(score);
13
14          // 各要素の値を出力
15          for (int s: score) {
16              System.out.print(s+" ");
17          }
18          System.out.println();
19      }
20  }
```

上記のプログラムでは、Arraysクラスを一度しか使わないのでimport宣言の効果が小さいのですが、もし何度も使う場合には効果が大きくなります。java.util.Arraysと何度も書く必要が無くなり、Arraysと書けば済むようになるので、プログラムを簡潔にできます。実行結果は前問のプログラムと同じです。

```
> javac Import2.java
> java Import2
60 70 80 90 100   ← 得点を昇順にソートして出力
```

クラスを完全修飾名ではなく単純名で使えるようにする、import宣言について学びました。次はstaticメンバを簡単な名前で使えるようにする、import static宣言について学びましょう。

staticメンバを簡単な名前で使うためのimport static宣言

staticメンバ(クラス変数やクラスメソッド)は、通常は「クラス名.フィールド名」や「クラス名.メソッド名」のように、クラス名を付けて指定します。例えば、Mathクラスのsqrtメソッド(Chapter3)を使ってみましょう。 問題❸ **sqrtメソッドを使って、1以上10未満の整数の平方根を出力**するプログラムを書いてください。

▼ImportStatic.java

```
1  public class ImportStatic {
2      public static void main(String[] args) {
3          for (int i=1; i<10; i++) {
4              System.out.println(Math.sqrt(i));
5          }
6      }
7  }
```

上記のプログラムでは「Math.sqrt」のように、クラス名を付けてメソッドを呼び出します。実行すると、次のように平方根が出力されます。

```
> javac ImportStatic.java
> java ImportStatic
1.0                    ← 1の平方根
1.4142135623730951    ← 2の平方根
1.7320508075688772    ← 3の平方根
2.0                    ← 4の平方根
2.23606797749979      ← 5の平方根
2.449489742783178     ← 6の平方根
2.6457513110645907    ← 7の平方根
2.8284271247461903    ← 8の平方根
3.0                    ← 9の平方根
```

上記のプログラムでは、Math.sqrtメソッドを1回呼び出すだけですが、もし何度も呼び出す場合には、クラス名を省略できると便利です。こんな場合は、import static(インポート・スタティック)宣言が役立ちます。次のようなimport static宣言を書くと、staticメンバを単純名(パッケージ名やクラス名を省略したメンバ名)で指定できるようになります。

import static宣言（特定のメンバ）

```
import static パッケージ名.クラス名.メンバ名;
```

import static宣言も、import宣言と同様に、ソースファイルの先頭（クラスの宣言よりも前）に書きます。複数のメンバ名をインポートしたい場合は、上記の宣言を必要なだけ並べて書きます。また、同一のクラスから複数のメンバをインポートする場合には、次のように＊（アスタリスク）を使って書くこともできます。

import static宣言（全てのメンバ）

```
import static パッケージ名.クラス名.*;
```

import static宣言を使ってみましょう。**問題④ 前問のプログラム（ImportStatic.java）を改造して、java.lang.Math.*に対するimport static宣言を追加し、sqrtメソッドを単純名で指定**してください。

▼ImportStatic2.java

```
1  import static java.lang.Math.*;
2  public class ImportStatic2 {
3      public static void main(String[] args) {
4          for (int i=1; i<10; i++) {
5              System.out.println(sqrt(i));
6          }
7      }
8  }
```

前問のプログラムで「Math.sqrt」だった部分を、「sqrt」に書き換えました。実行結果は前問と同じです。

```
> javac ImportStatic2.java
> java ImportStatic2
1.0                  ← 1の平方根
1.4142135623730951   ← 2の平方根
1.7320508075688772   ← 3の平方根
…
```

staticメンバを単純名で使えるようにする、import static宣言について学びました。次はパッケージを自作する方法を学びましょう。

02 パッケージを作成する

Javaが提供するパッケージを利用するだけではなく、自分でパッケージを作成することもできます。実際にパッケージを作りながら、作成方法を学びましょう。

このセクションは、パッケージを作成する必要が生じてから読んでも大丈夫です。パッケージを明示的に作成しない場合は、自動的に無名パッケージが使われますが、小規模なプログラムを書くうえでは支障はありません。

パッケージ用にフォルダとファイルを配置する

パッケージの作成方法を学ぶための題材として、次のようなmain（メイン）、toy（トイ）、transport（トランスポート）という、3個のパッケージを作成してみましょう。mainパッケージから、toyパッケージとtransportパッケージを利用します。

▼作成するパッケージの構成

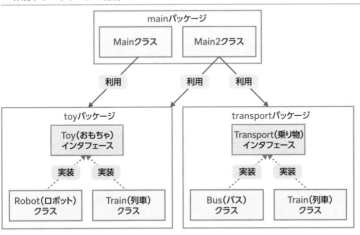

パッケージを作成する際には、パッケージと同じ名前のフォルダを用意し、そのパッケージに所属するクラスやインタフェースのソースファイルを配置します。以下は、ここで作成するパッケージのフォルダとファイルの配置です。

▼パッケージ用のフォルダとファイルの配置

```
📁 package          ← このセクションの作業用フォルダ
  📁 main           ← mainパッケージのフォルダ
    📄 Main.java    ← toyを利用するMainクラス
    📄 Main2.java   ← toyとtransportを利用するMain2クラス
  📁 toy            ← toyパッケージのフォルダ
    📄 Toy.java     ← Toy(おもちゃ)インタフェース
    📄 Robot.java   ← Robot(ロボット)クラス
    📄 Train.java   ← Train(列車)クラス
  📁 transport      ← transportパッケージのフォルダ
    📄 Transport.java ← Transport(乗り物)インタフェース
    📄 Bus.java     ← Bus(バス)クラス
    📄 Train.java   ← Train(列車)クラス
  📁 jar            ← JARファイル作成時の作業用フォルダ
```

クラスやインタフェースのアクセス修飾子には、今まではpublicを指定してきましたが、実は省略することもできます。publicを指定した場合は、パッケージ外からも利用できるクラスやインタフェースになります。省略した場合は、パッケージ内だけで利用できるクラスやインタフェースになります。本章では、全てのクラスやインタフェースについて、publicを指定することにします。

パッケージ用にフォルダとファイルを配置する方法と、クラスやインタフェースのアクセス修飾子について学びました。次は上記の配置に沿って、実際にフォルダとファイルを作成してみましょう。

パッケージを作成して利用する

まずはtoyパッケージを作成してみます。toyパッケージのソースファイルは、toyフォルダに保存します。

クラスやインタフェースをパッケージに所属させるには、ソースファイルの先頭(import宣言よりも前)に、次のようなpackage(パッケージ)宣言が必要です。

| package宣言

```
package パッケージ名;
```

toyパッケージのインタフェースとクラスを宣言しましょう。**問題⑤ Toyインタフェースを宣言し、戻り値も引数も無いplayメソッドを宣言**してください。

```
1  // パッケージの宣言(toyパッケージ)
2  package toy;
3
4  // Toyインタフェースの宣言
5  public interface Toy {
6      void play();
7  }
```

　上記のプログラムでは、ソースファイルの先頭にpackage宣言を書きました。これでToyインタフェースは、toyパッケージに所属することになります。

　次はToyインタフェースを実装する、Robotクラスを宣言します。**問題⑥ Robotクラスを宣言し、playメソッドを実装して、「Playing with a robot.」と出力**してください。Toyインタフェースと同様に、package宣言も必要です。

▼ package\toy\Robot.java

```
1  // パッケージの宣言(toyパッケージ)
2  package toy;
3
4  // Robotクラスの宣言(Toyインタフェースを実装)
5  public class Robot implements Toy {
6      public void play() {
7          System.out.println("Playing with a robot.");
8      }
9  }
```

　最後は、同じくToyインタフェースを実装する、Trainクラスを宣言します。**問題⑦ Trainクラスを宣言し、playメソッドを実装して、「Playing with a train.」と出力**してください。やはりpackage宣言が必要です。

▼ package\toy\Train.java

```
1  // パッケージの宣言(toyパッケージ)
2  package toy;
3
4  // Trainクラスの宣言(Toyインタフェースを実装)
5  public class Train implements Toy {
6      public void play() {
```

```
7              System.out.println("Playing with a train.");
8      }
9  }
```

これでtoyパッケージに所属するインタフェースとクラスの宣言は完了です。

次はmainパッケージのクラスを宣言しましょう。mainパッケージのソースファイルは、mainフォルダに保存します。**問題❽ Mainクラスとmainメソッドを宣言し、RobotとTrainのインスタンスを生成して配列に格納した後に、各要素に対してplayメソッドを呼び出す**プログラムを書いてください。package宣言を書くことと、toyパッケージのインポートが必要です。

▼ main\Main.java

```
 1  // パッケージの宣言(mainパッケージ)
 2  package main;
 3
 4  // インポート(toyパッケージ)
 5  import toy.*;
 6
 7  // Mainクラスの宣言
 8  public class Main {
 9      public static void main(String[] args) {
10
11          // 配列の宣言と生成
12          Toy[] toy={new Robot(), new Train()};
13
14          // 各要素に対してplayメソッドを呼び出す
15          for (Toy t: toy) {
16              t.play();
17          }
18      }
19  }
```

上記のMainクラスには、mainパッケージを指定して、package宣言を書きました。また、toyパッケージに対するimport宣言を書きました。import宣言のかわりに、toy.Robotやtoy.Trainのような完全修飾名を使うこともできます。

プログラムをコンパイル・実行してみましょう。chapter12フォルダをカレントディレクトリにした状態で、次のように操作します。

```
> cd package                 ← packageフォルダに移動
> javac main/Main.java
> java main.Main
Playing with a robot.        ← ロボットで遊んでいる
Playing with a train.        ← 列車で遊んでいる

> cd ..                      ← 1個上のフォルダ(chapter12)に戻る
```

　上記では、Main.javaだけをコンパイルしていることに注目してください。Main.javaから利用しているtoyパッケージのインタフェースとクラスは、Main.javaをコンパイルする際に自動的にコンパイルされます。パッケージ用にフォルダとファイルを配置することの1つの利点は、このようにコンパイラが自動的に必要なソースファイルを探して、コンパイルしてくれることです。

　パッケージを作成し、利用する方法を学びました。次はパッケージをもう1つ作成し、複数のパッケージを利用してみましょう。

複数のパッケージを利用する

　今度はtransportパッケージを作成します。transportパッケージのソースファイルは、transportフォルダに保存します。問題9 **Transportインタフェースを宣言し、戻り値も引数も無いrideメソッドを宣言**してください。package宣言が必要です。

▼package\transport\Transport.java

```
1  // パッケージの宣言(transportパッケージ)
2  package transport;
3
4  // Transportインタフェースの宣言
5  public interface Transport {
6      void ride();
7  }
```

459

次はTransportインタフェースを実装する、Busクラスを宣言します。問題⑩ **Busクラスを宣言し、rideメソッドを実装して、「Riding a bus.」と出力**してください。

▼package\transport\Bus.java

```
1  // パッケージの宣言(transportパッケージ)
2  package transport;
3
4  // Busクラスの宣言(Transportインタフェースを実装)
5  public class Bus implements Transport {
6      public void ride() {
7          System.out.println("Riding a bus.");
8      }
9  }
```

最後は、同じくTransportインタフェースを実装する、Trainクラスを宣言します。先ほどtoyパッケージに、同じ名前のTrainクラスを宣言したことを思い出してください。パッケージが異なれば、このように同じ名前のクラスを宣言できます。問題⑪ **Trainクラスを宣言し、rideメソッドを実装して、「Riding a train.」と出力**してください。

▼package\transport\Train.java

```
1  // パッケージの宣言(transportパッケージ)
2  package transport;
3
4  // Trainクラスの宣言(Transportインタフェースを実装)
5  public class Train implements Transport {
6      public void ride() {
7          System.out.println("Riding a train.");
8      }
9  }
```

これでtransportパッケージに所属するインタフェースとクラスの宣言は完了です。

次はmainパッケージにクラスを追加しましょう。mainパッケージのソースファイルは、mainフォルダに保存します。問題⑫ **Main2クラスとmainメソッドを宣言し、toyパッケージのRobotとTrainのインスタンスを生成して格納した配列と、transportパッケージのBusとTrainのインスタンスを生成して格納した配列を作成します。そして、前者の各要素に対してplayメソッドを、後者の各要素に対して**

rideメソッドを呼び出してください。package宣言を書くことと、toyパッケージと
transportパッケージのインポートが必要です。

▼package\main\Main2.java

```
1  // パッケージの宣言(mainパッケージ)
2  package main;
3
4  // インポート(toyパッケージ、transportパッケージ)
5  import toy.*;
6  import transport.*;
7
8  // Main2クラスの宣言
9  public class Main2 {
10     public static void main(String[] args) {
11
12         // Toy型の配列の宣言と生成、playメソッドの呼び出し
13         Toy[] toy={new Robot(), new toy.Train()};
14         for (Toy t: toy) {
15             t.play();
16         }
17
18         // Transport型の配列の宣言と生成、rideメソッドの呼び出し
19         Transport[] transport={new Bus(), new transport.Train()};
20         for (Transport t: transport) {
21             t.ride();
22         }
23     }
24 }
```

　上記のプログラムでは、Trainクラスを完全修飾名で指定していることに注目し
てください(toy.Trainとtransport.Train)。toyパッケージとtransportパッケージを
インポートしているので、Trainと書いただけではどちらのTrainなのかが決まりま
せん。こういった場合はパッケージ名を含めた完全修飾名を使います。
　プログラムを実行してみましょう。次のようにコンパイル・実行してください。

```
> cd package              ← packageフォルダに移動
> javac main/Main2.java
> java main.Main2
```

```
Playing with a robot.      ← ロボットで遊んでいる
Playing with a train.      ← 列車で遊んでいる
Riding a bus.              ← バスに乗っている
Riding a train.            ← 列車に乗っている


> cd ..                    ← 1個上のフォルダ(chapter12)に戻る
```

　試しに、Trainクラスを単純名で指定してみましょう。Main2.javaの「toy.Train」
と「transport.Train」を、いずれも「Train」に書き換えてから、コンパイルしてく
ださい。次のように、どちらのパッケージに所属するTrainなのかが決められない
ため、コンパイルエラーが発生します。

```
> cd package                    ← packageフォルダに移動
> javac main/Main2.java

package\main\Main2.java:13: エラー： Trainの参照はあいまいです
                Toy[] toy={new Robot(), new Train()};
                                            ^
  transportのクラス transport.Trainと
  toyのクラス  toy.Trainの両方が一致します

package\main\Main2.java:19: エラー： Trainの参照はあいまいです
                Transport[] transport={new Bus(), new Train()};
                                                      ^
  transportのクラス transport.Trainと
  toyのクラス  toy.Trainの両方が一致します

エラー 2個

> cd ..                    ← 1個上のフォルダ(chapter12)に戻る
```

　複数のパッケージを作成し、利用する方法を学びました。次はパッケージをJAR
ファイルにまとめてみましょう。

パッケージをJARファイルにまとめる

JAR（ジャー）ファイルは、Java用の圧縮ファイルです。JARはJava ARchive（ジャバ・アーカイブ）の略です。JARファイルを使うと、複数のクラスファイルなどを1つのファイルにまとめて、配布しやすい形態にできます。Javaのアプリケーションやライブラリは、JARファイルで配布されていることがよくあります。

先ほど作成したパッケージをJARファイルにまとめてみましょう。JARファイルの作成は、packageフォルダ内のjarフォルダで行うことにします。

実行例のように操作して、パッケージのJARファイルを作成し、実行してください。最初は、jarフォルダに移動したうえで、ソースファイルをコンパイルします。

```
> cd package/jar    ← jarフォルダに移動
> javac -d . ../main/*.java ../toy/*.java ../transport/*.java
```

javacコマンドの–dオプションを使って、クラスファイルの出力先を指定します。指定している「.」は、カレントディレクトリ（上記ではjarフォルダ）を表します。上記を実行すると、jarフォルダ内にクラスファイルが出力されます。

次はJARファイルを作成します。JARファイルの作成には、以下のようにjarコマンドを使います。

```
> jar cf main.jar main              ← mainパッケージ
> jar cf toy.jar toy                ← toyパッケージ
> jar cf transport.jar transport    ← transportパッケージ
```

上記のcfはcreateとfileの略で、指定したJARファイルを作成することを表します。上記を実行すると、jarフォルダ内にmain.jar、toy.jar、transport.jarが作成されます。

続いて、作成したJARファイルを実行します。環境によってJARファイルを指定する際の区切り文字が異なるので（Windowsは;、macOS/Linuxは:）、注意してください。

以下はWindowsの実行例です。

```
> java -cp main.jar;toy.jar;transport.jar main.Main2
Playing with a robot.   ← ロボットで遊んでいる
Playing with a train.   ← 列車で遊んでいる
Riding a bus.           ← バスに乗っている
Riding a train.         ← 列車に乗っている
```

以下はmacOS/Linuxの実行例です。

```
> java -cp main.jar:toy.jar:transport.jar main.Main2
 (実行結果はWindowsと同じ)
```

　正しく実行できたでしょうか。最後に以下を実行して、カレントディレクトリをchapter12フォルダに戻してください。

```
> cd ../..   ← 2個上のフォルダ(chapter12)に戻る
```

　作成したパッケージをJARファイルにまとめる方法と、実行する方法を学びました。次はモジュールを作成してみましょう。

03 モジュールを作成する

　パッケージと同様に、自分でモジュールを作成することもできます。実際にモジュールを作りながら、作成方法を学びましょう。

　このセクションは、モジュールを作成する必要が生じてから読んでも大丈夫です。モジュールを明示的に作成しない場合は、自動的に無名モジュールが使われますが、小規模なプログラムを書くうえでは支障はありません。

モジュール用にフォルダとファイルを配置する

　モジュールの作成方法を学ぶための題材として、次のようなapp（アップ、applicationの略、アプリケーション）とlib（リブ、libraryの略、ライブラリ）という、2個のモジュールを作成してみましょう。各モジュールの内容は、先ほど作成したパッケージ群です。mainパッケージはappモジュールに、toyパッケージとtransportパッケージはlibモジュールに、それぞれ所属します。

▼作成するモジュールの構成

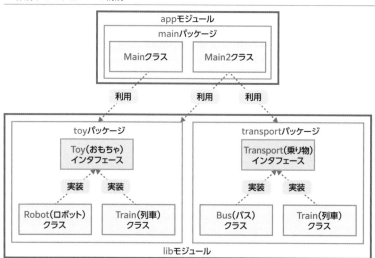

モジュールを作成する際には、モジュールと同じ名前のフォルダを用意し、その
モジュールに所属するパッケージのフォルダを配置します。以下は、ここで作成す
るモジュールのフォルダとファイルの配置です。

▼モジュール用のフォルダとファイルの配置

```
📁module              ← このセクションの作業用フォルダ
  📁app                ← appモジュールのフォルダ
    📄module-info.java  ← appモジュールの宣言
    📁main             ← mainパッケージのフォルダ
      📄Main.java       ← toyを利用するMainクラス
      📄Main2.java      ← toyとtransportを利用するMain2クラス
  📁lib                ← libモジュールのフォルダ
    📄module-info.java  ← libモジュールの宣言
    📁toy              ← toyパッケージのフォルダ
      📄Toy.java        ← Toy(おもちゃ)インタフェース
      📄Robot.java      ← Robot(ロボット)クラス
      📄Train.java      ← Train(列車)クラス
    📁transport        ← transportパッケージのフォルダ
      📄Transport.java  ← Transport(乗り物)インタフェース
      📄Bus.java        ← Bus(バス)クラス
      📄Train.java      ← Train(列車)クラス
  📁jar                ← JARファイル作成時の作業用フォルダ
```

上記のように、モジュールごとにmodule-info（モジュール・インフォ）.javaと
いうファイルを作成し、モジュールを宣言する必要があります。モジュールは次の
ように宣言します。

▌モジュールの宣言

```
module モジュール名 {
    exports パッケージ名;
    …
    requires モジュール名;
    …
}
```

上記の{}の中に書くexportsやrequiresは、ディレクティブ（指令）と呼ばれます。
いずれのディレクティブについても、省略することも複数書くこともできます。

- **exports（エクスポーツ）ディレクティブ**

  このモジュールの中にあるパッケージのうち、外部に公開するパッケージを指定します。

- **requires（リクワイアズ）ディレクティブ**

  このモジュールが必要とする、他のモジュールを指定します。

今回は次のようなmodule-info.javaを作成しました。appモジュールはlibモジュールを利用するので、requiresディレクティブを書きました。

▼module\app\module-info.java

```
1  module app {
2      exports main;   ← mainパッケージを公開
3      requires lib;   ← libモジュールを要求
4  }
```

▼module\lib\module-info.java

```
1  module lib {
2      exports toy;           ← toyパッケージを公開
3      exports transport;   ← transportパッケージを公開
4  }
```

モジュール用のフォルダとファイルを配置しました。次はモジュールをコンパイル・実行してみましょう。

モジュールをコンパイルして実行する

作成したモジュールを、コンパイル・実行してみましょう。実行例のように操作して、appモジュールとlibモジュールをコンパイル・実行してください。最初は、moduleフォルダに移動したうえで、ソースファイルをコンパイルします。

```
> cd module   ← moduleフォルダに移動
> javac lib/*.java lib/toy/*.java lib/transport/*.java
> javac -p . app/*.java app/main/*.java
```

javacコマンドやjavaコマンドの−pオプションは、モジュールを検索する際の起点となる、フォルダやJARファイルを指定します。appモジュールのコンパイルにはlibモジュールが必要なので、モジュールのフォルダ（今回はmoduleフォルダ）を指定しています。前述のように、「.」はカレントディレクトリを表します。

次は、作成したモジュールを実行します。お使いの環境に応じて、以下のように操作してください。javaコマンドの−mオプションは、モジュールに所属するクラスを指定するために使います。

以下はWindowsの実行例です。

```
> java -p app;lib -m app/main.Main2
Playing with a robot.    ← ロボットで遊んでいる
Playing with a train.    ← 列車で遊んでいる
Riding a bus.            ← バスに乗っている
Riding a train.         ← 列車に乗っている
```

以下はmacOS/Linuxの実行例です。

```
> java -p app:lib -m app/main.Main2
（実行結果はWindowsと同じ）
```

正しく実行できたでしょうか。最後に以下を実行して、カレントディレクトリをchapter12フォルダに戻してください。

```
> cd ..   ← 1個上のフォルダ（chapter12）に戻る
```

モジュールをコンパイル・実行する方法を学びました。次はモジュールをJARファイルにまとめてみましょう。

モジュールをJARファイルにまとめる

作成したモジュールをJARファイルにまとめてみましょう。JARファイルの作成は、moduleフォルダ内のjarフォルダで行うことにします。実行例のように操作して、モジュールのJARファイルを作成し、実行してください。最初は、jarフォルダに移動したうえで、ソースファイルをコンパイルします。

```
> cd module/jar   ← jarフォルダに移動
> javac -d lib ../lib/*.java ../lib/toy/*.java ../lib/transport/*.java
> javac -d app -p . ../app/*.java ../app/main/*.java
```

　上記を実行すると、jarフォルダ内にクラスファイルが出力されます。次は、以下のようにJARファイルを作成してください。

```
> jar cv app.jar -C app .   ← appモジュール
> jar cv lib.jar -C lib .   ← libモジュール
```

　jarコマンドの-Cオプションを使って、指定したフォルダに移動してから、そのフォルダ(.)以下にある全てのファイルをJARファイルに収録します。上記を実行すると、jarフォルダ内にapp.jarとlib.jarが作成されます。

　続いて、作成したJARファイルを実行します。お使いの環境に応じて、次のように操作してください。

　以下はWindowsの実行例です。

```
> java -p app.jar;lib.jar -m app/main.Main2
Playing with a robot.    ← ロボットで遊んでいる
Playing with a train.    ← 列車で遊んでいる
Riding a bus.            ← バスに乗っている
Riding a train.          ← 列車に乗っている
```

　以下はmacOS/Linuxの実行例です。

```
> java -p app.jar:lib.jar -m app/main.Main2
  (実行結果はWindowsと同じ)
```

　正しく実行できたでしょうか。最後に以下を実行して、カレントディレクトリをchapter12フォルダに戻してください。

```
> cd ../..   ← 2個上のフォルダ(chapter12)に戻る
```

　作成したモジュールをJARファイルにまとめる方法と、実行する方法を学びました。

　本章では、関連するクラスをまとめるパッケージと、関連するパッケージをまとめるモジュールについて学びました。パッケージを利用する際には、import宣言やimport static宣言を使うと、クラスやstaticメンバを単純名で指定でき、プログラムが簡潔になります。また、パッケージやモジュールを作成したり、配布しやすいJARファイルにまとめたりする方法も学びました。

　次章では、複数のオブジェクトをまとめて管理したいときに役立つ、コレクションについて学びます。

Chapter12の復習

☐ import宣言

問題❶ int型の配列scoreを宣言し、90、70、100、80、60で初期化します。java.util.Arraysクラスのsortメソッドを使って、配列scoreを昇順にソートしたうえで、各要素の値を出力してください。　　　　　　　　➡450ページ

問題❷ 前問のプログラムを改造して、java.util.*に対するimport宣言を追加し、Arraysクラスを単純名で指定してください。　　　　　　　➡452ページ

☐ import static宣言

問題❸ Main.sqrtメソッドを使って、1以上10未満の整数の平方根を出力するプログラムを書いてください。　　　　　　　　➡453ページ

問題❹ 前問のプログラムを改造して、java.lang.Math.*に対するimport static宣言を追加し、sqrtメソッドを単純名で指定してください。

➡454ページ

☐ パッケージ

問題❺ toyパッケージのToyインタフェースを宣言し、戻り値も引数も無いplayメソッドを宣言してください。　　　　　　　　➡456ページ

問題❻ toyパッケージのRobotクラスを宣言し、playメソッドを実装して、「Playing with a robot.」と出力してください。　　　　　　➡457ページ

問題❼ toyパッケージのTrainクラスを宣言し、playメソッドを実装して、「Playing with a train.」と出力してください。　　　　　　➡457ページ

問題❽ mainパッケージのMainクラスとmainメソッドを宣言し、RobotとTrainのインスタンスを生成して配列に格納した後に、各要素に対してplayメソッドを呼び出すプログラムを書いてください。　　　　　　➡458ページ

問題 9 transportパッケージのTransportインタフェースを宣言し、戻り値も引数も無いrideメソッドを宣言してください。　　　　　　　　　➡459ページ

問題 10 transportパッケージのBusクラスを宣言し、rideメソッドを実装して、「Riding a bus.」と出力してください。　　　　　　　　　➡460ページ

問題 11 transportパッケージのTrainクラスを宣言し、rideメソッドを実装して、「Riding a train.」と出力してください。　　　　　　　　　➡460ページ

問題 12 mainパッケージのMain2クラスとmainメソッドを宣言し、toyパッケージのRobotとTrainのインスタンスを生成して格納した配列と、transportパッケージのBusとTrainのインスタンスを生成して格納した配列を作成します。そして、前者の各要素に対してplayメソッドを、後者の各要素に対してrideメソッドを呼び出してください。　　　　　　　　　➡460ページ

コレクションでデータを
いろいろな形にまとめる

コレクションは、複数のオブジェクトをまとめて管理する機能です。java.utilパッケージには、コレクションに関する数多くのインタフェースやクラスが所属していて、これらはコレクション・フレームワークと呼ばれています。

複数のオブジェクトをまとめて管理するには、配列（Chapter7）も使えますが、コレクションは配列よりも高機能です。コレクションにはいろいろな種類があり、種類によって得意な処理が異なります。本章ではコレクションの中から、リスト・セット・マップについて学びます。

本章の学習内容

1. リスト
2. ジェネリクス
3. ソートとラムダ式
4. ボクシングとアンボクシング
5. セット
6. マップ

01 複数のデータを格納する 基本はリスト

リストは配列に似たコレクションです。配列と同様にインデックスを使って、任意の要素を読み書きできます。配列との違いは、要素数を自由に増やせることです。リストに要素を追加すると、必要に応じて自動的にリストが拡張されます。特に、事前に要素数が決まっていない場合には、配列よりもリストの方が便利です。

▼ 配列とリストの比較

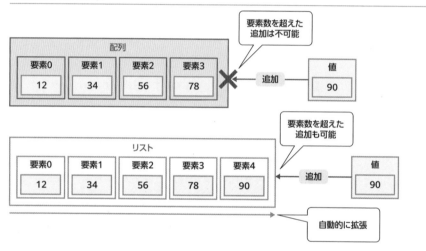

まずは、リストに関するインタフェースとクラスについて学びましょう。

リストに関するインタフェースとクラス

リストに関するインタフェースやクラスは、java.utilパッケージに所属しています。代表的なインタフェースとクラスは次の通りです。

● List(リスト)インタフェース

リストの機能を規定するインタフェースです。

● **ArrayList(アレイ・リスト)クラス**

Listインタフェースを実装したクラスの1つです。配列を使ってリストの機能を実現します。要素数の増加に応じて、内部に持つ配列のサイズを自動的に拡張します。ArrayListクラスの特長は、配列を使っているので、任意の要素をインデックスで指定して高速に読み書きできることです。

● **LinkedList(リンクト・リスト)クラス**

Listインタフェースを実装したクラスの1つです。双方向連結リストと呼ばれる、隣接する要素同士を連結する手法を使って、リストの機能を実現します。LinkedListクラスの特長は、要素の挿入や削除の処理を効率的に実行できることです。

本書では主に、ListインタフェースとArrayListクラスを使います。ArrayListクラスとLinkedListクラスを比べると、通常の用途ではArrayListクラスの方が高速だと考えられるためです。要素数が多いリストに対して、頻繁に要素の挿入や削除を行う場合には、LinkedListクラスの方が高速になる可能性もあります。

▼ ArrayListクラスとLinkedListクラス

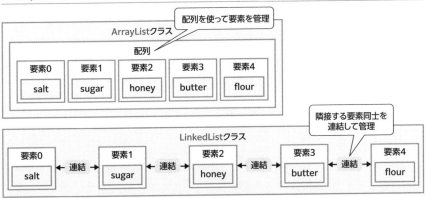

上記のインタフェースやクラスは、java.utilパッケージに所属しています。これらのインタフェースやクラスを単純名で使うには、次のようなimport宣言(Chapter12)が必要です。インタフェースやクラスを個別にインポートしても構いません。

▌java.utilパッケージのインポート

```
import java.util.*;
```

本章で後述するセットやマップも、java.utilパッケージに所属しています。セットやマップを使う場合も、上記のようなimport宣言を書いてください。

リストに関するインタフェースとクラスについて学びました。次はリストを生成して、値を格納してみましょう。

リストを生成する

リストを使うには、リストの宣言と生成が必要です。具体的には、Listインタフェース型の変数を宣言したうえで、ArrayListクラスのインスタンスを生成し、初期化や代入を使って変数に格納します。

リストの宣言と生成は次のように書きます。Listインタフェースの<>（山括弧）の中には、リストの要素の型（リストに格納する値の型）を指定します。

▌リストの宣言と生成（ArrayListクラスの型を省略）

```
List<型> 変数名 = new ArrayList<>();
```

ArrayListクラスの<>にも型を指定できます。ただし、リストの宣言と生成を同時に行う場合は、以下のように2個の<>に同じ型を指定することになるので、上記のように型を省略して書くのがおすすめです。

▌リストの宣言と生成（ArrayListクラスの型を指定）

```
List<型> 変数名 = new ArrayList<型>();
```

ListインタフェースやArrayListクラスの型には、intやdoubleのようなプリミティブ型は指定できず、Stringのような参照型のみを指定できます。intなどのプリミティブ型を使いたい場合には、かわりにIntegerなどのラッパークラス（Chapter4）を使います。

▼リストの宣言（例）

格納する値の型	リストの宣言
文字列	List<String>
整数	List<Integer>
浮動小数点数	List<Double>
文字	List<Character>
真偽値	List<Boolean>

　ListインタフェースやArrayListクラスの<>には、リストをいろいろな型に対応させる働きがあります。<>に型を指定することで、文字列を格納するリストとして使ったり、整数を格納するリストとして使ったりできます。このように、型を指定することでカスタマイズできる汎用性が高いプログラム（この場合はインタフェースやクラス）を実現する手法を、ジェネリック・プログラミング（generic programming）と呼びます。

　Javaはジェネリック・プログラミングに対応しています。Javaが提供するジェネリック・プログラミング関連の機能は、ジェネリクス（generics）またはジェネリクスと呼ばれます。Listはジェネリック・インタフェース、ArrayListはジェネリック・クラスで、いずれもジェネリクスの例です。

　ジェネリクスにおいて<>の中に指定する型のことを、型パラメータと呼びます。型パラメータの個数や、型パラメータに指定できる型の種類は、インタフェースやクラスによって異なります。ListインタフェースやArrayListクラスの場合は、型パラメータは1個で、任意の参照型を指定できます。

　ジェネリクスに対応したインタフェースやクラスは、自分で作成することも可能です。本書では、Javaが提供する既存のジェネリクスを活用する方法を学びます。

　リストの宣言と生成、そしてジェネリクスについて学びました。次は実際にリストを生成して、値を追加してみましょう。

リストに要素を追加する

　リストに要素を追加するには、次のようにadd（アッド）メソッドを使います。以下でリストの部分には、リストを格納した変数などを指定します。値の部分には式も書けます。

▌リストに要素を追加

```
リスト.add(値)
```

リストの内容を確認するには、リストを出力してみるのがおすすめです。例えば、次のようにSystem.out.printlnメソッドを使えば、リストの内容を簡単に出力できます。

▌リストを出力

```
System.out.println(リスト)
```

リストを宣言・生成し、要素を追加してみましょう。**問題❶** **文字列を格納するリストrecipeを宣言・生成して、salt、sugar、honey、butter、flour、raison、waterを追加した後に、リストを出力**してください。

▼ StrList.java

```
 1  // java.utilパッケージをインポート
 2  import java.util.*;
 3
 4  // クラスの宣言
 5  public class StrList {
 6      public static void main(String[] args) {
 7
 8          // 文字列を格納するリストの宣言と生成
 9          List<String> recipe=new ArrayList<>();
10
11          // 要素の追加
12          recipe.add("salt");
13          recipe.add("sugar");
14          recipe.add("honey");
15          recipe.add("butter");
16          recipe.add("flour");
17          recipe.add("raison");
18          recipe.add("water");
19
20          // リストを出力
21          System.out.println(recipe);
22      }
23  }
```

上記のプログラムでは、追加する要素が多いのでaddメソッドを何度も呼び出しています。後ほど、要素をまとめて追加する方法も紹介します。プログラムを実行すると、次のようにリストの内容が出力されます。

```
> javac StrList.java
> java StrList
[salt, sugar, honey, butter, flour, raison, water]   ← リストを出力
```

　リストに要素を追加し、出力する方法を学びました。次は、リストに要素をまとめて格納する方法を学びましょう。

> ─ column ─────────────
>
> ## Listインタフェースを使う理由
>
> 　リストを宣言・生成する際に、本書ではListインタフェース型の変数を宣言し、ArrayListクラスのインスタンスを生成します。この変数は、ArrayListクラス型の変数にすることも可能ですが、Listインタフェース型の変数にしておくと、ArrayListクラスを他のクラスに入れ替えやすくなるという利点があります。
>
> 　例えば、リストのプログラム（StrList.javaなど）で、「new ArrayList」の部分を「new LinkedList」に変更し、コンパイル・実行してみてください。残りの部分はまったく変更しなくても、問題無く実行できます。これは、ArrayListクラスもLinkedListクラスも、同じListインタフェースを実装しているためです。
>
> 　このように、Listインタフェースを使ってプログラムを書いておくと、リストのクラスを簡単に変更できるという利点があります。プログラムによっては、リストのクラスを複数試してみて高速に処理ができるクラスを採用したい、といった場合もあるでしょう。こういった場合に、リストのクラスを変更しやすいと便利です。
>
> 　後述するセットやマップにおいて、SetインタフェースやMapインタフェースを使うのも、Listインタフェースを使うのと同じ理由です。これらのインタフェースを使うと、セットやマップのクラスを容易に変更できます。

リストに要素をまとめて格納する

　Arrays（アレイズ）クラスのasList（アズ・リスト）メソッドを使うと、リストに要素をまとめて格納できます。以下を実行すると、指定した値を要素として格納したリストを生成します。

▎リストに要素をまとめて格納

```
List<型> 変数名 = new ArrayList<>(Arrays.asList(値, …));
```

上記のArrays.asListメソッドは、複数の値や配列をリストにしますが、このリストは固定長なので、これ以上は要素の追加ができません。そこで、Arrays.asListメソッドが返すリストをArrayListクラスのコンストラクタに渡すことで、可変長のリストを生成します。

上記の方法を使って、前問のプログラム（StrList.java）を書き直してみましょう。

問題② **文字列を格納するリストrecipeを宣言・生成して、salt、sugar、honey、butter、flour、raison、waterを格納した後に、リストを出力**してください。

▼ StrList2.java

```
 1  import java.util.*;
 2  public class StrList2 {
 3      public static void main(String[] args) {
 4
 5          // 文字列を格納するリストの宣言と生成、要素の格納
 6          List<String> recipe=new ArrayList<>(Arrays.asList(
 7              "salt", "sugar", "honey", "butter",
 8              "flour", "raison", "water"
 9          ));
10
11          // リストを出力
12          System.out.println(recipe);
13      }
14  }
```

要素をまとめて格納することで、前問のプログラムよりも簡潔になりました。実行結果は前問と同じです。

```
> javac StrList2.java
> java StrList2
[salt, sugar, honey, butter, flour, raison, water]   ← リストを出力
```

リストに要素をまとめて格納する方法を学びました。次は、要素を挿入・削除・変更する方法を学びましょう。

要素を挿入・削除・変更する

前述のように、リストの末尾に要素を追加するには、addメソッドを使います。一方、リストに要素を挿入するには、オーバーロード（Chapter8）されたaddメソッドを使います。次のように、挿入する位置を表すインデックスと、挿入する値を指定します。

▌リストに要素を挿入
```
リスト.add(インデックス, 値)
```

リストの要素を削除するには、次のようにremove（リムーブ）メソッドを使います。removeメソッドは、インデックスが表す位置の要素を削除します。

▌リストの要素を削除（位置を指定）
```
リスト.remove(インデックス)
```

次のように値（オブジェクト）を指定する、オーバーロードされたremoveメソッドもあります。こちらはリストの先頭に最も近い、値に一致する要素を削除します。

▌リストの要素を削除（値を指定）
```
リスト.remove(値)
```

リストの要素を変更するには、set（セット）メソッドを使います。指定した位置の要素を、指定した値に置き換えます。

▌リストの要素を変更
```
リスト.set(インデックス, 値)
```

要素を追加・挿入・削除していると、リストの要素数を知りたくなることがあります。リストの要素数を取得するには、次のようにsize（サイズ）メソッドを使います。

▌リストの要素数を取得
```
リスト.size()
```

要素の挿入・削除・変更を試してみましょう。 問題❸ **前問のリスト（recipe）について、先頭にyeastを挿入し、sugarを削除し、waterをmilkに変更**してください。1つの操作を行うたびにリストを出力して、結果を確認してください。

▼ StrList3.java

```
 1  import java.util.*;
 2  public class StrList3 {
 3      public static void main(String[] args) {
 4
 5          // 文字列を格納するリストの宣言と生成、要素の格納、出力
 6          List<String> recipe=new ArrayList<>(Arrays.asList(
 7              "salt", "sugar", "honey", "butter",
 8              "flour", "raison", "water"
 9          ));
10          System.out.println(recipe);
11
12          // 先頭にyeastを挿入して出力
13          recipe.add(0, "yeast");
14          System.out.println(recipe);
15
16          // sugarを削除して出力
17          recipe.remove(2);
18          System.out.println(recipe);
19
20          // waterをmilkに変更して出力
21          recipe.set(recipe.size()-1, "milk");
22          System.out.println(recipe);
23      }
24  }
```

　sugarを削除する際にはインデックスを使いましたが、値("sugar")を使っても構いません。インデックスを使う場合は、事前にyeastを挿入したので、sugarのインデックスが「2」に変化していることに注意してください。
　waterをmilkに変更する際には、sizeメソッドを使って末尾の要素を指定しました。末尾の要素を表すインデックスは、「リスト.size()」ではなく、「リスト.size()-1」になることに注意してください。

```
> javac StrList3.java
> java StrList3
[salt, sugar, honey, butter, flour, raison, water]
↑ 最初のリスト
[yeast, salt, sugar, honey, butter, flour, raison, water]
```

↑　先頭にyeastを挿入

[yeast, salt, honey, butter, flour, raison, water]

↑　インデックス2のsugarを削除

[yeast, salt, honey, butter, flour, raison, milk]

↑　末尾のwaterをmilkに変更

　リストの要素を挿入・削除・変更する方法を学びました。次は、リストにfor文を適用する方法を学びましょう。

リストの要素をfor文で処理する

　拡張for文や基本のfor文を使うと、リストの要素を1個ずつ取り出して処理できます。拡張for文をリストに適用するには、次のように書きます。拡張for文を配列に適用する場合（Chapter7）と同様です。

▌拡張for文をリストに適用

```
for (型 変数名: リスト) {
    文;
    …
}
```

　基本のfor文をリストに適用する場合は、例えば次のように書きます。以下の変数は要素のインデックスを表します。変数の値の範囲は「0」から「要素数-1」までです。

▌基本のfor文をリストに適用

```
for (int 変数=0; 変数<リスト.size(); 変数++) {
    文;
    …
}
```

　指定したインデックスの要素を取得するには、get（ゲット）メソッドを使います。基本のfor文と組み合わせる場合は、インデックスの部分に上記の変数を指定します。

▌リストの要素を取得

```
リスト.get(インデックス)
```

　for文をリストに適用してみましょう。**問題❹** **文字列を格納するリストrecipeを宣言・生成し、yeast、salt、honey、butter、flour、raison、milkを格納した後に、拡張for文で各要素の値を出力します。さらに、基本のfor文を使って、各要素の値を「番号:値」の形式で出力**してください。「1:yeast」「2:salt」のように、番号は1から始めます。

▼ StrList4.java

```java
 1  import java.util.*;
 2  public class StrList4 {
 3      public static void main(String[] args) {
 4
 5          // 文字列を格納するリストの宣言と生成、要素の格納、出力
 6          List<String> recipe=new ArrayList<>(Arrays.asList(
 7              "yeast", "salt", "honey", "butter",
 8              "flour", "raison", "milk"
 9          ));
10          System.out.println(recipe);
11
12          // 拡張for文を使って各要素の値を出力
13          for (String s: recipe) {
14              System.out.print(s+" ");
15          }
16          System.out.println();
17
18          // 基本のfor文を使って各要素の値を出力
19          for (int i=0; i<recipe.size(); i++) {
20              System.out.println((i+1)+":"+recipe.get(i));
21          }
22      }
23  }
```

　上記のように、処理の内容に応じて拡張for文と基本のfor文を使い分けるのがおすすめです。拡張for文の方がプログラムが簡潔になる傾向があるので、拡張for文で書ける場合には、拡張for文を使うのがおすすめです。拡張for文では書きにくい場合(例えば要素の番号が必要な場合など)には、基本のfor文を使います。

```
> javac StrList4.java
> java StrList4
[yeast, salt, honey, butter, flour, raison, milk]
yeast salt honey butter flour raison milk   ← 拡張for文による出力
1:yeast                                      ← 基本のfor文による出力
2:salt
3:honey
4:butter
5:flour
6:raison
7:milk
```

　リストの要素をfor文で処理する方法を学びました。次は、リストの要素をソートしてみましょう。

リストの要素をソートする

　リストの要素をソート（値の大小順に並べ替え）してみましょう。次のようにsort（ソート）メソッドを使います。

▌リストの要素をソート

> **リスト.sort((引数名A, 引数名B) -> 式)**

　sortメソッドに渡している「(引数名A, 引数名B) -> 式」は、ラムダ式の一種です。ラムダ式はメソッドに似た働きをする式で、より一般的には次のように書きます。以下では見やすくするために、->の前後に空白を入れましたが、これらの空白は省いても構いません。

▌ラムダ式

> **(引数名, …) -> 式**

　ラムダ式は引数を受け取り、式を評価して、式の値を戻り値として返します。ラムダ式はメソッドに似た働きをしますが、宣言してから使うメソッドとは異なり、匿名クラス（Chapter10）のように、その場で宣言してすぐに使えることが特長です。
　sortメソッドの場合は、ソートの過程で2個の要素の値を比較するために、ラムダ式を使います。sortメソッドに渡すラムダ式は、引数のAとBで受け取った要素について、次のような戻り値を返すように書きます。

▼sortメソッドに渡すラムダ式の戻り値

戻り値	条件
負数	AはBよりも順序が前
0	AとBは順序が等しい
正数	AはBよりも順序が後

　リストの要素をソートしてみましょう。**問題❺** **前問のリスト（recipe）を、昇順にソートして出力し、さらに降順にソートして出力**してください。昇順は小さな値を前、大きな値を後にすることで、今回は辞書順を表します。降順は大きな値を前、小さな値を後にすることで、今回は逆の辞書順を表します。文字列の比較には、StringクラスのcompareToメソッド（Chapter5）を使ってください。

▼StrList5.java

```
 1  import java.util.*;
 2  public class StrList5 {
 3      public static void main(String[] args) {
 4
 5          // 文字列を格納するリストの宣言と生成、要素の格納、出力
 6          List<String> recipe=new ArrayList<>(Arrays.asList(
 7              "yeast", "salt", "honey", "butter",
 8              "flour", "raison", "milk"
 9          ));
10          System.out.println(recipe);
11
12          // 要素を昇順にソートして出力
13          recipe.sort((a, b) -> a.compareTo(b));
14          System.out.println(recipe);
15
16          // 要素を降順にソートして出力
17          recipe.sort((a, b) -> -a.compareTo(b));
18          System.out.println(recipe);
19      }
20  }
```

　昇順にソートする場合は、compareToメソッドの戻り値をそのまま返すラムダ式を指定しました。降順にソートする場合は、compareToメソッドの戻り値の符号を反転して返すラムダ式を指定しました。このようにラムダ式の書き方によって、

ソートの順序や基準を制御できます。

```
> javac StrList5.java
> java StrList5
[yeast, salt, honey, butter, flour, raison, milk]   ← 元のリスト
[butter, flour, honey, milk, raison, salt, yeast]   ← 昇順にソート
[yeast, salt, raison, milk, honey, flour, butter]   ← 降順にソート
```

　リストの要素をソートする方法と、ラムダ式の書き方を学びました。ラムダ式にはソート以外にもいろいろな活用方法があるので、Chapter15で詳しく紹介します。次は、整数のリストについて学びましょう。

column

ラムダ式とインタフェース

　ラムダ式を書くことは、インタフェースを実装した匿名クラスを宣言し、メソッドを実装することに相当します。どのインタフェースやメソッドの実装が必要なのかは、ラムダ式を渡すメソッドによって異なります。

　例えば、リストのsortメソッドに渡すラムダ式は、java.utilパッケージのComparator（コンパレータ）インタフェースを実装した匿名クラスに相当します。ラムダ式の利点は、匿名クラスよりもプログラムを簡潔に書けることです。

02 整数をリストに格納する

リストに整数を格納してみましょう。リストに格納できるのは参照型だけなので、intやdoubleなどのプリミティブ型を格納したい場合には、IntegerやDoubleなどのラッパークラス（Chapter4）を使う必要があります。まずはプリミティブ型とラッパークラス型との間を行き来する、ボクシングとアンボクシングという機能について学びましょう。

ボクシングとアンボクシングで ラッパークラスとの間を行き来する

ボクシング（Boxing）またはオートボクシング（Autoboxing）は、intやdoubleなどのプリミティブ型から、対応するIntegerやDoubleなどのラッパークラス型へ自動的に変換する機能です。アンボクシング（Unboxing）は、ボクシングとは逆に、IntegerやDoubleなどのラッパークラス型から、対応するintやdoubleなどのプリミティブ型へ自動的に変換します。

ボクシングやアンボクシングは、必要な場面で自動的に実行されます。例えば、ラッパークラス型の変数にプリミティブ型の値を格納すると、ボクシングが実行されます。逆に、プリミティブ型の変数にラッパークラス型の値を格納すると、アンボクシングが実行されます。

ボクシングとアンボクシングを試してみましょう。**問題6** **int型の変数aを123で、Integer型の変数bをaで、int型の変数cをbで、それぞれ初期化した後に、a、b、cを出力**してください。

▼ Boxing.java

```java
1  import java.util.*;
2  public class Boxing {
3      public static void main(String[] args) {
4
5          // プリミティブ型の変数を初期化
6          int a=123;
7
```

```
 8             // ラッパークラス型の変数を、プリミティブ型の変数で初期化
 9             // （ボクシング）
10             Integer b=a;
11
12             // プリミティブ型の変数を、ラッパークラス型の変数で初期化
13             // （アンボクシング）
14             int c=b;
15
16             // 変数の値を出力
17             System.out.printf("%d %d %d\n", a, b, c);
18     }
19 }
```

　プリミティブ型とラッパークラス型の間で、上記のようにボクシングとアンボクシングが実行されます。実行すると、いずれの変数も同じ値（123）になります。

```
> javac Boxing.java
> java Boxing
123 123 123   ← a、b、cの値
```

　ボクシングとアンボクシングは、変数の初期化や代入だけではなく、メソッドに引数を渡す際など、いろいろな場面で実行されます。そのため、例えばInteger型の値を格納するリストに対して、int型の値をそのまま格納したり、取り出した値をint型として扱ったりできます。

　プリミティブ型とラッパークラス型の間で自動的に変換を行う、ボクシングとアンボクシングについて学びました。次は、リストに整数を追加してみましょう。

リストに整数を追加する

　Integer型を使うと、整数を格納するリストを宣言できます。**問題⑦ 整数を格納するリストlistを宣言・生成し、1〜9（1以上9以下）の整数を追加した後に、リストを出力**してください。整数の追加には、基本のfor文とaddメソッドを使います。

▼ IntList.java

```
1  import java.util.*;
2  public class IntList {
3      public static void main(String[] args) {
4
5          // 整数を格納するリストの宣言と生成
6          List<Integer> list=new ArrayList<>();
7
8          // リストに1～9の整数を追加
9          for (int i=1; i<10; i++) {
10             list.add(i);
11         }
12
13         // リストを出力
14         System.out.println(list);
15     }
16 }
```

　上記のリストに格納できるのは、Integer型の値です。addメソッドにはint型の値（変数i）を渡しますが、ボクシングによって、int型からInteger型へ自動的に変換されてから、リストに格納されます。

```
> javac IntList.java
> java IntList
[1, 2, 3, 4, 5, 6, 7, 8, 9]  ← リストを出力
```

　整数を格納するリストを宣言・生成し、整数を追加しました。次は、リストから整数を取得してみましょう。

リストから整数を取得する

　整数のリストから要素を取得するには、文字列のリストと同様に、拡張for文やgetメソッドを使います。問題❽ 前問のリスト（list）から、各要素を取得し、各要素を2乗した値を出力してください。

▼IntList2.java

```java
1  import java.util.*;
2  public class IntList2 {
3      public static void main(String[] args) {
4
5          // 整数を格納するリストの宣言と生成、整数の追加、出力
6          List<Integer> list=new ArrayList<>();
7          for (int i=1; i<10; i++) {
8              list.add(i);
9          }
10         System.out.println(list);
11
12         // リストの各要素を2乗した値を出力
13         for (int i: list) {
14             System.out.print(i*i+" ");
15         }
16         System.out.println();
17     }
18 }
```

　上記の拡張for文において、リストの要素をint型として取得していることに注目してください。リストに格納されているのはInteger型の値ですが、アンボクシングによって、Integer型からint型への変換が行われます。

```
> javac IntList2.java
> java IntList2
[1, 2, 3, 4, 5, 6, 7, 8, 9]     ← リストを出力
1 4 9 16 25 36 49 64 81         ← 各要素を2乗した値を出力
```

　整数のリストに対して値を格納したり、リストから値を取得したりする方法を学びました。次は、オブジェクトのリストについて学びましょう。

03 オブジェクトをリストに格納する

リストにオブジェクトを格納してみましょう。ここでは、自分で宣言したクラスのインスタンスを格納してみます。実用的なプログラムでは、このような独自のクラスのインスタンスを、リストなどのコレクションを使って管理することがよくあります。

リストにオブジェクトを追加する

材料を表すIngredient（材料）クラスを宣言し、このクラスのインスタンスをリストで管理することで、レシピを表現してみましょう。**問題⑨ Ingredientクラスを宣言し、String型のname（名前）フィールド、int型のamount（分量）フィールド、コンストラクタ、toStringメソッド、getNameメソッド、getAmountメソッドを宣言**してください。

toStringメソッドは、Objectクラス（Chapter8）のtoStringメソッドをオーバーライドして、「名前:分量」という形式の文字列を返すようにします。getNameメソッドとgetAmountメソッドは、それぞれnameフィールドとamountフィールドの値を返すゲッタ（Chapter8）です。

▼ Ingredient.java

```
 1  public class Ingredient {
 2
 3      // フィールド
 4      private String name;
 5      private int amount;
 6
 7      // コンストラクタ
 8      public Ingredient(String name, int amount) {
 9          this.name=name;
10          this.amount=amount;
11      }
12
13      // メソッド
14      public String toString() {
```

```
15          return name+":"+amount;
16      }
17      public String getName() {
18          return name;
19      }
20      public int getAmount() {
21          return amount;
22      }
23  }
```

　上記は通常のクラスとして宣言しましたが、レコードクラス(Chapter10)として宣言する方法もあります。toStringメソッドだけをオーバーライドして、あとは自動的に宣言されたフィールド・メソッド・コンストラクタを使えば済むので、プログラムを簡潔にできます。

　次は、材料を表すIngredientインスタンスを、レシピを表すリストに格納してみましょう。 問題⑩ **Ingredient型の値を格納するリストrecipeを宣言・生成し、以下の内容のIngredientインスタンスを追加した後に、リストを出力**してください。

▼ リストに格納するIngredientインスタンスの内容

名前	分量	説明
yeast	3	イースト 3g
salt	3	塩 3g
honey	20	蜂蜜 20g
butter	20	バター 20g
flour	240	小麦粉 240g
raisin	90	レーズン 90g
milk	200	ミルク 200g

▼ ObjList.java

```
1  import java.util.*;
2  public class ObjList {
3      public static void main(String[] args) {
4
5          // Ingredientインスタンスを格納するリストの宣言と生成
6          List<Ingredient> recipe=new ArrayList<>();
```

```
 7
 8          // リストにIngredientインスタンスを追加
 9          recipe.add(new Ingredient("yeast", 3));
10          recipe.add(new Ingredient("salt", 3));
11          recipe.add(new Ingredient("honey", 20));
12          recipe.add(new Ingredient("butter", 20));
13          recipe.add(new Ingredient("flour", 240));
14          recipe.add(new Ingredient("raisin", 90));
15          recipe.add(new Ingredient("milk", 200));
16
17          // リストを出力
18          System.out.println(recipe);
19      }
20 }
```

　Ingredientインスタンスを生成し、addメソッドでリストに追加します。実行すると、リストの各要素が「名前:分量」の形式で出力されます。

```
> javac ObjList.java
> java ObjList
[yeast:3, salt:3, honey:20, butter:20, flour:240, raisin:90, milk:200]
```

　独自のクラスを宣言し、インスタンスをリストに格納する方法を学びました。次は、このリストをソートしてみましょう。

オブジェクトのリストをソートする

　オブジェクトのリストは、文字列のリストと同様にsortメソッドを使ってソートできます。オブジェクトの場合も、要素の順序をどのように決めるのかをラムダ式を使って指定します。例えばラムダ式の中で、インスタンスのフィールドを取得して比較し、要素の順序を決めます。

　レシピの材料をいろいろな方法でソートしてみましょう。**問題⑪** **前問のリスト（recipe）を、以下の基準でソートして、それぞれ出力**してください。

① 名前の昇順
② 分量の昇順

③ 名前の文字数の昇順、文字数が同じ場合は分量の昇順

③は少し複雑なラムダ式になります。複雑なラムダ式を書く場合は、次のように
ブロックを使うこともできます。

ラムダ式（ブロック）

```
(引数名, …) -> {
    文;
    …
    return 式;
}
```

通常のメソッドと同様に、ラムダ式の戻り値はreturn文（Chapter8）を使って返
します。ブロックの中でローカル変数を宣言することも可能です。

▼ ObjList2.java

```
1   import java.util.*;
2   public class ObjList2 {
3       public static void main(String[] args) {
4
5           // リストの宣言と生成、要素の追加、出力
6           List<Ingredient> recipe=new ArrayList<>();
7           recipe.add(new Ingredient("yeast", 3));
8           recipe.add(new Ingredient("salt", 3));
9           recipe.add(new Ingredient("honey", 20));
10          recipe.add(new Ingredient("butter", 20));
11          recipe.add(new Ingredient("flour", 240));
12          recipe.add(new Ingredient("raisin", 90));
13          recipe.add(new Ingredient("milk", 200));
14          System.out.println(recipe);
15
16          // ①名前の昇順にソートして出力
17          recipe.sort((a, b) -> a.getName().compareTo(b.getName()));
18          System.out.println(recipe);
19
20          // ②分量の昇順にソートして出力
21          recipe.sort((a, b) -> a.getAmount()-b.getAmount());
22          System.out.println(recipe);
23
24          // ③名前の文字数の昇順に、文字数が同じ場合は分量の昇順に、ソートして出力
```

```
25          recipe.sort((a, b) -> {
26              int i=a.getName().length()-b.getName().length();
27              return i!=0 ? i : a.getAmount()-b.getAmount();
28          });
29          System.out.println(recipe);
30      }
31  }
```

　①のラムダ式では、getNameメソッドで材料の名前を取得し、StringクラスのcompareToメソッド（Chapter5）で文字列を比較します。②のラムダ式では、getAmountメソッドで材料の分量を取得し、－演算子で差を計算して、分量の昇順になるようにします。

　③のラムダ式では、Stringクラスのlengthメソッド（Chapter4）で名前の文字数を比較し、結果を変数iに格納します。そして、文字数が同じかどうかを条件演算子（Chapter5）を使って調べ、異なる場合はiを返し、同じ場合は分量の差を返します。

```
> javac ObjList2.java
> java ObjList2
[yeast:3, salt:3, honey:20, butter:20, flour:240, raisin:90, milk:200]
↑ 元のリスト
[butter:20, flour:240, honey:20, milk:200, raisin:90, salt:3, yeast:3]
↑ 名前の昇順にソート
[salt:3, yeast:3, butter:20, honey:20, raisin:90, milk:200, flour:240]
↑ 分量の昇順にソート
[salt:3, milk:200, yeast:3, honey:20, flour:240, butter:20, raisin:90]
↑ 名前の文字数の昇順に、文字数が同じ場合は分量の昇順にソート
```

　オブジェクトのリストをソートする方法を学びました。ラムダ式の書き方を工夫することで、複雑な条件によるソートにも対応できます。

　次は、リストとは異なる性質を持つ、セットというコレクションについて学びます。

column

リストのリスト

　リストもオブジェクトなので、リストに格納できます。このような「リストのリスト」
は、多次元配列やジャグ配列（Chapter7）に似た働きをします。以下はChapter7の
JaggedArray.javaを、「『文字列のリスト』のリスト」を使って書き直した例です。

▼ ListList.java

```
 1  import java.util.*;
 2  public class ListList {
 3      public static void main(String[] args) {
 4
 5          // 文字列のリストを格納するリストの宣言と生成
 6          List<List<String>> menu=new ArrayList<>();
 7
 8          // 文字列のリストを生成してリストに追加
 9          menu.add(new ArrayList<>(Arrays.asList(
10              "bread", "crepe", "donut")));
11          menu.add(new ArrayList<>(Arrays.asList(
12              "cocoa", "coffee", "milk", "tea")));
13          menu.add(new ArrayList<>(Arrays.asList(
14              "apple", "orange")));
15
16          // リストを出力
17          for (List<String> category: menu) {
18              for (String item: category) {
19                  System.out.printf(item+" ");
20              }
21              System.out.println();
22          }
23      }
24  }
```

```
> javac ListList.java
> java ListList
bread crepe donut        ← パン、クレープ、ドーナツ
cocoa coffee milk tea    ← ココア、コーヒー、ミルク、紅茶
apple orange             ← アップル、オレンジ
```

04 値の有無を素早く判定できるセット

セットは、指定した値を要素として含むかどうかを素早く判定できるコレクションです。配列やリストとは違い、セットには重複した値を格納できません。つまり、セットの要素は全て異なる値です。

セットが役立つのは、ある値が決められた集合に含まれているかどうか、を調べたいときです。例えば、Webページのデザインに使える色の集合が、blue（青）・red（赤）・green（緑）・yellow（黄）のように決められているとします。これらの色をセットで管理しておけば、例えば「purple（紫）は使える色に入っているかどうか」といった判定を素早く行えます。

またセットは、重複した値を排除したいときにも役立ちます。例えば、Webページが含むリンク先のURLを管理するときに、重複したURLを1個にまとめたいとします。これらのURLをセットに格納すれば、自動的に重複が排除されて、各URLが1個ずつだけ格納されます。

まずは、セットに関するインタフェースとクラスについて学びましょう。

セットに関するインタフェースとクラス

セットに関するインタフェースやクラスは、リストと同様に、java.utilパッケージに所属しています。代表的なインタフェースとクラスは次の通りです。

● Set（セット）インタフェース

セットの機能を規定するインタフェースです。

● HashSet（ハッシュ・セット）クラス

Setインタフェースを実装したクラスの1つです。ハッシュ値（個々のインスタンスを区別するための整数、Chapter9）を使って、セットの機能を実現します。HashSetクラスの特長は、通常の用途においては非常に小さな計算量（処理に必要な手間の目安となる量）で、指定した値の有無を高速に判定できることです。

● TreeSet(ツリー・セット)クラス

Setインタフェースを実装したクラスの1つです。木構造(きこうぞう)(木のような形状に値を配置して管理する方法)を使って、セットの機能を実現します。TreeSetクラスはHashSetクラスよりも、値の有無を判定する際の計算量は大きいのですが、格納された値がソートされていることが特長です。

本書では主に、SetインタフェースとHashSetクラスを使います。多くの用途では、計算量が小さなHashSetの方が高速だと考えられるためです。

▼ HashSetクラスとTreeSetクラス

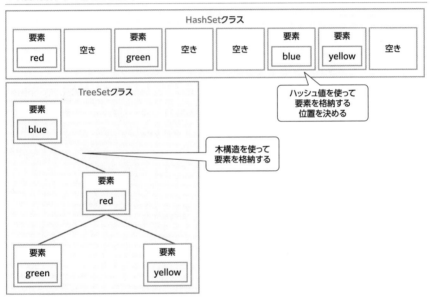

セットに関するインタフェースとクラスについて学びました。次はセットを生成して、値を格納してみましょう。

🔥 セットを生成して要素を追加する

セットを使うには、セットの宣言と生成が必要です。具体的には、Setインタフェース型の変数を宣言したうえで、HashSetクラスのインスタンスを生成し、初期化や代入を使って変数に格納します。

　セットの宣言と生成は次のように書きます。リストと同様に、Setインタフェースの<>の中には、セットの要素の型(セットに格納する値の型)を指定します。プリミティブ型は指定できず、Stringやラッパークラスのような参照型のみを指定できます。

▌セットの宣言と生成

```
Set<型> 変数名 = new HashSet<>();
```

　セットに要素を追加するには、次のようにaddメソッドを使います。以下でセットの部分には、セットを格納した変数などを指定します。値の部分には式も書けます。

▌セットに要素を追加

```
セット.add(値)
```

　セットを宣言・生成し、要素を追加してみましょう。セットを使って、色の名前を管理してみます。[問題⓬] **文字列を格納するセットcolorを宣言・生成して、blue、red、green、yellowを追加した後に、セットを出力**してください。セットの出力には、リストと同様にSystem.out.printlnメソッドを使います。

▼ ColorSet.java

```java
 1  import java.util.*;
 2  public class ColorSet {
 3      public static void main(String[] args) {
 4
 5          // 文字列を格納するセットの宣言と生成
 6          Set<String> color=new HashSet<>();
 7
 8          // 要素の追加
 9          color.add("blue");
10          color.add("red");
11          color.add("green");
12          color.add("yellow");
13
14          // セットを出力
15          System.out.println(color);
16      }
17  }
```

リストとは異なり、セットに格納された要素の順序は、追加した順序には一致しません。以下の実行結果でも、要素の順序が追加した順序とは異なります。環境などによって順序が変化する可能性もあるので、皆さんの実行結果は以下とは異なるかもしれません。

```
> javac ColorSet.java
> java ColorSet
[red, green, blue, yellow]   ← セットを出力
```

　セットを生成し、要素を追加する方法を学びました。次は、セットが指定した値を含むかどうかを調べる方法を学びましょう。

⟅ セットが指定した値を含むかどうかを調べる

　セットが指定した値を含むかどうかを調べるには、contains（コンテインズ、含む）メソッドを使います。リストにもcontainsメソッドがありますが、セットのcontainsメソッドの方が一般にずっと高速です。containsメソッドは、値を含む場合はtrue、値を含まない場合はfalseを返します。

▐ セットが指定した値を含むかどうかを調べる

```
セット.contains(値)
```

　containsメソッドを使ってみましょう。緑と紫が、色の集合に含まれるかどうかを調べます。**問題⑬** **前問のセット（color）が、greenとpurpleを含むかどうかを、それぞれ調べて結果を出力**してください。

▼ ColorSet2.java

```
1  import java.util.*;
2  public class ColorSet2 {
3      public static void main(String[] args) {
4
5          // 文字列を格納するセットの宣言と生成、要素の追加、出力
6          Set<String> color=new HashSet<>();
7          color.add("blue");
8          color.add("red");
9          color.add("green");
10         color.add("yellow");
```

501

```
11          System.out.println(color);
12
13          // セットが指定した値を含むかどうかを調べる
14          System.out.println(color.contains("green"));
15          System.out.println(color.contains("purple"));
16      }
17  }
```

```
> javac ColorSet2.java
> java ColorSet2
[red, green, blue, yellow]
true    ← greenは含む
false   ← purpleは含まない
```

セットが指定した値を含むかどうかを調べる方法を学びました。次は、セットの要素を取得する方法を学びましょう。

セットの要素を取得する

セットの要素は、リストとは異なり、インデックスを使って取得することができません。セットの各要素に対して何らかの処理を行いたい場合は、次のように拡張for文を使うのが簡単です。

| 拡張for文をセットに適用

```
for (型 変数名: セット) {
    文;
    …
}
```

セットの要素を取得してみましょう。**問題⑭** 前問のセット（color）について、拡張for文で各要素を取得し、空白で区切って出力してください。

▼ ColorSet3.java

```
1  import java.util.*;
2  public class ColorSet3 {
3      public static void main(String[] args) {
4
```

```
 5          // 文字列を格納するセットの宣言と生成、要素の追加、出力
 6          Set<String> color=new HashSet<>();
 7          color.add("blue");
 8          color.add("red");
 9          color.add("green");
10          color.add("yellow");
11          System.out.println(color);
12
13          // 拡張for文で各要素を取得し、空白で区切って出力
14          for (String s: color) {
15              System.out.print(s+" ");
16          }
17
18          // 改行を出力
19          System.out.println();
20      }
21  }
```

```
> javac ColorSet3.java
> java ColorSet3
[red, green, blue, yellow]    ← セットを出力
red green blue yellow         ← 各要素を空白で区切って出力
```

　拡張for文を使って、セットの各要素を取得する方法を学びました。次は、リストやセットとは異なる性質を持つ、マップというコレクションについて学びます。

05 キーに対応する値を 素早く取得できるマップ

　マップは、指定したキー（key、鍵）に対応する値を、素早く取得できるコレクションです。マップのキーはセットに似ていて、重複したキーは格納できません。一方、キーに対応する値は、他の値と重複していても構いません。

　マップが役立つのは、あるキーに対応する値を素早く調べたいときです。例えば、商品の価格表をマップで表現できます。商品の名前をキーとし、価格を値としてマップに格納しておけば、名前に対応する価格を素早く調べられます。

　まずは、マップに関するインタフェースとクラスについて学びましょう。

マップに関するインタフェースとクラス

　マップに関するインタフェースやクラスは、リストと同様に、java.utilパッケージに所属しています。代表的なインタフェースとクラスは次の通りです。

● **Map（マップ）インタフェース**

　マップの機能を規定するインタフェースです。

● **HashMap（ハッシュ・マップ）クラス**

　Mapインタフェースを実装したクラスの1つです。HashSetクラスと同様に、ハッシュ値を使ってマップの機能を実現します。HashMapクラスの特長は、通常の用途においては、非常に小さな計算量で指定したキーを探索できることです。

● **TreeMap（ツリー・マップ）クラス**

　Mapインタフェースを実装したクラスの1つです。TreeSetクラスと同様に、木構造を使ってマップの機能を実現します。TreeMapクラスはHashMapクラスよりも、キーを探索する際の計算量は大きいのですが、格納されたキーがソートされていることが特長です。

　本書では主に、MapインタフェースとHashMapクラスを使います。多くの用途

では、計算量が小さなHashMapの方が高速だと考えられるためです。

マップに関するインタフェースとクラスについて学びました。次はマップを生成して、キーと値を格納してみましょう。

マップを生成して要素を追加する

マップを使うには、マップの宣言と生成が必要です。具体的には、Mapインタフェース型の変数を宣言したうえで、HashMapクラスのインスタンスを生成し、初期化や代入を使って変数に格納します。

マップの宣言と生成は次のように書きます。Mapインタフェースの<>の中には、マップのキーの型と値の型を、,（カンマ）で区切って指定します。いずれもプリミティブ型は指定できず、Stringやラッパークラスのような参照型のみを指定できます。

▌マップの宣言と生成

```
Map<キーの型, 値の型> 変数名 = new HashMap<>();
```

マップに要素を追加するには、次のようにput（プット）メソッドを使います。以下でマップの部分には、マップを格納した変数などを指定します。キーや値の部分には、式も書けます。

▌マップに要素を追加

```
マップ.put(キー, 値)
```

マップを宣言・生成し、要素を追加してみましょう。マップを使って、商品の価格表を表現してみます。問題⑮ キーが文字列で値が整数の、マップmenuを宣言・生成して、以下の要素を追加した後に、マップを出力してください。マップの出力には、リストやセットと同様にSystem.out.printlnメソッドを使います。

▼マップに格納するキーと値

キー	値	説明
burger	100	バーガー 100円
potato	150	ポテト 150円
shake	120	シェイク 120円
hotcake	200	ホットケーキ 200円

▼ MenuMap.java

```java
 1  import java.util.*;
 2  public class MenuMap {
 3      public static void main(String[] args) {
 4
 5          // キーが文字列で値が整数の、マップの宣言と生成
 6          Map<String, Integer> menu=new HashMap<>();
 7
 8          // マップに要素を追加
 9          menu.put("burger", 100);
10          menu.put("potato", 150);
11          menu.put("shake", 120);
12          menu.put("hotcake", 200);
13
14          // マップを出力
15          System.out.println(menu);
16      }
17  }
```

　セットと同様に、マップに格納された要素の順序は、追加した順序には一致しません。以下の実行結果でも、要素の順序が追加した順序とは異なります。皆さんの実行結果も以下とは異なるかもしれません。

```
> javac MenuMap.java
> java MenuMap
{shake=120, burger=100, potato=150, hotcake=200}   ← マップを出力
```

　マップを生成し、要素を追加する方法を学びました。次は、指定したキーに対応する値を取得してみましょう。

指定したキーに対応する値を取得する

　マップから、指定したキーに対応する値を取得するには、getメソッドを使います。リストのgetメソッドにはインデックスを指定しますが、マップのgetメソッドにはキーを指定します。

```
マップ.get(キー)
```

getメソッドを使ってみましょう。バーガーとシェイクの価格を調べます。

問題⑯ 前問のマップ（menu）から、burgerとshakeに対応する値を取得し、それぞれ出力してください。

▼ MenuMap2.java

```java
 1  import java.util.*;
 2  public class MenuMap2 {
 3      public static void main(String[] args) {
 4
 5          // マップの宣言と生成、要素の追加、出力
 6          Map<String, Integer> menu=new HashMap<>();
 7          menu.put("burger", 100);
 8          menu.put("potato", 150);
 9          menu.put("shake", 120);
10          menu.put("hotcake", 200);
11          System.out.println(menu);
12
13          // マップから指定したキーに対応する値を取得
14          System.out.println(menu.get("burger"));
15          System.out.println(menu.get("shake"));
16      }
17  }
```

```
> javac MenuMap2.java
> java MenuMap2
{shake=120, burger=100, potato=150, hotcake=200}
100   ← バーガーは100円
120   ← シェイクは120円
```

マップから指定したキーに対応する値を取得する方法を学びました。次は、マップの要素を取得する方法を学びましょう。

マップの要素を取得する

　マップの要素はリストとは異なり、インデックスを使って取得することができません。マップの各要素に対して何らかの処理を行いたい場合は、次のようにキーの一覧を取得するkeySet（キー・セット）メソッドと、拡張for文を組み合わせる方法があります。

拡張for文をマップに適用

```
for (型 変数名: マップ.keySet()) {
    文;
    …
}
```

　マップの要素を取得してみましょう。商品の名前と価格の一覧表を出力します。
問題⑰ 前間のマップ（menu）について、keySetメソッドと拡張for文でキー（名前）を取得し、getメソッドで値（価格）を取得して、「名前 価格 yen」という形式で出力してください。

▼ MenuMap3.java

```
 1 import java.util.*;
 2 public class MenuMap3 {
 3     public static void main(String[] args) {
 4
 5         // マップの宣言と生成、要素の追加、出力
 6         Map<String, Integer> menu=new HashMap<>();
 7         menu.put("burger", 100);
 8         menu.put("potato", 150);
 9         menu.put("shake", 120);
10         menu.put("hotcake", 200);
11         System.out.println(menu);
12
13         // 拡張for文でキーを取得し、価格と並べて出力
14         for (String key: menu.keySet()) {
15             System.out.printf("%-7s %d yen\n", key, menu.get(key));
16         }
17     }
18 }
```

上記のプログラムでは、System.out.printfメソッド（Chapter6）を使って、名前と価格の桁を揃えて出力しました。「%-7s」は、文字列を左詰め7桁で出力する、という意味です。

```
> javac MenuMap3.java
> java MenuMap3
{shake=120, burger=100, potato=150, hotcake=200}
shake   120 yen  ← シェイク      120円
burger  100 yen  ← バーガー      100円
potato  150 yen  ← ポテト        150円
hotcake 200 yen  ← ホットケーキ  200円
```

　keySetメソッドと拡張for文を使って、マップの要素を取得する方法を学びました。

　本章では、複数のオブジェクトをまとめて管理する、コレクションについて学びました。基本のコレクションであるリスト、値の有無を素早く判定できるセット、キーに対応する値を素早く取り出せるマップについて、使い方を学びました。また、リストの要素をソートする方法と、ソートの順序や基準を制御するラムダ式の書き方も学びました。

　次章では、実用的なプログラムの開発に役立つ、ファイルの入出力について学びます。

Chapter13の復習

□ リスト

問題① 文字列を格納するリストrecipeを宣言・生成して、salt、sugar、honey、butter、flour、raison、waterを追加した後に、リストを出力してください。追加にはaddメソッドを使います。　　　　　　　　　　➡478ページ

問題② 文字列を格納するリストrecipeを宣言・生成して、salt、sugar、honey、butter、flour、raison、waterを格納した後に、リストを出力してください。格納にはArray.asListメソッドを使います。　　　　　　➡480ページ

問題③ 前問のリストrecipeについて、先頭にyeastを挿入し、sugarを削除し、waterをmilkに変更してください。1つの操作を行うたびにリストを出力して、結果を確認します。　　　　　　　　　　　　　　　　　➡481ページ

問題④ 文字列を格納するリストrecipeを宣言・生成し、yeast、salt、honey、butter、flour、raison、milkを格納した後に、拡張for文で各要素の値を出力します。さらに、基本のfor文を使って、各要素の値を「番号:値」の形式で出力してください。番号は1から始めます。　　　　　➡484ページ

問題⑤ 前問のリストrecipeを、昇順にソートして出力し、さらに降順にソートして出力してください。　　　　　　　　　　　　　　　　　➡486ページ

問題⑥ int型の変数aを123で、Integer型の変数bをaで、int型の変数cをbで、それぞれ初期化した後に、a、b、cを出力してください。　　➡488ページ

問題⑦ 整数を格納するリストlistを宣言・生成し、1〜9（1以上9以下）の整数を追加した後に、リストを出力してください。　　　　　➡489ページ

問題⑧ 前問のリストlistから、各要素を取得し、各要素を2乗した値を出力してください。　　　　　　　　　　　　　　　　　　　　　➡490ページ

問題9 Ingredientクラスを宣言し、String型のname（名前）フィールド、int型の amount（分量）フィールド、コンストラクタ、toStringメソッド、getName メソッド、getAmountメソッドを宣言してください。toStringメソッドは、 Objectクラスのオブジェクトの間のtoStringメソッドをオーバーライドして、「名前:分量」という 形式の文字列を返すようにします。getNameメソッドとgetAmountメソッド は、それぞれnameフィールドとamountフィールドの値を返すゲッタです。

→492ページ

問題10 Ingredient型の値を格納するリストrecipeを宣言・生成し、以下の内容の Ingredientインスタンスを追加した後に、リストを出力してください。

名前	分量	説明
yeast	3	イースト 3g
salt	3	塩 3g
honey	20	蜂蜜 20g
butter	20	バター 20g
flour	240	小麦粉 240g
raisin	90	レーズン 90g
milk	200	ミルク 200g

→493ページ

問題11 前問のリストrecipeを、以下の基準でソートして、それぞれ出力してくださ い。
① 名前の昇順
② 分量の昇順
③ 名前の文字数の昇順、文字数が同じ場合は分量の昇順

→494ページ

□ セット

問題12 文字列を格納するセットcolorを宣言・生成して、blue、red、green、 yellowを追加した後に、セットを出力してください。　　→500ページ

Chapter
13

問題⑬ 前問のセットcolorが、greenとpurpleを含むかどうかを、それぞれ調べて結果を出力してください。

➡501ページ

問題⑭ 前問のセットcolorについて、拡張for文で各要素を取得し、空白で区切って出力してください。

➡502ページ

□マップ

問題⑮ キーが文字列で値が整数の、マップmenuを宣言・生成して、以下の要素を追加した後に、マップを出力してください。

キー	値	説明
burger	100	バーガー 100円
potato	150	ポテト 150円
shake	120	シェイク 120円
hotcake	200	ホットケーキ 200円

➡505ページ

問題⑯ 前問のマップmenuから、burgerとshakeに対応する値を取得し、それぞれ出力してください。

➡507ページ

問題⑰ 前問のマップmenuについて、keySetメソッドと拡張for文でキー（名前）を取得し、getメソッドで値（価格）を取得して、「名前 価格 yen」という形式で出力してください。

➡508ページ

実践編

Chapter 14

ファイルを読み書きする

本章では、ファイルの読み書き（入出力）について学びます。ファイルを読み書きできると、ファイルを表示したり加工したりするような、実用的なプログラムを作成できます。また、プログラムが作成したデータをファイルに書き出しておけば、いったんプログラムを終了しても、次回の実行時にデータを読み込んで再び利用できます。

ファイルを読み書きする機能は、旧来のjava.ioパッケージと後発のjava.nioパッケージに分かれています。本書では目的に応じて新旧のパッケージを使い分けます。そして、ファイルに対してテキストを読み書きする方法と、オブジェクトを読み書きする方法を学びます。

本章の学習内容

① テキストの入出力
② java.ioパッケージ
③ java.nioパッケージ
④ try-with-resources文
⑤ オブジェクトの入出力
⑥ シリアライズとSerializableインタフェース
⑦ @SuppressWarningsアノテーション

01 テキストを入出力する

ファイルは、次のようなテキストファイルとバイナリファイルに大別できます。

● **テキストファイル**

文字コードが格納されたファイルで、内容を文字として表示できます。例えば、Javaのソースファイルはテキストファイルです。WebページのHTMLファイルなどもテキストファイルに分類されます。

● **バイナリファイル**

任意のデータが格納されたファイルで、一般に文字としては表示できません。例えば、Javaのクラスファイルはバイナリファイルです。画像や音声などのファイルもバイナリファイルに分類されます。

このセクションでは、テキストファイルの入出力（読み書き）について学びます。テキストファイルは、テキストエディタなどで内容を表示できるので、ファイルを読み書きするプログラムが正しく動作しているかどうかを、簡単に確かめられることが利点です。

最初に、ファイル入出力機能に関する2つのパッケージについて紹介します。

java.ioパッケージとjava.nioパッケージ

Javaが提供するファイル入出力の機能は、次のようなjava.ioパッケージとjava.nioパッケージに分かれています。

● **java.ioパッケージ**

Javaのバージョン1.0からある、旧来の機能です。ioはI/O（Input/Output、入力・出力）の略と思われます。

● java.nioパッケージ

Javaのバージョン1.4で追加された、後発の機能です。nioはNon-blocking（ノン・ブロッキング）I/Oの略と思われます。NIOと呼ばれることもあります。

どちらのパッケージを使っても似た処理が可能ですが、java.nioパッケージを使った方がプログラムを簡潔に書ける傾向があります。一方で、java.ioパッケージを使ったプログラムを見かけることも多いので、あわせて学んでおくのがおすすめです。

このセクションでは、両方のパッケージを使ってテキストファイルを読み書きする方法を学びます。最初はjava.nioパッケージを使って、1個の文字列をファイルに書き出すことから始めましょう。

文字列をファイルに書き出す

java.nioパッケージを使って、文字列をファイルに書き出してみましょう。まずは、必要なパッケージをインポートします。java.nioパッケージのサブパッケージである、java.nio.fileパッケージとjava.nio.charsetパッケージをインポートします。

| java.nioパッケージとjava.nio.charsetパッケージのインポート

```
import java.nio.file.*;
import java.nio.charset.*;
```

1個の文字列をファイルに書き出すには、次のようにFiles（ファイルズ）クラスのwriteString（ライト・ストリング）メソッドを使います。Path（パス）クラスのof（オブ）メソッドや、Charset（チャーセット）クラスのforName（フォー・ネーム）メソッドも使います。

| 文字列をファイルに書き出す

```
Files.writeString(Path.of(パス), 文字列, Charset.forName(文字セット))
```

上記のパス・文字列・文字セットには、次のような値（または式）を書きます。

● パス

ファイルやフォルダの場所を表す文字列です。例えば"hello.txt"のように書きます。

● 文字列

ファイルに書き出す文字列です。

● 文字セット

ファイルの文字コードや文字エンコーディングを指定します。本書では"UTF-8"を使います。

Files.writeStringメソッドは、IOException（アイ・オー・エクセプション、入出力の例外）を発生する可能性があります。IOExceptionはchecked例外（Chapter11）なので、例外処理が必須です。IOExceptionに対する例外処理を書くか、あるいはスーパークラスのExceptionに対する例外処理を書きます。

文字列をファイルに書き出してみましょう。 問題❶ hello.txtファイルに「Hello」を書き出すプログラムを書いてください。例外が発生したら、printStackTraceメソッド（Chapter11）を使って、スタックトレースを出力します。

▼ TextWriter.java

```java
1  // 必要なパッケージのインポート
2  import java.nio.file.*;
3  import java.nio.charset.*;
4
5  // クラスの宣言
6  public class TextWriter {
7      public static void main(String[] args) {
8
9          // 文字列をファイルに書き出す
10         try {
11             Files.writeString(Path.of("hello.txt"), "Hello",
12                 Charset.forName("UTF-8"));
13         }
14
15         // 例外が発生したら、スタックトレースを出力
16         catch (Exception e) {
17             e.printStackTrace();
18         }
19     }
20 }
```

上記のプログラムでは、Exceptionに対する例外処理を書きました。プログラム
を実行して、何も表示されなければ成功です。

```
> javac TextWriter.java
> java TextWriter
```

　カレントディレクトリ（ここではTextWriter.Javaと同じフォルダ）に作成された
hello.txtを、テキストエディタで開いて内容を確認してください。「Hello」と書か
れていれば成功です。

```
Hello
```

　Windowsの場合はtype（タイプ）コマンドを使って、次のようにファイルの内容
を表示することもできます。テキストエディタで開くよりも簡単なので、おすすめ
の方法です。

```
> type hello.txt
Hello
```

　macOS/Linuxの場合は、cat（キャット）コマンドを使います。

```
> cat hello.txt
Hello
```

　日本語を含むファイルをWindowsで表示する場合は、typeコマンドを使うと文
字化けする可能性があります。これは、本書で作成するテキストファイルの文字エ
ンコーディング（UTF-8）と、Windowsのコマンドプロンプトにおけるデフォルト
の文字コード（CP932、Shift_JIS）が、異なることが原因です。日本語を含むファ
イルの場合は、テキストエディタで内容を確認してください。

　文字列をファイルに書き出す方法を学びました。次は逆に、ファイルを文字列と
して読み込んでみましょう。

ファイルを文字列として読み込む

java.nioパッケージを使って、ファイルを1個の文字列として読み込んでみましょう。FilesクラスのreadString（リード・ストリング）メソッドを使います。

▎ファイルを文字列として読み込む

```
Files.readString(Path.of(パス), Charset.forName(文字セット))
```

パスや文字セットを指定する方法は、前述のFiles.writeStringメソッドと同様です。次のように文字セットの指定を省略すると、UTF-8が使われます。

▎ファイルを文字列として読み込む (UTF-8)

```
Files.readString(Path.of(パス))
```

Files.readStringメソッドは、読み込んだ文字列を戻り値として返します。この戻り値は変数に代入して利用することも、System.out.printlnメソッドなどを使って出力することもできます。

Files.readStringメソッドは、Files.writeStringメソッドと同様に、IOExceptionを発生する可能性があります。IOExceptionはchecked例外なので、例外処理が必須です。

ファイルを文字列として読み込んでみましょう。**問題❷ hello.txtファイルを文字列として読み込んで出力**するプログラムを書いてください。

▼ TextReader.java

```
 1  import java.nio.file.*;
 2  public class TextReader {
 3      public static void main(String[] args) {
 4
 5          // ファイルを文字列として読み込んで出力
 6          try {
 7              System.out.println(
 8                  Files.readString(Path.of("hello.txt")));
 9          }
10
11          // 例外が発生したら、スタックトレースを出力
12          catch (Exception e) {
13              e.printStackTrace();
14          }
```

```
15      }
16  }
```

　上記のプログラムでは、Files.readStringメソッドの戻り値（ファイルから読み込んだ文字列）を、そのままSystem.out.printlnメソッドに渡して出力しています。次のように実行して、hello.txtの内容が表示されれば成功です。

```
> javac TextReader.java
> java TextReader
Hello  ← ファイルから読み込んだ文字列
```

　ファイルを文字列として読み込む方法を学びました。次は、複数の文字列をファイルに書き出す方法を学びましょう。

文字列のリストをファイルに書き出す

　複数行のテキストを扱う場合には、文字列のリスト（Chapter13）を使うと便利です。Files.write（ファイルズ・ライト）メソッドを使うと、文字列のリストをファイルに書き出せます。

┃文字列のリストをファイルに書き出す

```
Files.write(Path.of(パス), リスト, Charset.forName(文字セット))
```

　上記でリストの部分には、文字列のリストを指定します。Files.writeStringメソッドと同様に、IOException（あるいはException）に対する例外処理も必要です。
　文字列のリストをファイルに書き出してみましょう。 問題❸ **文字列のリストを生成し、「Hello」と「こんにちは」を格納した後に、hello2.txtファイルに書き出す**プログラムを書いてください。リストを使うので、java.utilパッケージのインポートが必要です。文字セットにはUTF-8を指定してください。

▼TextWriter2.java

```
1  // 必要なパッケージのインポート
2  import java.nio.file.*;
3  import java.nio.charset.*;
4  import java.util.*;
```

```
 5
 6   // クラスの宣言
 7   public class TextWriter2 {
 8       public static void main(String[] args) {
 9
10           // 文字列のリストをファイルに書き出す
11           try {
12               List<String> list=new ArrayList<>();
13               list.add("Hello");
14               list.add("こんにちは");
15               Files.write(Path.of("hello2.txt"), list,
16                   Charset.forName("UTF-8"));
17           }
18
19           // 例外が発生したら、スタックトレースを出力
20           catch (Exception e) {
21               e.printStackTrace();
22           }
23       }
24   }
```

　上記のプログラムは日本語を含むので、文字エンコーディングにUTF-8を指定して保存してください（Chapter2）。プログラムを実行して、何も表示されなければ成功です。

```
> javac TextWriter2.java
> java TextWriter2
```

　hello2.txtをテキストエディタで開いて、内容を確認してください。「Hello」と「こんにちは」が書かれていれば成功です。

```
Hello
こんにちは
```

　文字列のリストをファイルに書き出す方法を学びました。次は、ファイルを文字列のリストとして読み込んでみましょう。

ファイルを文字列のリストとして読み込む

複数行のテキストファイルを、文字列のリストとして読み込んでみましょう。以下のFiles.readAllLines（ファイルズ・リード・オール・ラインズ）メソッドを使います。

▌ファイルを文字列のリストとして読み込む

```
Files.readAllLines(Path.of(パス), Charset.forName(文字セット))
```

Files.readAllLinesメソッドは、文字列のリストを戻り値として返します。次のように文字セットの指定を省略すると、UTF-8が使われます。

▌ファイルを文字列のリストとして読み込む（UTF-8）

```
Files.readAllLines(Path.of(パス))
```

ファイルを文字列のリストとして読み込んでみましょう。**問題❹** **hello2.txtファイルを文字列のリストとして読み込んで出力**するプログラムを書いてください。

▼ TextReader2.java

```
1  import java.nio.file.*;
2  import java.util.*;
3  public class TextReader2 {
4      public static void main(String[] args) {
5
6          // ファイルを文字列のリストとして読み込む
7          try {
8            List<String> list=
9                  Files.readAllLines(Path.of("hello2.txt"));
10
11             // リストの各要素を出力
12             for (String s: list) {
13                 System.out.println(s);
14             }
15         }
16
17         // 例外が発生したら、スタックトレースを出力
18         catch (Exception e) {
19             e.printStackTrace();
20         }
```

```
21      }
22  }
```

　上記のプログラムでは、Files.readAllLinesメソッドの戻り値を文字列のリスト listに格納した後に、拡張for文でリストの各要素を出力しています。次のように実行して、hello2.txtの内容が表示されれば成功です。

```
> javac TextReader2.java
> java TextReader2
Hello
こんにちは
```

　ファイルを文字列のリストとして読み込む方法を学びました。次は、java.ioパッケージを使ってファイルを読み書きする方法を学びましょう。

旧来の方法で文字列をファイルに書き出す

　旧来のjava.ioパッケージを使って、文字列をファイルに書き出してみましょう。まずは、必要なパッケージをインポートします。

▌java.ioパッケージのインポート

```
import java.io.*;
```

　ファイルに文字列を書き出す方法はいろいろありますが、PrintWriter（プリント・ライター）クラスを使った方法を紹介します。PrintWriterクラスは、println・print・printfといったメソッドを備えているので、画面への出力と同じ要領で、ファイルに文字列を出力できます。

　PrintWriterクラスを使うには、次のようにPrintWriter型の変数を宣言し、PrintWriterインスタンスを生成します。パスと文字セットの指定方法は、Files.writeStringメソッドと同様です。

▌PrintWriterインスタンスの生成

```
PrintWriter 変数名 = new PrintWriter(パス, 文字セット)
```

PrintWriterクラスのコンストラクタは、FileNotFoundException（ファイル・ノット・ファウンド・エクセプション、ファイルが見つからないときの例外）と、UnsupportedEncodingException（アンサポーテッド・エンコーディング・エクセプション、文字エンコーディングがサポートされていないときの例外）を発生します。これらはchecked例外なので、例外処理が必須です。例外の種類ごとに例外処理を書くか、スーパークラスであるIOExceptionやExceptionに対する例外処理を書く必要があります。

PrintWriterインスタンスを生成したら、以下のprintlnメソッドなどを使って、ファイルに値を書き出します。System.out.printlnメソッドと同様に、式の部分には、結果が文字列・整数・浮動小数点数・文字・真偽値などになる式が書けます。

▌PrintWriterインスタンスを使った値の書き出し
```
PrintWriterインスタンス.println(式)
```

PrintWriterインスタンスは、使い終わったらclose（クローズ）メソッドを呼び出す必要があります。しかし、closeメソッドの呼び出しを書くのを忘れたり、例外が発生した場合にcloseメソッドの呼び出しを飛ばしてしまったりする危険があるので、次に紹介するtry-with-resources（トライ・ウィズ・リソーシズ）文を使うのがおすすめです。

▌PrintWriterインスタンスの片付け
```
PrintWriterインスタンス.close()
```

try-with-resources文は、例外処理を記述するtry文（Chapter11）のバリエーションです。指定されたリソース（資源）を、try-with-resources文の開始時に初期化し、終了時に片付ける働きがあります。try-with-resources文を使うと、PrintWriterインスタンスなどに対するcloseメソッドの呼び出しを省略できます。

PrintWriterクラスとtry-with-resources文は、次のように組み合わせて使います。tryの後の()（丸括弧）内で、PrintWriter型の変数を宣言し、PrintWriterインスタンスを生成します。try-with-resources文の終了時には、例外が発生したかどうかに関わらず、PrintWriterインスタンスに対してcloseメソッドが自動的に呼び出されます。

try-with-resources文を使ったテキストファイルへの出力

```
try (PrintWriter 変数名 = new PrintWriter(パス, 文字セット)) {
    …
} catch (…) {
    …
}
```

try-with-resources文は、PrintWriterクラス以外にも適用できます。一般には次のように書きます。

try-with-resources文

```
try (型 変数名 = new 型(引数, …)) {
    …
} catch (…) {
    …
}
```

try-with-resources文で管理したいリソースが複数ある場合は、次のように;(セミコロン)で区切って書きます。以下では見やすくするために宣言ごとに改行しましたが、改行しなくても構いません。

try-with-resources文（複数のリソース）

```
try (
    型A 変数名A = new 型A(引数, …);
    型B 変数名B = new 型B(引数, …);
    …
) {
    …
} catch (…) {
    …
}
```

PrintWriterクラスとtry-with-resources文を使って、文字列をファイルに書き出してみましょう。**問題⑤** **PrintWriterインスタンスを生成し、hello3.txtファイルに対して、「Hello」と「こんにちは」を出力**してください。文字セットにはUTF-8を指定します。

```
 1  // 必要なパッケージのインポート
 2  import java.io.*;
 3
 4  // クラスの宣言
 5  public class TextWriter3 {
 6      public static void main(String[] args) {
 7
 8          // try-with-resource文でPrintWriterインスタンスを生成し、
 9          // 複数の文字列をファイルに書き出す
10          try (PrintWriter w=new PrintWriter("hello3.txt", "UTF-8")) {
11              w.println("Hello");
12              w.println("こんにちは");
13          }
14
15          // 例外が発生したら、スタックトレースを出力
16          catch (Exception e) {
17              e.printStackTrace();
18          }
19      }
20  }
```

　上記のプログラムは日本語を含むので、文字エンコーディングにUTF-8を指定して保存してください（Chapter2）。プログラムを実行して、何も表示されなければ成功です。

```
> javac TextWriter3.java
> java TextWriter3
```

　hello3.txtをテキストエディタで開いて、内容を確認してください。「Hello」と「こんにちは」が書かれていれば成功です。

```
Hello
こんにちは
```

　旧来のjava.ioパッケージを使って、文字列をファイルに書き出す方法を学びました。次は、ファイルから文字列を読み込んでみましょう。

旧来の方法でファイルから文字列を読み込む

旧来のjava.ioパッケージを使って、ファイルから文字列を読み込んでみましょう。まずは、必要なパッケージをインポートします。java.ioパッケージに加えて、java.nio.charsetもインポートします。

▌java.ioパッケージとjava.nio.charsetパッケージのインポート

```java
import java.io.*;
import java.nio.charset.*;
```

ファイルから文字列を読み込む方法はいろいろありますが、BufferedReader（バッファード・リーダー）クラスと、FileReader（ファイル・リーダー）クラスを使った方法を紹介します。FileReaderクラスはファイルを読み込む機能を提供し、BufferedReaderクラスはテキストを1行単位で読み込む機能を提供します。これらのクラスを組み合わせると、テキストファイルを1行単位で読み込めます。

BufferedReaderクラスやFileReaderクラスを使う際には、IOExceptionに対する例外処理や、closeメソッドの呼び出しが必要です。次のように、try-with-resources文を使って書くのがおすすめです。

▌try-with-resources文を使ったテキストファイルからの入力

```java
try (BufferedReader 変数名 = new BufferedReader(
    new FileReader(パス, Charset.forName(文字セット)))) {
    …
} catch (…) {
    …
}
```

上記では、BufferedReaderクラスのコンストラクタに、FileReaderインスタンスを渡しています。これで、FileReaderクラスがファイルから読み込んだ内容をBufferedReaderクラスが処理する、という構造が作れます。

文字列をファイルから読み込むには、BufferedReaderクラスのreadLine（リード・ライン）メソッドを使います。readLineメソッドは、テキストファイルから1行の文字列を読み込みます。

```
BufferedReaderインスタンス.readLine()
```

　ファイルの末尾に達して、もう文字列を読み込むことができない場合、readLine
メソッドはnull（ヌル、Chapter7）を返します。for文などを使って、readLineメソッ
ドの戻り値がnullではない限り、読み込みを繰り返せば、ファイルの末尾までテキ
ストを1行ずつ読み込めます。

　以上の方法を使って、ファイルから文字列を読み込んでみましょう。 問題❻
**BufferedReaderインスタンスとFileReaderインスタンスを生成し、hello3.txtファ
イルを1行ずつ読み込んで、画面に出力**してください。文字セットにはUTF-8を指
定します。

▼ TextReader3.java

```
 1  // 必要なパッケージのインポート
 2  import java.io.*;
 3  import java.nio.charset.*;
 4
 5  // クラスの宣言
 6  public class TextReader3 {
 7      public static void main(String[] args) {
 8
 9          // try-with-resource文で、
10          // BufferedReaderとFileReaderのインスタンスを生成し、
11          // ファイルから複数の文字列を読み込む
12          try (BufferedReader r=new BufferedReader(
13              new FileReader("hello3.txt", Charset.forName("UTF-8")))
14          ) {
15              // ファイルの末尾に達するまで、1行ずつ読み込んで出力
16              for (String s;
17                  (s=r.readLine())!=null; System.out.println(s));
18          }
19
20          // 例外が発生したら、スタックトレースを出力
21          catch (Exception e) {
22              e.printStackTrace();
23          }
24      }
25  }
```

上記のプログラムでは、for文とreadLineメソッドを組み合わせて、ファイルの末尾まで読み込みます。「(s=r.readLine())!=null」というfor文の条件式は、readLineメソッドで読み込んだ文字列を、変数sに代入した後に、その値がnullでないかどうかを調べる、という意味です。このfor文は、初期化・条件式・更新式だけで処理が済むので、繰り返し実行する文は空文(;のみ)にしました。

次のように実行して、hello3.txtの内容が表示されれば成功です。

```
> javac TextReader3.java
> java TextReader3
Hello
こんにちは
```

旧来のjava.ioパッケージを使って、ファイルから文字列を読み込む方法を学びました。java.nioパッケージを使う方法に比べると、少しプログラムは複雑になります。java.nioパッケージを使って書ける場合には、java.nioパッケージを使うのがおすすめです。

try-with-resources文についても学びました。try-with-resources文は、ファイルの入出力だけではなく、例えばデータベースへのアクセスなどにも適用できます。

次は、今までに学んだ知識を活用して、テキストファイルを処理するツールを作ってみましょう。

テキストファイルを処理するツールを作る

ファイルの入出力を使うと、実用的なツールが作れます。今までに学んだ知識を整理するために、簡単なツールを作成してみましょう。

ツールの題材は、テキストファイルを読み込み、行番号を付けて表示する、一種のビューア(viewer)です。ソースファイルを表示することを想定して、タブ(\t)については、4個の半角空白に置換してから表示することにします。

実際にプログラムを書いてみましょう。**問題⑦** **コマンドライン引数で指定したファイルを、文字列のリストとして読み込んだ後に、各行に1から始まる行番号を付加し、タブを4個の半角空白に置換して出力**するプログラムを書いてください。タブから半角空白への置換には、Stringクラスのreplace(リプレース)メソッド(Chapter4)が使えます。

▼ Viewer.java

```
1  import java.nio.file.*;
2  import java.util.*;
3  public class Viewer {
4      public static void main(String[] args) {
5
6          // ファイルを文字列のリストとして読み込む
7          try {
8              List<String> list=Files.readAllLines(Path.of(args[0]));
9
10             // 各行に行番号を付加し、タブを半角空白に置換して出力
11             for (int i=0; i<list.size(); i++) {
12                 System.out.printf("%3d: %s\n",
13                     i+1, list.get(i).replace("\t", "    "));
14             }
15         }
16
17         // 例外が発生したら、スタックトレースを出力
18         catch (Exception e) {
19             e.printStackTrace();
20         }
21     }
22 }
```

　上記のプログラムでは、「行番号: 行の内容」の形式でファイルの各行を出力します。桁を揃えて出力するために、System.out.printfメソッド（Chapter6）を使いました。

　このプログラムは、コマンドライン引数にファイル名を指定して実行します。例えば次のように、このプログラム自体のソースファイル（Viewer.java）を指定して実行してみてください。

```
> javac Viewer.java
> java Viewer Viewer.java
  1: import java.nio.file.*;
  2: import java.util.*;
  3: public class Viewer {
  4:     public static void main(String[] args) {
...
 22: }
```

　テキストファイルを読み込み、行番号を付けて表示するツールを作成しました。次は、このプログラムの例外処理を改良してみましょう。

((例外処理を改良する

　前間のプログラムの例外処理には、改良の余地があります。例えば、ファイル名を指定しないで実行すると、次のようにArrayIndexOutOfBoundsException（Chapter11）が発生します。この例外は、args[0]が存在しないのに、args[0]の値を取得しようとしていることが原因です。

```
> java Viewer
java.lang.ArrayIndexOutOfBoundsException:
Index 0 out of bounds for length 0
        at Viewer.main(Viewer.java:8)
```

　また、指定したファイル名が存在しないと、次のようにNoSuchFileException（ノー・サッチ・ファイル・エクセプション、指定したファイルが見つからないときの例外）が発生します。この例外は、Files.readAllLinesメソッドで発生しています。

```
> java Viewer Sample.java
java.nio.file.NoSuchFileException: Sample.java
        …
        at Viewer.main(Viewer.java:8)
```

　上記のような例外が発生したときに、使い方やエラーメッセージを出力して、プログラムを使いやすくしましょう。 問題❽ **NoSuchFileExceptionが発生したときは「error: file not found」（エラー：ファイルが見つからない）と出力し、それ以外の例外が発生したときは「usage: java クラス名 <file>」のように使い方を出力**してください。以下のプログラム例では、クラス名をViewer2としました。

▼ Viewer2.java

```java
1  import java.nio.file.*;
2  import java.util.*;
3  public class Viewer2 {
4      public static void main(String[] args) {
```

```
 5
 6              // ファイルを読み込み、行番号を付加して出力
 7              try {
 8                  List<String> list=Files.readAllLines(Path.of(args[0]));
 9                  for (int i=0; i<list.size(); i++) {
10                      System.out.printf("%3d: %s\n",
11                          i+1, list.get(i).replace("\t", "    "));
12                  }
13              }
14
15              // NoSuchFileExceptionが発生したら、エラーメッセージを出力
16              catch (NoSuchFileException e) {
17                  System.out.println("error: file not found");
18              }
19
20              // それ以外の例外が発生したら、使い方を出力
21              catch (Exception e) {
22                  System.out.println("usage: java Viewer2 <file>");
23              }
24      }
25 }
```

　前間のプログラムに対して、NoSuchFileExceptionに対するcatch節を追加し、Exceptionに対するcatch節も変更しました。次のように実行して、使い方やエラーメッセージが出力されることを確認してください。

```
> javac Viewer2.java

> java Viewer2              ← ファイル名を指定しないで実行
usage: java Viewer2 <file>  ← 使い方を出力

> java Viewer2 Sample.java  ← 存在しないファイル名を指定して実行
error: file not found       ← エラーメッセージを出力
```

　ファイルの入出力を使って、ファイルに行番号を付加して表示する簡単なツールを作りました。次は、オブジェクトをファイルに書き出したり、ファイルからオブジェクトを読み込んだりする方法を学びましょう。

02 オブジェクトを入出力する

Javaではいろいろなデータをオブジェクトで表現します。これらのオブジェクトはプログラムが終了すると消えてしまうので、もし次回の実行時にも利用したい場合は、ファイルなどに保存しておく必要があります。

オブジェクト（インスタンス）をファイルに保存する方法はいろいろあります。このセクションでは、シリアライズ（serialize）と呼ばれる機能を使ってバイナリファイルに保存する方法と、簡単な形式のテキストファイルに保存する方法を紹介します。

シリアライズが可能なクラスを宣言する

Javaが提供するシリアライズ（直列化）は、オブジェクトをファイルに書き出したり、逆にファイルからオブジェクトを読み込んだりする機能です。シリアライズの利点は、簡単なプログラムでオブジェクトの読み書きができることです。欠点は、保存先がバイナリファイルなので、文字で書かれたテキストファイルとは異なり、そのままの状態では人間が読みにくいことです。

オブジェクトにシリアライズを適用するには、そのオブジェクトのクラスが、java.ioパッケージのSerializable（シリアライザブル）インタフェースを実装している必要があります。java.ioパッケージをインポートしたうえで、次のようにクラスを宣言します。

| Serializableインタフェースを実装したクラスの宣言

```
public class クラス名 implements Serializable {
    …
}
```

Serializableインタフェースを実装するには、クラスの宣言に「implements Serializable」を付けます。メソッドを実装する必要はありません。「implements Serializable」を付けるのは、「このクラスはシリアライズが可能」と表明することが目的です。

シリアライズするクラスにおいて、もう1つ必要な準備は、クラスのバージョン

を示すserialVersionUID（シリアル・バージョン・UID）フィールドを宣言することです。serialVersionUIDは、次のようにfinal（変更不可能）なlong型のクラス変数（Chapter8）として宣言します。アクセス修飾子はprivate以外でも構いません。

▎クラスのバージョン番号を宣言

```
private static final long serialVersionUID = バージョン番号;
```

上記のバージョン番号は、クラスの内容が以前と変わったかどうかを示すために使います。以前ファイルに書き出したオブジェクトを再び読み込む際に、もしクラスの内容が変わっていると正しく読み込めない可能性があります。そこで、クラスの内容が変わった場合には、serialVersionUIDのバージョン番号を変更します。

以前ファイルに書き出したオブジェクトのバージョン番号と現在のバージョン番号が異なる場合には、ファイルを読み込む際にエラーが発生します。これで、現在のクラスとは内容が異なるオブジェクトを、うっかり読み込んでしまうことを防ぎます。

シリアライズに対応したクラスを宣言してみましょう。Chapter13で作成した、レシピの材料を表すIngredientクラスを流用します。**問題9** **Chaper13のIngredientクラスに対して、「implements Serializable」と、serialVersionUIDの宣言を追加**してください。Serializableインタフェースを使うために、java.ioパッケージのインポートも必要です。

▼ Ingredient.java

```
1   // 必要なパッケージのインポート
2   import java.io.*;
3
4   // Serializableインタフェースを実装したクラスの宣言
5   public class Ingredient implements Serializable {
6
7       // クラスのバージョン番号
8       private static final long serialVersionUID = 1L;
9
10      // フィールド（名前、分量）
11      private String name;
12      private int amount;
13
14      // コンストラクタ
```

```
15     public Ingredient(String name, int amount) {
16         this.name=name;
17         this.amount=amount;
18     }
19
20     // メソッド
21     public String toString() {
22         return name+":"+amount;
23     }
24     public String getName() {
25         return name;
26     }
27     public int getAmount() {
28         return amount;
29     }
30 }
```

　上記では、serialVersionUIDの値を1L（long型の1）としました。long型の値であることを強調するためにLを付けましたが（Chapter4）、1（int型の1）と書いても大丈夫です。

　シリアライズが可能なクラスを宣言しました。次は、このIngredientクラスのオブジェクトをファイルに書き出してみましょう。

オブジェクトをバイナリファイルに書き出す

　オブジェクトをバイナリファイルに書き出すには、ObjectOutputStream（オブジェクト・アウトプット・ストリーム）クラスと、FileOutputStream（ファイル・アウトプット・ストリーム）クラスを組み合わせて使います。いずれもjava.ioパッケージのクラスです。ObjectOutputStreamクラスはオブジェクトの出力を、FileOutputStreamクラスはファイルへの出力を担当します。

　ObjectOutputStreamクラスのコンストラクタはIOExceptionを、FileOutputStreamクラスのコンストラクタはFileNotFoundExceptionを、それぞれ発生する可能性があります。いずれもchecked例外なので、例外処理が必須です。また、最後にcloseメソッドを呼び出す必要もあります。

そのため、次のようにtry-with-resources文を使って書くのがおすすめです。catch節については、例外の種類ごとに書いても、スーパークラスのIOExceptionやExceptionを使って書いても構いません。

try-with-resources文を使ったオブジェクトの出力

```
try (ObjectOutputStream 変数名 = new ObjectOutputStream(
    new FileOutputStream(パス))) {
    …
} catch(…) {
    …
}
```

オブジェクトをファイルに書き出すには、ObjectOutputStreamクラスのwriteObject（ライト・オブジェクト）メソッドを使います。以下でオブジェクトの部分には、シリアライズが可能なクラスのインスタンスを指定します。

ObjectOutputStreamインスタンスを使ったオブジェクトの書き出し

```
ObjectOutputStreamインスタンス.writeObject(オブジェクト)
```

オブジェクトをファイルに書き出してみましょう。Ingredientクラスのインスタンスを、レシピを表すリストに格納したうえで、このリストをファイルに書き出します。**問題⑩ リストrecipeを宣言し、以下のIngredientインスタンスを生成して格納した後に、このリストをrecipe.serファイルに書き出して**ください。

recipe.serの「ser」は、serialize（シリアライズ）の略です。シリアライズで出力したファイルの拡張子は任意ですが、「ser」が使われることがあるので、本書でも「ser」を使いました。

▼リストに格納するIngredientインスタンスの内容

名前	分量	説明
butter	15	バター 15g
honey	50	蜂蜜 50g
flour	70	小麦粉 70g
egg	180	卵 180g

▼ ObjWriter.java

```java
 1  import java.io.*;
 2  import java.util.*;
 3  public class ObjWriter {
 4      public static void main(String[] args) {
 5
 6          // オブジェクトをファイルに書き出す
 7          try (ObjectOutputStream oos=new ObjectOutputStream(
 8              new FileOutputStream("recipe.ser"))
 9          ) {
10              // オブジェクトのリストを生成して出力
11              List<Ingredient> recipe=new ArrayList<>();
12              recipe.add(new Ingredient("butter", 15));
13              recipe.add(new Ingredient("honey", 50));
14              recipe.add(new Ingredient("flour", 70));
15              recipe.add(new Ingredient("egg", 180));
16              System.out.println(recipe);
17
18              // リストをファイルに書き出す
19              oos.writeObject(recipe);
20          }
21
22          // 例外が発生したら、スタックトレースを出力
23          catch (Exception e) {
24              e.printStackTrace();
25          }
26      }
27  }
```

　リストを表すArrayListクラスは、Serializableインタフェースを実装しているので、シリアライズが可能です。そのため上記のように、リストを丸ごとファイルに書き出せます。

　次のように実行してください。確認用に、画面にもリストの内容が出力されます。オブジェクトが正しく書き出せたかどうかは、次に作成するプログラムを使って確認します。

```
> javac ObjWriter.java
> java ObjWriter
[butter:15, honey:50, flour:70, egg:180]    ← リストを出力
```

　オブジェクトをバイナリファイルに書き出す方法を学びました。次は、バイナリ
ファイルからオブジェクトを読み込む方法を学びましょう。

バイナリファイルからオブジェクトを読み込む

　バイナリファイルからオブジェクトを読み込むには、ObjectInputStream（オブ
ジェクト・インプット・ストリーム）クラスと、FileInputStream（ファイル・インプッ
ト・ストリーム）クラスを組み合わせて使います。いずれもjava.ioパッケージのクラ
スです。ObjectInputStreamクラスはオブジェクトの入力を、FileInputStreamクラ
スはファイルからの入力を担当します。

　ObjectInputStreamクラスのコンストラクタはIOExceptionを、FileInputStream
クラスのコンストラクタはFileNotFoundExceptionを、それぞれ発生する可能性が
あります。いずれもchecked例外なので、例外処理が必須です。また、最後にclose
メソッドを呼び出す必要もあります。

　そのためオブジェクトの出力と同様に、次のようにtry-with-resources文を使っ
て書くのがおすすめです。catch節については、例外の種類ごとに書いても、スーパー
クラスのIOExceptionやExceptionを使って書いても構いません。

| try-with-resources文を使ったオブジェクトの入力

```
try (ObjectInputStream 変数名 = new ObjectInputStream(
    new FileInputStream(パス))) {
    …
} catch (…) {
    …
}
```

　オブジェクトをファイルから読み込むには、ObjectInputStreamクラスの
readObject（リード・オブジェクト）メソッドを使います。readObjectメソッドは、
読み込んだオブジェクトをObject型で返します。Objectクラスは全てのクラスの
スーパークラスなので、実際のインスタンスがObject以外のクラスであっても、
Object型として扱えます（Chapter9）。

▌ObjectInputStreamインスタンスを使ったオブジェクトの読み込み

```
(型)ObjectInputStreamインスタンス.readObject()
```

　Object型のままではインスタンスが持つ本来の機能が使えないので、上記の(型)のように、本来のクラスにキャスト（Chapter3）します。例えば、Ingredientインスタンスのリストを読み込んだ場合は、(List<Ingredient>)のようにキャストします。

　Objectクラスから、List<Ingredient>のようなジェネリクスに対応したインタフェースやクラスにキャストすると、プログラムをコンパイルした際に次のようなノート（注釈）が表示されます。これは不用意なキャストを防止するための注釈です。

```
> javac ObjReader.java
ノート: ObjReader.javaの操作は、未チェックまたは安全ではありません。
ノート: 詳細は、-Xlint:uncheckedオプションを指定して再コンパイルしてください。
```

　このキャストが必要な処理であり、安全な処理であることをプログラマが把握している場合には、ノートの表示を抑制できます。キャストを実行しているメソッドまたはクラスの宣言の前に、次のような@SuppressWarnings（サプレス・ウォーニングズ、警告を抑制する）アノテーションを付けてください。

▌@SuppressWarningsアノテーション

```
@SuppressWarnings("unchecked")
```

　アノテーションは、Javaコンパイラなどのツールに対して情報を与えるために、プログラムに目印を付ける機能です（Chapter9）。@SuppressWarningsアノテーションには、()内で指定した種類の警告を抑制する（警告を表示させない）働きがあります。上記のようなキャストに対する警告（ノート）を抑制するには、"unchecked"（アンチェックト、未チェック）を指定します。

　ファイルからオブジェクトを読み込んでみましょう。前問のプログラム（ObjWriter.java）で書き出したファイルから、Ingredientインスタンスのリストを読み込みます。**問題⓫** リストrecipeを宣言し、recipe.serファイルから読み込んだリストを格納した後に、リストを画面に出力してください。

```java
1  import java.io.*;
2  import java.util.*;
3  public class ObjReader {
4
5      // 警告を抑制するためのアノテーション
6      @SuppressWarnings("unchecked")
7      public static void main(String[] args) {
8
9          // オブジェクトをファイルから読み込む
10         try (ObjectInputStream ois=new ObjectInputStream(
11             new FileInputStream("recipe.ser"))) {
12
13             // リストをファイルから読み込む
14             List<Ingredient> recipe=
15                 (List<Ingredient>)ois.readObject();
16
17             // リストを出力
18             System.out.println(recipe);
19         }
20
21         // 例外が発生したら、スタックトレースを出力
22         catch (Exception e) {
23             e.printStackTrace();
24         }
25     }
26 }
```

　ノートを抑制するために、mainメソッドに対して@SuppressWarningsアノテーションを付けました。実行すると、ファイルから読み込んだリストの内容が出力されます。

```
> javac ObjReader.java
> java ObjReader
[butter:15, honey:50, flour:70, egg:180]    ← リストを出力
```

　バイナリファイルに書き出したオブジェクトを、読み込む方法を学びました。これでオブジェクトの保存と復元ができるようになったので、終了時にオブジェクト

を保存しておき、次回の実行時に復元して使う…といったプログラムを書くことが可能です。

　次は、オブジェクトをテキストファイルに保存する方法を考えてみましょう。

オブジェクトをテキストファイルに保存する方法

　前述のように、シリアライズの利点は、簡単にオブジェクトをバイナリファイルに保存して復元できることです。欠点は、バイナリファイルなので、このままの状態では人間が読み書きしにくいことです。

　もし、オブジェクトを保存したファイルを人間が閲覧・編集したい場合は、テキストファイルに保存するのがおすすめです。よく使われているテキストファイルの形式としては、次のような例があります。

●①空白やタブで値を区切ったファイル

　「butter 15」のように、値を空白やタブで区切ったファイルです。

●②CSVファイル

　「butter,15」のように、値を,（カンマ）で区切ったファイルです。値を"（ダブルクォート）で囲む場合もあります。CSVはComma-Separated Values（カンマで区切られた値）の略です。

●③JSONファイル

　「{"name": "butter", "amount": 15}」のように、オブジェクトの構造や配列の要素などを表現できるファイルです。JSON（ジェイソン）はJavaScript Object Notation（JavaScriptのオブジェクト表記）の略です。プログラミング言語のJavaScriptに由来しますが、JavaScriptに限らず、多くのプログラミング言語で使われている形式です。

　本書では①の形式を使ってみます。Javaが標準で提供するライブラリだけを使って、比較的簡単なプログラムで読み書きができるためです。Ingredientインスタンスのリストを、次のrecipe.txtファイルのようなテキストファイルに書き出したり、逆にテキストファイルからリストを読み込んだりします。

```
1  butter 15
2  honey 50
3  flour 70
4  egg 180
```

オブジェクトをテキストファイルに保存する方法を考えました。次は実際に、オブジェクトをテキストファイルに書き出してみましょう。

オブジェクトをテキストファイルに書き出す

オブジェクトをテキストファイルに書き出す方法はいろいろありますが、前述のPrintWriterを使った方法を紹介します。PrintWriterクラスのprintfメソッドは、文字列や数値といったいろいろな種類の値を混ぜて出力したいときに便利です。使い方は、System.out.printfメソッド（Chapter6）と同様です。

┃ PrintWriterインスタンスを使った値の書き出し（書式を指定）

PrintWriterインスタンス.printf(書式文字列, 式, …)

PrintWriterクラスを使って、オブジェクトのリストをテキストファイルに書き出してみましょう。**問題⑫ オブジェクトをバイナリファイルに書き出すプログラム（ObjWriter.java）と同じリストを生成し、リストの各要素を「名前（半角空白）分量」の形式で、recipe.txtファイルに書き出して**ください。

▼ ObjWriter2.java

```java
1  import java.io.*;
2  import java.util.*;
3  public class ObjWriter2 {
4      public static void main(String[] args) {
5
6          // オブジェクトをテキストファイルに書き出す
7          try (PrintWriter w=new PrintWriter("recipe.txt")) {
8
9              // オブジェクトのリストを生成して出力
10             List<Ingredient> recipe=new ArrayList<>();
11             recipe.add(new Ingredient("butter", 15));
12             recipe.add(new Ingredient("honey", 50));
```

```
13              recipe.add(new Ingredient("flour", 70));
14              recipe.add(new Ingredient("egg", 180));
15              System.out.println(recipe);
16
17              // リストの各要素をファイルに書き出す
18              for (Ingredient i: recipe) {
19                  w.printf("%s %d\n", i.getName(), i.getAmount());
20              }
21          }
22
23          // 例外が発生したら、スタックトレースを出力
24          catch (Exception e) {
25              e.printStackTrace();
26          }
27      }
28 }
```

　上記のプログラムでは、拡張for文を使って、リストの要素（Ingredientインスタンス）を取り出します。そして、PrintWriterクラスのprintfメソッドを使って、「名前 分量」の形式でファイルに書き出します。

　次のように実行してください。確認用に、画面にもリストの内容が出力されます。

```
> javac ObjWriter2.java
> java ObjWriter2
[butter:15, honey:50, flour:70, egg:180]  ← リストを出力
```

　recipe.txtをテキストエディタで開くか、typeコマンド（Windows）やcatコマンド（macOS/Linux）で表示してみてください。次のような内容が表示されれば、ファイルへの書き込みは成功です。

```
> type recipe.txt  ← macOS/Linuxは「cat recipe.txt」
butter 15          ← recipe.txtの内容
honey 50
flour 70
egg 180
```

オブジェクトをテキストファイルに書き出す方法を学びました。次は、テキストファイルからオブジェクトを読み込む方法を学びましょう。

テキストファイルからオブジェクトを読み込む

前述のrecipe.txtのような、文字列や数値などが混在するテキストファイルを読み込むには、java.utilパッケージのScanner（スキャナ）クラスが便利です。Scannerクラスは、テキストから値を取得するメソッドと、次の値が取得できるかどうかを判定するメソッドを備えています。以下は全てインスタンスメソッドなので、Scannerインスタンスを使って呼び出します。

▼ Scannerクラスのメソッド（例）

取得する値の型	値を取得するメソッド	取得の可否を判定するメソッド
String	next	hasNext
boolean	nextBoolean	hasNextBoolean
byte	nextByte	hasNextByte
short	nextShort	hasNextShort
int	nextInt	hasNextInt
long	nextLong	hasNextLong
float	nextFloat	hasNextFloat
double	nextDouble	hasNextDouble

上記のメソッドは、いずれも引数は無しです。例えば、文字列を読み込むにはnext（ネクスト）メソッド、整数を読み込むにはnextInt（ネクスト・イント）メソッドが使えます。ファイルの末尾まで読み込むには、例えばhasNext（ハズ・ネクスト）メソッドを呼び出して、戻り値がtrueである限り、読み込みを繰り返します。

Scannerクラスでテキストファイルを読み込む際には、IOException（あるいはException）に対する例外処理と、closeメソッドの呼び出しが必要です。次のように、try-with-resources文を使って書くのがおすすめです。

Scannerクラスを使ったテキストファイルの読み込み

```
try (Scanner 変数名 = new Scanner(Path.of(パス), 文字セット)) {
    …
} catch (…) {
    …
}
```

　上記のプログラムを動かすには、Scannerクラスを含むjava.utilパッケージと、Pathクラスを含むjava.nio.fileパッケージのインポートが必要です。文字セットについては、本書では"UTF-8"を指定します。

　テキストファイルからオブジェクトを読み込んでみましょう。前問のプログラム（ObjWriter2.java）で書き出したrecipe.txtを読み込んで、Ingredientインスタンスのリストを作成します。**問題⑬** recipe.txtファイルから名前と分量を読み込んで、**Ingredientインスタンスを生成し、リストrecipeに格納したうえで、リストを画面に出力**してください。

▼ ObjReader2.java

```
 1  import java.nio.file.*;
 2  import java.util.*;
 3  public class ObjReader2 {
 4      public static void main(String[] args) {
 5
 6          // オブジェクトをテキストファイルから読み込む
 7          try (Scanner s=new Scanner(
 8              Path.of("recipe.txt"), "UTF-8")) {
 9
10              // リストの宣言と生成
11              List<Ingredient> recipe=new ArrayList<>();
12
13              // ファイルの末尾まで、名前と分量を読み込んで、
14              // Ingredientインスタンスを生成し、リストに追加
15              while (s.hasNext()) {
16                  recipe.add(new Ingredient(
17                      s.next(), s.nextInt()));
18              }
19
20              // リストを出力
21              System.out.println(recipe);
22          }
```

```
23
24          // 例外が発生したら、スタックトレースを出力
25          catch (Exception e) {
26              e.printStackTrace();
27          }
28      }
29  }
```

　上記のプログラムでは、while文とScannerクラスのhasNextメソッドを組み合わせて、テキストファイルの末尾まで読み込みます。nextメソッドで名前の文字列を、nextIntメソッドで分量の整数を読み込み、Ingredientインスタンスを生成してリストに追加します。

　実行すると、次のようにリストの内容が出力されます。recipe.txtと同じ内容の、Ingredientインスタンスのリストを作成できています。

```
> javac ObjReader2.java
> java ObjReader2
[butter:15, honey:50, flour:70, egg:180]   ← リストを出力
```

　オブジェクトをテキストファイルに保存することの利点は、簡単に閲覧や編集ができることです。recipe.txtを変更すると、リストにも変更が反映されます。例えば、テキストエディタでrecipe.txtを次のように変更し、保存してください。

▼recipe.txt（変更後）

```
1  butter 15
2  honey 50
3  flour 40    ← 小麦粉の分量を変更
4  cocoa 30    ← ココアを追加
5  egg 180
```

　プログラムをもう一度実行してみてください。コンパイルは不要です。変更後の内容が出力されれば成功です。

```
> java ObjReader2
[butter:15, honey:50, flour:40, cocoa:30, egg:180]   ← 変更後の内容
```

　テキストファイルからオブジェクトを読み込む方法を学びました。この方法は、人間が閲覧・編集できる形式で、オブジェクトをファイルに保存したいときに役立ちます。

　本章では、実用的なプログラムを作るうえで欠かせない、ファイルを読み書きする方法を学びました。旧来のjava.ioパッケージと、後発のjava.nioパッケージを、目的に応じて使い分けながら、ファイルに対してテキストやオブジェクトを入出力しました。オブジェクトの入出力に関連して、シリアライズやSerializableインタフェースについても学びました。

　次章では、関数型プログラミングに由来する機能を使って、データを簡潔なプログラムで操作する方法を学びます。

□ テキストの入出力

問題① hello.txtファイルに「Hello」を書き出すプログラムを書いてください。

➡516ページ

問題② hello.txtファイルを文字列として読み込んで出力するプログラムを書いてください。 ➡518ページ

問題③ 文字列のリストを生成し、「Hello」と「こんにちは」を格納した後に、hello2.txtファイルに書き出すプログラムを書いてください。 ➡519ページ

問題④ hello2.txtファイルを文字列のリストとして読み込んで出力するプログラムを書いてください。 ➡521ページ

問題⑤ PrintWriterクラスを使って、hello3.txtファイルに「Hello」と「こんにちは」を出力してください。 ➡524ページ

問題⑥ BufferedReaderクラスとFileReaderクラスを使って、hello3.txtファイルを1行ずつ読み込み、画面に出力してください。 ➡527ページ

問題⑦ コマンドライン引数で指定したファイルを、文字列のリストとして読み込んだ後に、各行に1から始まる行番号を付加し、タブを4個の半角空白に置換して出力するプログラムを書いてください。 ➡528ページ

問題⑧ 前問のプログラムを改造して、NoSuchFileExceptionが発生したときは「error: file not found」（エラー：ファイルが見つからない）と出力し、それ以外の例外が発生したときは「usage: java クラス名 <file>」のように使い方を出力してください。 ➡530ページ

□ オブジェクトの入出力

問題⑨ Chaper13のIngredientクラ ス に 対 し て、「implements Serializable」と、serialVersionUIDの宣言を追加してください。 ➡533ページ

問題⑩ リストrecipeを宣言し、以下のIngredientインスタンスを生成して格納した後に、このリストをrecipe.serファイルに書き出してください。

名前	分量	説明
butter	15	バター 15g
honey	50	蜂蜜 50g
flour	70	小麦粉 70g
egg	180	卵 180g

➡535ページ

問題⑪ リストrecipeを宣言し、recipe.serファイルから読み込んだリストを格納した後に、リストを画面に出力してください。 ➡538ページ

問題⑫ 問題10と同じリストを生成し、リストの各要素を「名前(半角空白)分量」の形式で、recipe.txtファイルに書き出してください。 ➡541ページ

問題⑬ recipe.txtファイルから名前と分量を読み込んで、Ingredientインスタンスを生成し、リストrecipeに格納したうえで、リストを画面に出力してください。 ➡544ページ

関数型プログラミングを味わう

関数型プログラミングは、オブジェクト指向プログラミングとは別の、根強い人気があるプログラミング手法です。関数型プログラミングを主軸とする言語は、関数型言語（または関数型プログラミング言語）と呼ばれます。Javaは関数型言語ではありませんが、関数型プログラミングの一部の機能を取り入れています。

本章では、Chapter13で学んだラムダ式と、java.util.streamパッケージで提供されるストリームAPI（Stream API）を組み合わせて、関数型言語のようなプログラミングを行う方法を学びます。本章で学ぶ手法の特長は、簡潔なプログラムで多数のデータを効率的に扱えることと、並列処理によって処理を簡単に高速化できることです。

01 ストリームの仕組み

　ストリーム(stream)とは、川などの「流れ」を意味する言葉ですが、プログラミングにおいては「データの流れ」や「データが流れる経路」を表します。例えば、ファイルやネットワークに対する入出力機能は、「入出力ストリーム」という形態で提供されていることがよくあります。

　Javaでは、ストリームという言葉が、いくつかの異なる意味で使われています。Chapter14で学んだ、ファイルの入出力機能を提供するクラスには、例えばFileInputStream(ファイル・インプット・ストリーム)や、FileOutputStream(ファイル・アウトプット・ストリーム)のように、「ストリーム」と命名されたクラスが数多くあります。

　本章で学ぶストリームAPIは、やはり「ストリーム」と命名されていますが、ファイルの入出力とはまったく異なる機能です。ストリームAPIは、関数型プログラミングのような手法で、多数のデータを処理するための機能です。

　JVM上で動作するプログラミング言語のScala(Chapter1)は、ストリームを使った関数型プログラミングに対応しています。ストリームAPIによって、Scalaに似た機能をJavaでも使えるようになりました。

　まずはストリームAPIにおける、ストリームの構成について学びましょう。

ストリームの構成

　ストリームを利用する際には、次のようにソース・中間操作・終端操作を組み合わせて、ストリーム・パイプラインを構成します。パイプラインとは、石油などを輸送する管のことです。Javaのストリームにおいて、石油に相当するのはデータです。ストリームを流れるデータのことを、ストリームの要素と呼びます。

▼ストリーム・パイプライン

ソース・中間操作・終端操作の詳細は次の通りです。ストリーム・パイプライン
は、1個のソース、任意個の中間操作、1個の終端操作で構成します。中間操作は0
個でも大丈夫です。

● ソース

ソース（source、源）は、ソースプログラムやソースファイルの「ソース」と同じ
言葉です。ソースはストリーム・パイプラインの起点で、データの列を生成します。
これらのデータは、配列（Chapter7）やコレクション（Chapter13）から生成するこ
とも、プログラムで生成することもできます。

● 中間操作（ちゅうかんそうさ）

ストリーム・パイプラインの途中に配置され、流れてくるデータの加工や選別を
行います。実世界の工場において、流れてくる製品を加工したり、良品と不良品を
選別したりする様子をイメージしてください。中間操作については、任意の個数を
配置できます。

● 終端操作（しゅうたんそうさ）

ストリーム・パイプラインの終点で、データを出力したり、配列やコレクション
に格納したりします。合計値を求めたり、個数を数えたりといった、集計の操作も
できます。実世界の工場においては、完成した製品を出荷することに例えられます。

今までに学んだJavaプログラミングの知識だけでも、データを処理することは可
能です。例えば、配列やコレクションにデータを格納しておき、for文などを使っ
て各要素を処理すれば、多数のデータを処理できます。

一方、ストリームAPIには、遅延評価や並列処理といった特長があります。これ
らの特長を、ストリームAPIを使わないで実現することは可能ですが、ストリーム
APIを使った方がずっと簡単です。

ソース・中間操作・終端操作を組み合わせて、ストリーム・パイプラインを構成
することを学びました。次は、遅延評価について詳しく学びましょう。

ラムダ式の由来

　ストリームはラムダ式（Chapter13）と組み合わせて使う場面が多くあります。ストリームと並んで、ラムダ式も関数型プログラミングの代表的な機能の1つです。

　ラムダ式は、関数型プログラミングの基盤になっている、ラムダ計算という理論に由来しています。この理論において、関数を表現する式にギリシア文字のラムダ（λ）を使うことから、ラムダ計算やラムダ式という名前が付きました。

　ギリシア文字のラムダには、小文字のλと大文字のΛがありますが、ラムダ計算では小文字のλを使います。ギリシア文字のラムダは、英文字ではエル（lおよびL）に相当します。英語でラムダはlambdaと書きます。lambdaの「b」を発音せずにラムダと読むのは、lamb（ラム、子羊）と同様です。

必要になるまで値を計算しない遅延評価

　遅延評価とは、結果が必要になるまで値の計算をしない方式のことです。英語ではlazy evaluation（レイジー・イヴァリュエーション、怠惰な評価）と呼び、日本でも「lazyな評価」と呼ぶことがあります。

　遅延評価とは逆に、値の計算をすぐに実行する方式のことを、先行評価と呼びます。英語ではeager evaluation（イーガー・イヴァリュエーション、熱心な評価）と呼び、日本でも「eagerな評価」と呼ぶことがあります。通常のプログラムでは先行評価が一般的です。

　遅延評価の狙いは、本当に必要な値だけを計算することで、処理時間やメモリ使用量の無駄を省くことです。一度計算した値を保存しておき、同じ値が要求されたときには計算を省略する技術を併用する場合もあります。

　ストリームAPIは遅延評価を部分的に採用しています。ストリーム・パイプラインを構成するには、ソース・中間操作・終端操作に対応する各種のメソッドを呼び出しますが、呼び出したときにはまだ計算を行いません。終端操作に対応するメソッドを呼び出して、ストリーム・パイプラインが完成したときに、ようやく計算を開始します。

　例えば、「2または3の倍数の数列を作る」という処理を題材に、先行評価と遅延評価を比較してみましょう。2、3、4、6、8、9…のような数列を作ります。

まずは、「1～9（1以上9以下）の範囲で、2または3の倍数の数列を出力する」ことを考えましょう。次のようなストリーム・パイプラインを考えてください。1～9の整数を生成するソース、2または3の倍数を選別する中間操作、結果を出力する終端操作で、ストリーム・パイプラインを構成します。

▼2または3の倍数の数列を作るストリーム・パイプライン

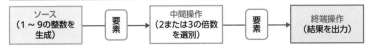

　仮に先行評価をする場合は、ストリーム・パイプラインの構成中に処理が始まります。まず、ソースが1～9の整数の数列を生成します。次に中間操作が、この中から2または3の倍数だけを選別した数列を作ります。最後に終端操作が、この数列を出力します。

▼2または3の倍数の数列を作る（先行評価）

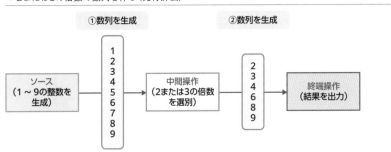

　実際には遅延評価を行うので、ストリーム・パイプラインの構成が完了してから処理が始まります。まず、ソースが値を1個生成します。次に中間操作が、この値が2または3の倍数かどうかを判定し、終端操作に渡すか、値を捨てるかします。最後に終端操作が、受け取った値を出力します。以下、目的の結果が得られるまで、同様の手順を繰り返します。

▼2または3の倍数の数列を作る（遅延評価）

　先行評価と遅延評価では、メモリ使用量が違うことに注目してください。先行評価の場合は、「1〜9」や「2、3、4、6、8、9」の数列を格納するメモリが必要です。遅延評価の場合は、値を1個ずつ生成・選別するので、これらの数列を格納するメモリは不要です。

▼ メモリの使用量の違い

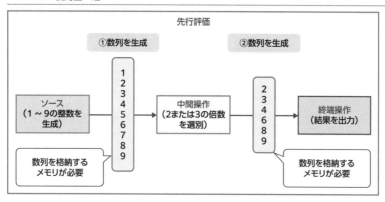

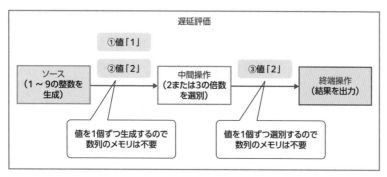

　先行評価と遅延評価の違いが顕著なのは、データの列が無限に長い場合です。例えば、「1以上の範囲で、2または3の倍数の数列を無限に出力する」ことを考えてみてください。先行評価の場合は、最初に「1以上で無限に長い数列」を生成することになりますが、メモリ容量は有限なので上手く処理できません。遅延評価の場合は、無限に長い数列を生成することはなく、値を1個ずつ生成・計算・出力するので、問題なく処理できます。

　遅延評価について学びました。次は、並列処理について詳しく学びましょう。

複数の装置が手分けして計算する並列処理

並列処理とは、目的の処理を複数の小さな処理に分割したうえで、複数の装置（CPUなど）によって同時に実行することにより、実行時間を短縮する技術です。実世界に例えれば、何らかの課題を複数の人が協力して解くようなものです。

例えば、100問のクイズを10人の解答者で手分けして10問ずつ解けば、1人で100問を解く時間の1/10の時間で終わるかもしれません。同様に、100万個のデータを10個のCPUで手分けして10万個ずつ処理すれば、1/10の時間で終えられる可能性があります。

▼並列処理

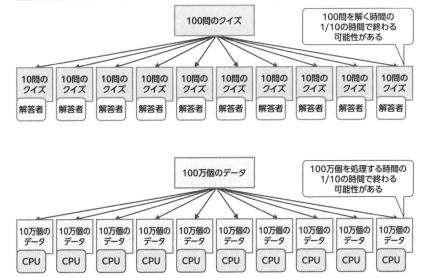

最近のCPUは、1個のパッケージの中に複数のコア（CPUの中核となる機能、小さなCPUのようなもの）が詰められた構成をしています。このような構成のCPUを、マルチコアCPUと呼びます。コア（core）は「芯」や「中核」などを意味する言葉です。

過去には、1個のパッケージの中に1個のコアだけが入った、シングルコアCPUが主流でした。しかし、コアあたりの性能の向上に限界が生じたため、複数のコアを使って性能を向上しようという設計が主流になりました。マルチコアCPUの特長は、複数のコアを使った並列処理が可能なことです。

▼ マルチコアCPU

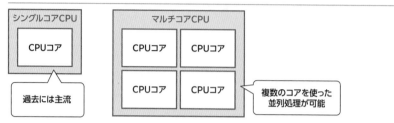

さらに、個々のコアが複数の処理を並列に実行できる場合があります。この個々の実行の流れのことを、スレッドと呼びます。スレッド（thread）は「糸」を意味する言葉ですが、「脈絡」や「筋道」という意味もあります。掲示板などにおける一連の投稿のこともスレッドと呼びます。

マルチコアCPUの仕様を見ると、例えば「8コア16スレッド」のように、コア数とスレッド数の両方が示されていることがあります。これは、CPUに8個のコアが内蔵されていて、さらに1個のコアが2個のスレッドを同時に実行できるので、8×2＝16スレッドの同時実行に対応している、という意味です。

複数のスレッドを使った処理のことを、マルチスレッド処理と呼びます。マルチコアCPUの性能を引き出すには、マルチスレッド処理に対応できるようにプログラムを書く必要があります。具体的には、プログラムが行う処理を小さな処理に分割して、それらの処理を並列に実行できるように書きます。実世界で言えば、課題をいくつかに分割して、多人数で分担して解ける形にすることに相当します。さらに、多人数が解いた結果をまとめる仕組みも必要です。

Javaはマルチスレッド処理にも対応しています。通常のJavaプログラムは、main（メイン）スレッドと呼ばれる、1個のスレッドだけで実行されます。1個のスレッドだけを使った処理のことは、シングルスレッド処理と呼びます。一方、Javaプログラムを適切に記述したうえで、1個または複数個のサブスレッド（mainスレッド以外のスレッド）を生成して実行すれば、マルチスレッド処理が可能です。

▼ シングルスレッドとマルチスレッド

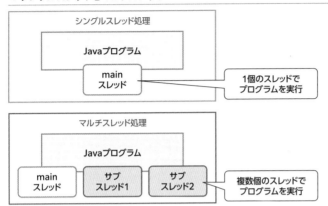

　マルチスレッドを活用したプログラミングのことを、マルチスレッドプログラミングと呼びます。Javaでマルチスレッドプログラミングを行うには、いくつかの方法があります。その1つが、本章で学ぶストリームAPIを利用する方法です。実はストリームAPIを使うと、メソッドをたった1個呼び出すだけで、簡単に並列処理が可能です。詳しい方法は後述します。

　並列処理について学びました。次は、実際にストリームを使ってみましょう。

02 ストリームを使ってみる

ストリームを使ってみましょう。簡単なストリームの使用例として、ストリームを使ってリストを作ってみます。

ストリームを使わずにリストを作る

先ほどストリームの特長を学ぶための題材に使った「1〜9の範囲で、2または3の倍数の数列」を、リスト（Chapter13）として作成してみましょう。まずはストリームを使わずに作ります。**問題❶ リストlistを宣言・生成し、1〜9の範囲で、2または3の倍数をリストに追加したうえで、リストを出力**してください。

▼ ToList.java

```java
1  import java.util.*;
2  import java.util.stream.*;
3  public class ToList {
4      public static void main(String[] args) {
5
6          // リストの宣言と生成
7          List<Integer> list=new ArrayList<>();
8
9          // 1〜9の範囲で、2または3の倍数をリストに追加
10         for (int i=1; i<10; i++) {
11             if (i%2==0 || i%3==0) {
12                 list.add(i);
13             }
14         }
15
16         // リストを出力
17         System.out.println(list);
18     }
19 }
```

上記のプログラムでは、for文を使って1から9まで繰り返します。そして、値が2または3で割り切れる場合、つまり値が2または3の倍数のときだけ、値をリストに

追加します。

```
> javac ToList.java
> java ToList
[2, 3, 4, 6, 8, 9]    ← 1~9の範囲で、2または3の倍数のリスト
```

　ストリームを使わずにリストを作りました。次は、ストリームを使ってリストを作りましょう。

ストリームを使ってリストを作る

　ストリームを使って、まずは「1~9の整数」のリストを作ってみましょう。「1~9の範囲で、2または3の倍数」のリストは、後ほど作成します。

　ストリーム関連のインタフェースやクラスは、java.util.streamパッケージに所属しています。ストリームの要素の型に応じて、次のようなインタフェースがあります。

▼ストリームのインタフェース（例）

インタフェース	読み方の例	要素の型
Stream	ストリーム	Object（オブジェクト）
IntStream	イント・ストリーム	int（32ビットの整数）
LongStream	ロング・ストリーム	long（64ビットの整数）
DoubleStream	ダブル・ストリーム	double（浮動小数点数）

　IntStream（イント・ストリーム）インタフェースを使うと、整数を扱うストリームが作れます。さらに、次のように各種のメソッドを組み合わせると、「開始値」から「終了値−1」までの整数のリストが戻り値として得られます。

❘「開始値」から「終了値-1」までの整数のリストを作成

```
IntStream.range(開始値, 終了値).boxed().collect(Collectors.toList())
```

　上記の各メソッドは、次のような内容です。ソース・中間操作・終端操作を組み合わせて、ストリーム・パイプラインを構成しています。

● rangeメソッド

range（レンジ、範囲）メソッドは、ソースに分類されます。「開始値」から「終了値−1」までの整数を生成します。

● boxedメソッド

boxed（ボックスト、箱に入れられた）メソッドは、中間操作に分類されます。int型の値をラッパークラスであるInteger型（Chapter4）の値に変換します。

● collectメソッド

collect（コレクト、集める）メソッドは、終端操作に分類されます。Collectors（コレクターズ）クラスのtoList（トゥ・リスト）メソッドと組み合わせると、ストリームの要素を格納したリストを返します。

　一般に、ストリーム・パイプラインは次のような方法で構成します。ソースと終端操作は1個で、中間操作は任意個です。上記の整数のリストを作成する方法と見比べてみてください。rangeメソッドがソース、boxedメソッドが中間操作、collectメソッドが終端操作です。

┃ストリーム・パイプラインを構成

```
ソース(…).中間操作(…).….終端操作(…)
```

　上記のように、複数のメソッドをつないで呼び出せるのは、前のメソッドの戻り値を使って、次のメソッドを呼び出しているためです。ソースや中間操作のメソッドは、戻り値としてストリームのインスタンスを返します。次に続くメソッドは、このインスタンスを使って「ストリーム.メソッド(…)」の形式で呼び出しています。

　実際にIntStreamインタフェースを使って、リストを作ってみましょう。　問題②

「1～9の整数」のリストを作成し、出力してください。

▼ToList2.java

```
1  import java.util.*;
2  import java.util.stream.*;
3  public class ToList2 {
4      public static void main(String[] args) {
5
```

```
 6              // 1〜9（1以上10未満）の整数のリストを作成
 7              List<Integer> list=IntStream.range(1, 10)
 8                  .boxed().collect(Collectors.toList());
 9
10              // リストを出力
11              System.out.println(list);
12      }
13 }
```

```
> javac ToList2.java
> java ToList2
[1, 2, 3, 4, 5, 6, 7, 8, 9]    ← 1〜9の整数のリスト
```

　ストリームを使ってリストを作る方法を学びました。次は、条件を満たす要素だけを選別する方法を学びましょう。

必要な要素だけを選別するfilterメソッド

　IntStreamインタフェースのfilter（フィルタ）メソッドを使うと、ストリームの要素を選別できます。filterメソッドの引数には、「引数 -> 式」のようなラムダ式（Chapter13）を書きます。以下では見やすくするために、->の前後に空白を入れましたが、これらの空白は省いても構いません。

▌ストリームの要素を選別

> ストリーム.filter(引数名 -> 式)

　上記のラムダ式は、真偽値（boolean型の値、trueまたはfalse）を返すように書きます。filterメソッドは、ストリームの要素にラムダ式を適用して、ラムダ式がtrueを返したら要素を残し、falseを返したら要素を捨てます。結果として、ラムダ式をtrueにする要素だけがストリームに残ります。

▼filterメソッドの動作

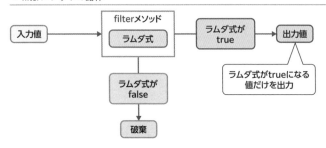

前問のストリーム・パイプラインに、filterメソッドを組み込んでみましょう。

問題❸ ToList2.javaのストリーム・パイプラインに、2または3の倍数のみを残すような、filterメソッドの呼び出しを追加してください。

▼ToList3.java

```java
 1  import java.util.*;
 2  import java.util.stream.*;
 3  public class ToList3 {
 4      public static void main(String[] args) {
 5
 6          // 1〜9の範囲で、2または3の倍数のリストを作成
 7          List<Integer> list=IntStream.range(1, 10)
 8              .filter(x -> x%2==0 || x%3==0)
 9              .boxed().collect(Collectors.toList());
10
11          // リストを出力
12          System.out.println(list);
13      }
14  }
```

filterメソッドのラムダ式に注目してください。引数xを受け取り、xが2または3で割り切れるかどうかを調べて、割り切れればtrue、割り切れなければfalseを返します。結果として、ストリームには2または3の倍数だけが残ります。

```
> javac ToList3.java
> java ToList3
[2, 3, 4, 6, 8, 9]   ← 1〜9の範囲で、2または3の倍数のリスト
```

上記のように、ストリームを使って「1〜9の範囲で、2または3の倍数のリスト」が作れました。上記のプログラム（ToList3.java）を、ストリームを使わないプログラム（ToList.java）と比較してみてください。ストリームを使ったプログラムは、「1〜9の整数から、指定した条件を満たす値を選別して、リストにする」という全体の流れが、ストリーム・パイプラインの構成として明示されていることが特長です。

　これは宣言的なプログラムの一種だと言えます。宣言的なプログラムは、「…は…である」のような形式になります。逆に、宣言的ではない（命令的な、あるいは手続き的な）プログラムは、「…を…する」のような形式です。ストリームAPIの特長の1つは、プログラムを宣言的に書けることであり、これは関数型プログラミングの特長でもあります。

　宣言的なプログラムと命令的なプログラムの、どちらが簡潔で理解しやすいかは、状況によって変わります。宣言的な書き方が役立つのは、命令的な書き方をすると、「…を…する」の過程が長くて、結局どのような値が得られているのかがわかりにくいような場合です。こういった場合は、例えばストリームAPIを使って、プログラムをわかりやすく書くことができないか試してみる価値があります。

　ストリームの要素を選別する、filterメソッドの使い方を学びました。次は、終端操作のforEachメソッドについて学びましょう。

⌕ column

Predicateインタフェース

　filterメソッドに渡すラムダ式のように、1個の引数を受け取って真偽値を返すようなラムダ式は、java.util.functionパッケージのPredicate（プレディケイト）インタフェースに相当します。predicateには「断定する」という意味があります。IntStreamストリームのfilterメソッドの場合は、IntPredicate（イント・プレディケイト）という、int型向けのインタフェースを使います。

要素を処理するforEachメソッド

　前間のプログラム（ToList3.java）では、終端操作にcollectメソッドを使って、ストリームの要素をリストに格納しました。一方、例えばストリームの要素をそのまま画面に出力するような場合には、次のforEach（フォー・イーチ）メソッドを使うのが便利です。forEachメソッドは終端操作に分類されます。

┃ ストリームの要素を処理

```
ストリーム.forEach(引数名 -> 式)
```

　forEachメソッドの引数には、「引数名 -> 式」のようなラムダ式を書きます。このラムダ式は、ストリームの要素を受け取り、戻り値は返しません。例えば、式の部分でSystem.out.printlnメソッドなどを呼び出せば、要素を画面に出力できます。

　forEachメソッドを使ってみましょう。**問題④** **前間のプログラム（ToList3.java）を改造して、1～9の範囲で、2または3の倍数を出力**してください。boxedメソッドとcollectメソッドを、forEachメソッドに書き換えます。

▼ ForEach.java

```
 1  import java.util.stream.*;
 2  public class ForEach {
 3      public static void main(String[] args) {
 4
 5          // 1～9の範囲で、2または3の倍数を出力
 6          IntStream.range(1, 10).filter(x -> x%2==0 || x%3==0)
 7              .forEach(x -> System.out.print(x+" "));
 8
 9          // 改行を出力
10          System.out.println();
11      }
12  }
```

　上記のプログラムでは、ストリームの要素を半角空白で区切って出力します。実行すると、ストリームの全要素が出力されます。

```
> javac ForEach.java
> java ForEach
2 3 4 6 8 9   ← 1～9の範囲で、2または3の倍数を出力
```

終端操作のforEachメソッドについて学びました。次は、forEachメソッドに対して、既存のメソッドを渡す方法を学びましょう。

🔥 メソッドを参照する

メソッド参照という機能を使うと、ラムダ式のかわりに既存のメソッドを渡せます。既存のメソッドを渡すだけで済む場合は、ラムダ式を書くよりもプログラムを簡潔にできる可能性があります。例えば、前述のforEachメソッドにメソッド参照を組み合わせるには、次のように書きます。

❘ ストリームの要素を処理（メソッド参照）

```
ストリーム.forEach(メソッド参照)
```

メソッド参照は::（コロン2個）を使って書きます。いくつかの書き方を以下に示します。

▼ メソッド参照（例）

記法	使用例
クラス名::メソッド名	String::length
クラス名<型>::メソッド名	List<String>::size
クラス名.フィールド名::メソッド名	System.out::println
配列型::メソッド名	int[]::clone

前問のプログラム（ForEach.java）のラムダ式を、メソッド参照に書き換えてみましょう。**問題⑤** **forEachメソッドの引数のラムダ式を、System.out.printlnのメソッド参照に変更**してください。

▼ForEach2.java

```
1 import java.util.stream.*;
2 public class ForEach2 {
3     public static void main(String[] args) {
4
5         // 1～9の範囲で、2または3の倍数を出力
6         IntStream.range(1, 10).filter(x -> x%2==0 || x%3==0)
7             .forEach(System.out::println);
8     }
9 }
```

実行すると、次のようにストリームの要素を改行しながら出力します。ストリームの各要素に対して、System.out.printlnメソッドが呼び出されています。

```
> javac ForEach2.java
> java ForEach2
2   ← 1～9の範囲で、2または3の倍数を出力
3
4
6
8
9
```

メソッド参照を使って、ラムダ式のかわりに既存のメソッドを引数として渡す方法を学びました。ここまでで、ストリームの最も基本的な使い方を学びました。次は、ストリームの要素を加工する方法を学びましょう。

03 ストリームの要素を加工する

ストリームの要素を加工して、目的の値の列を作る方法を学びましょう。map（マップ）という中間操作のメソッドを使うと、ラムダ式や既存のメソッドをストリームの要素に適用して、別の値に加工できます。

mapには「関連付ける」という意味があり、数学の写像という概念も表します。mapは、次のセクションで学ぶreduce（リデュース）とともに、関数型プログラミングの代表的な機能の1つです。

まずは、mapメソッドとラムダ式を組み合わせてみましょう。

要素にラムダ式を適用するmapメソッド

mapメソッドは次のように使います。以下で「引数名 -> 式」の部分はラムダ式です。

▌ストリームの要素にラムダ式を適用

```
ストリーム.map(引数名 -> 式)
```

mapメソッドは、ストリームの要素に対して、指定したラムダ式を適用します。ラムダ式の戻り値がストリームの新しい要素になります。

▼mapメソッドの動作

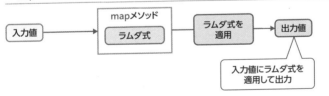

mapメソッドを使って、ストリームの要素を加工してみましょう。 問題⑥ 1～9の整数を2乗した値を、リストに格納したうえで出力してください。1～9の整数は、前問までのプログラムと同様に、IntStreamインタフェースのrangeメソッドで生成します。

▼ MapInt.java

```
1  import java.util.*;
2  import java.util.stream.*;
3  public class MapInt {
4      public static void main(String[] args) {
5
6          // 1～9の範囲で、値を2乗した値のリストを作成
7          List<Integer> list=IntStream.range(1, 10).map(x -> x*x)
8              .boxed().collect(Collectors.toList());
9
10         // リストを出力
11         System.out.println(list);
12     }
13 }
```

　上記のプログラムでは、mapメソッドを使って、ストリームの要素に「x ->
x*x」というラムダ式を適用します。結果として、1～9の整数を2乗した、次のよう
なリストが得られます。

```
> javac MapInt.java
> java MapInt
[1, 4, 9, 16, 25, 36, 49, 64, 81]   ← 1～9の整数を2乗したリスト
```

　mapメソッドを使って、ストリームの要素を加工する方法を学びました。次は、
整数のストリームを浮動小数点数のストリームに変換してみましょう。

column

UnaryOperatorインタフェース

　mapメソッドに渡すラムダ式のように、1個の引数を受け取り、引数と同じ型の戻り
値を返すラムダ式は、java.util.functionパッケージのUnaryOperator（ユーナリ・オ
ペレータ）インタフェースに相当します。unary operatorは「単項演算子」（Chapter3）
という意味です。IntStreamストリームのmapメソッドの場合は、IntUnaryOperator（イ
ント・ユーナリ・オペレータ）という、int型向けのインタフェースを使います。

ラムダ式を適用して浮動小数点数に変換する

　次のようにmapToDouble（マップ・トゥ・ダブル）メソッドを使うと、ストリームの要素にラムダ式を適用したうえで、浮動小数点数のストリームに変換できます。以下のラムダ式は、浮動小数点数（double型）を返すように書きます。

▌浮動小数点数のストリームに変換

```
ストリーム.mapToDouble(引数名 -> 式)
```

　mapToDoubleメソッドを使って、1～9の整数の平方根を求めてみましょう。

問題⑦ 1～9の整数に対して、Math.sqrtメソッド（Chapter3）を適用して平方根（浮動小数点数）を求め、リストに格納したうえで出力してください。リストはList<Double>型にします。

▼MapDbl.java

```
 1 import java.util.*;
 2 import java.util.stream.*;
 3 public class MapDbl {
 4     public static void main(String[] args) {
 5
 6         // 1～9の範囲で、値の平方根のリストを作成
 7         List<Double> list=IntStream.range(1, 10)
 8             .mapToDouble(x -> Math.sqrt(x))
 9             .boxed().collect(Collectors.toList());
10
11         // リストを出力
12         System.out.println(list);
13     }
14 }
```

　上記のプログラムでは、「x -> Math.sqrt(x)」というラムダ式を使って、1～9の整数に対する平方根を求めます。Math.sqrtの戻り値はdouble型なので、mapToDoubleメソッドと組み合わせて、浮動小数点数のストリームに変換しています。

```
> javac MapDbl.java
> java MapDbl
[1.0, 1.4142135623730951, 1.7320508075688772, 2.0, 2.23606797749979,
2.449489742783178, 2.6457513110645907, 2.8284271247461903, 3.0]
```
↑ 1から9までの整数に対する平方根のリスト

mapToDoubleメソッドでは、ラムダ式ではなくメソッド参照を使うこともできます。上記のプログラム（MapDbl.Java）の「x –> Math.sqrt(x)」というラムダ式を、「Math::sqrt」というメソッド参照に書き換えて、コンパイル・実行してみてください。上記と同じ実行結果が得られます。

mapToDoubleメソッドを使って、ストリームの要素を加工したうえで、浮動小数点数に変換する方法を学びました。次は、整数のストリームを文字列のストリームに変換してみましょう。

⟪ ラムダ式を適用して文字列に変換する

次のようにmapToObj（マップ・トゥ・オブジェ）メソッドを使うと、ストリームの要素にラムダ式を適用したうえで、オブジェクトのストリームに変換できます。Objectクラスは全てのクラスのスーパークラスなので、任意のクラスのオブジェクトのストリームに変換できる、ということです。

▎オブジェクトのストリームに変換

ストリーム.mapToObj(引数名 –> 式)

例えば、整数のストリームを文字列のストリームに変換したい場合などに、このmapToObjメソッドを使います。実際に使ってみましょう。 問題⑧ **1～9の整数に対して、StringクラスのvalueOfメソッドとrepeatメソッド（Chapter4）を適用し、リストに格納したうえで出力**してください。「1」「22」「333」…のように、値の個数だけその値が並んだ文字列を作ります。

StringクラスのvalueOfメソッドは、値を文字列に変換するメソッドです。以下で値の部分には、整数・浮動小数点数・文字・真偽値などを指定できます。

`String.valueOf(値)`

　前問のプログラムまでは、boxedメソッドとcollectメソッドを組み合わせてストリームからリストを作成していました。今回のプログラムでは、mapToObjメソッドが参照型を返すので、プリミティブ型を参照型に変換するboxedメソッドの呼び出しは不要です。

▼ MapObj.java

```
1  import java.util.*;
2  import java.util.stream.*;
3  public class MapObj {
4      public static void main(String[] args) {
5
6          // 1~9の整数から、
7          // 「1」「22」「333」…のような文字列のリストを作成
8          List<String> list=IntStream.range(1, 10)
9              .mapToObj(x -> String.valueOf(x).repeat(x))
10             .collect(Collectors.toList());
11
12         // リストを出力
13         System.out.println(list);
14     }
15 }
```

　上記のプログラムでは、ラムダ式を使って、引数xにvalueOfメソッドを適用し、文字列に変換します。さらにrepeatメソッドを適用して、値の個数だけその値が並んだ文字列を作ります。

```
> javac MapObj.java
> java MapObj
[1, 22, 333, 4444, 55555, 666666, 7777777, 88888888, 999999999]
↑ 1から9までの整数について、値の個数だけその値が並んだ文字列のリスト
```

　mapToObjメソッドを使って、ストリームの要素を加工したうえで、文字列に変換する方法を学びました。次は、最初から文字列のストリームを扱ってみましょう。

文字列のストリームにメソッドを適用する

今まではIntStreamインタフェースを使って、整数のストリームを扱ってきました。今度はStreamインタフェースを使って、文字列のストリームを扱ってみましょう。

次のように、Streamインタフェースのof（オブ）メソッドを使うと、オブジェクトのストリームが作れます。以下でオブジェクトの部分に文字列を指定すれば、文字列のストリームになります。ofメソッドは、ストリーム・パイプラインのソースに分類されます。

▌オブジェクトのストリームを生成
```
Stream.of(オブジェクト, …)
```

ofメソッドを使って、文字列のストリームを作ってみましょう。 問題9 文字列「apple」「banana」「coconut」のストリームを生成した後に、mapメソッドを使って文字列を大文字に変換し、結果をリストに格納して出力してください。大文字への変換は、StringクラスのtoUpperCaseメソッド（Chapter4）を使います。

▼ StreamOf.java
```
1  import java.util.*;
2  import java.util.stream.*;
3  public class StreamOf {
4      public static void main(String[] args) {
5
6          // 大文字に変換した文字列のリストを作成
7          List<String> list=Stream.of("apple", "banana", "coconut")
8              .map(String::toUpperCase).collect(Collectors.toList());
9
10         // リストを出力
11         System.out.println(list);
12     }
13 }
```

上記のプログラムでは、「String::toUpperCase」のようなメソッド参照を使って、ストリームの要素にtoUpperCaseメソッドを適用しました。文字列（参照型）のストリームなので、boxedメソッドの呼び出しは不要です。

```
> javac StreamOf.java
> java StreamOf
[APPLE, BANANA, COCONUT]    ← アップル、バナナ、ココナッツ
```

　文字列のストリームを扱う方法を学びました。もう1つ、文字列のストリームを
扱うプログラムを書いてみましょう。

文字列のストリームにラムダ式を適用する

　前問のプログラム（StreamOf.java）では、map関数とメソッド参照を組み合わせ
ましたが、ラムダ式を組み合わせることも可能です。今度はラムダ式を使って、文
字列のストリームを加工してみましょう。

　問題⑩ 文字列「apple」「banana」「coconut」のストリームを生成した後に、「文字
列:文字数」という形式の文字列に加工し、結果をリストに格納して出力してくださ
い。例えば、「apple」を「apple:5」のような文字列に加工します。文字数はlength
メソッド（Chapter4）で得られます。

▼ StreamOf2.java

```java
1  import java.util.*;
2  import java.util.stream.*;
3  public class StreamOf2 {
4      public static void main(String[] args) {
5
6          // 「文字列:文字数」のリストを作成
7          List<String> list=Stream.of("apple", "banana", "coconut")
8              .map(x -> x+":"+x.length()).collect(Collectors.toList());
9
10         // リストを出力
11         System.out.println(list);
12     }
13 }
```

　上記のラムダ式では、文字列（x）と「:」と文字数（x.length()）を連結して、「文字列:
文字数」という形式の文字列を作ります。整数のストリームと同様に、文字列のス
トリームも、このようにラムダ式を使って加工できます。

```
> javac StreamOf2.java
> java StreamOf2
[apple:5, banana:6, coconut:7]   ← アップル:5、バナナ:6、ココナッツ:7
```

　mapメソッド・mapToDoubleメソッド・mapToObjメソッドを使って、ストリームの要素を加工したり、別の型のストリームに変換したりする方法を学んできました。これらのメソッドをラムダ式と組み合わせることで、複雑な加工が可能です。

　次は、ストリームの要素を集計する方法を学びましょう。

04 ストリームの要素を集計する

終端操作の中には、ストリームの要素を集計する操作もあります。例えば、要素の合計を求めたり、指定したラムダ式で集計したり、個数を数えたりといった操作です。こういった終端操作を使って、いろいろなプログラムを書いてみましょう。

合計を求めるsumメソッド

まずは、ストリームの要素を合計するsum(サム、合計)メソッドを使ってみましょう。このsumメソッドは、数値を扱うストリーム(IntStream・LongStream・DoubleStream)にあります。オブジェクトのストリーム(Stream)にはありません。

▌ストリームの要素を合計

```
ストリーム.sum()
```

sumメソッドを使ってみましょう。問題⑪ **IntStreamインタフェースを使って、1〜9の整数の合計値を出力**してください。

▼ Sum.java

```java
1  import java.util.stream.*;
2  public class Sum {
3      public static void main(String[] args) {
4
5          // 1〜9の整数を生成し、合計を求めて出力
6          System.out.println(IntStream.range(1, 10).sum());
7      }
8  }
```

上記のプログラムでは、IntStreamクラスのrangeメソッドを使って1〜9の整数を生成したうえで、sumメソッドで合計を求めます。sumメソッドは合計値を返すので、System.out.printlnメソッドに渡して出力します。

rangeメソッドはソース、sumメソッドは終端操作です。このように、中間操作が無いストリーム・パイプラインも構成できます。

```
> javac Sum.java
> java Sum
45    ← 1~9の合計
```

　ストリームの要素を合計するsumメソッドの使い方を学びました。次は、指定したラムダ式で集計するreduceメソッドについて学びましょう。

ラムダ式で集計するreduceメソッド

　reduce（リデュース）メソッドは、指定したラムダ式をストリームの要素に適用することで、要素を集計します。reduceには「縮小する」や「煮詰める」といった意味があります。前述のmapメソッドとともに、reduceは関数型プログラミングの代表的な機能の1つです。

　reduceメソッドは次のように使います。以下で「(引数名A, 引数名B) -> 式」の部分はラムダ式です。

▌ストリームの要素をラムダ式で集計

```
reduce(単位元, (引数名A, 引数名B) -> 式)
```

　上記の単位元とは、ある演算を他の値との間で実行したときに、他の値を変化させない値のことです。例えば、加算における単位元は0で、乗算における単位元は1です。他の値に0を加算したり、1を乗算しても、他の値は変化しません。reduceメソッドには、指定したラムダ式における単位元を渡します。

　reduceメソッドは次のように動作します。最初に、ストリームの要素を1個取得し、単位元とこの要素にラムダ式を適用して結果を求めます。次に、再びストリームの要素を1個取得し、先ほどの結果とこの要素にラムダ式を適用して、新しい結果を求めます。あとはストリームの全要素に対して同様の手順を繰り返し、最終的な結果を求めます。

▼reduceメソッドの動作

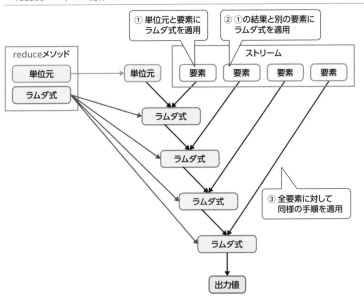

reduceメソッドを使って、ストリームの要素を集計してみましょう。**問題⑫ 1～9の整数を乗算した結果を出力**してください。1～9の整数を生成した後に、reduceメソッドで集計します。

▼Reduce.java

```
1  import java.util.stream.*;
2  public class Reduce {
3      public static void main(String[] args) {
4
5          // 1~9の整数を生成し、全ての値を乗算した結果を出力
6          System.out.println(IntStream.range(1, 10)
7              .reduce(1, (x, y) -> x*y));
8      }
9  }
```

乗算なので、reduceメソッドに渡す単位元は1にしました。「(x, y) -> x*y」というラムダ式は、2個の引数を乗算した結果を返します。reduceメソッドは、このラムダ式をストリームの全要素に適用するので、全要素を乗算した値が得られます。

```
> javac Reduce.java
> java Reduce
362880   ← 1～9の整数を乗算した結果
```

　ラムダ式を使ってストリームの要素を集計する、reduceメソッドの使い方を学びました。reduceメソッドを利用すると、プログラマが指定した方法で、ストリームの要素を集計できます。

　次は、少し複雑なラムダ式を書いてみましょう。

---

column

BinaryOperatorインタフェース

　reduceメソッドに渡すラムダ式のように、2個の引数を受け取り、引数と同じ型の戻り値を返すラムダ式は、java.util.functionパッケージのBinaryOperator（バイナリ・オペレータ）インタフェースに相当します。binary operatorは「二項演算子」（Chapter3）という意味です。IntStreamストリームのreduceメソッドの場合は、IntBinaryOperator（イント・バイナリ・オペレータ）という、int型向けのインタフェースを使います。

複雑なラムダ式を書く

　Chapter13でも学んだように、一般にラムダ式は次のように書きます。引数が1個の場合は、引数を囲む()（丸括弧）を省略できます。

ラムダ式（再掲）

```
(引数名, …) -> 式
```

　ラムダ式は次のように、ブロックを使って書くことも可能です。上記のように簡単なラムダ式では済まない場合には、以下の方法を使うとよいでしょう。{}（波括弧）の中には、通常のメソッドと同様に文（または宣言）を書き、return文を使って戻り値を返します。

```
(引数名, …) -> {
    文;
    …
    return 式;
}
```

複雑なラムダ式を書いてみましょう。**問題⑬** **2〜99の整数を生成し、素数だけを選別して、リストに格納したうえで出力**してください。整数はIntStreamインタフェースを使って生成します。素数の判定は、Chapter11のassert3\Assert.javaを参考にしてください。

▼ Match.java

```
1  import java.util.*;
2  import java.util.stream.*;
3  public class Match {
4      public static void main(String[] args) {
5
6          // 2〜99の範囲で、素数のリストを作成
7          List<Integer> list=IntStream.range(2, 100).filter(x -> {
8
9              // 引数xが素数でなければfalse、素数ならばtrueを返す
10             for (int i=2; i<=Math.sqrt(x); i++) {
11                 if (x%i==0) {
12                     return false;
13                 }
14             }
15             return true;
16
17         }).boxed().collect(Collectors.toList());
18
19         // リストを出力
20         System.out.println(list);
21     }
22 }
```

上記のプログラムでは、rangeメソッドで2〜99（2以上100未満）の整数を生成し、filterメソッドとラムダ式を組み合わせて素数のみを選別します。選別された素数は、boxedメソッドとcollectメソッドを使ってリストに格納します。

```
> javac Match.java
> java Match
[2, 3, 5, 7, 11, 13, 17, 19, 23, 29, 31, 37, 41, 43, 47, 53, 59, 61,
67, 71, 73, 79, 83, 89, 97]   ← 2〜99の範囲の素数
```

　ブロックを使って、複雑なラムダ式を書く方法を学びました。次はこのラムダ式を、ストリームを使って書き直してみましょう。

全要素が条件を満たすかどうかを調べるallMatchメソッド

　前問のプログラム（Match.java）のラムダ式は、for文を使って、引数xが素数かどうかを判定していました。具体的には、2から$Math.sqrt(x)$以下の整数iでxを割ってみて、いずれかのiで割り切れたら素数ではないと判定し、全てのiで割り切れなかったら素数であると判定します。

　このような「いずれかの…で条件が成立した」という判定や、「全ての…で条件が成立した」という判定は、実はストリームを使って書けます。前者にはanyMatch（エニィ・マッチ）メソッドを、後者にはallMatch（オール・マッチ）メソッドを使います。いずれも終端操作で、真偽値（trueまたはfalse）を返します。

▌いずれかの要素で条件が成立することを判定
```
ストリーム.anyMatch(引数名 -> 式)
```

▌全ての要素で条件が成立することを判定
```
ストリーム.allMatch(引数名 -> 式)
```

　いずれのメソッドも、引数にラムダ式（またはメソッド参照）を書きます。filterメソッドに渡すラムダ式と同様に、真偽値を返すラムダ式を書いてください。

　anyMatchメソッドは、ストリームのいずれかの要素についてラムダ式がtrueを返したら、trueを返します。allMatchメソッドは、ストリームの全ての要素についてラムダ式がtrueを返したら、trueを返します。

　allMatchメソッドを使うと、前問のプログラムのfor文をストリームによる処理に書き換えられます。**問題14 Match.javaのラムダ式に書かれたfor文を、ストリームによる式に書き換え**てください。IntStreamインタフェースを使って、2以上で$Math.sqrt(x)$以下の整数を生成したうえで、これらの全ての整数でxが割り切れな

いことを、allMatchメソッドとラムダ式を使って判定します。

　開始値以上で終了値以下の整数を生成するには、IntStreamクラスの
rangeClosed（レンジ・クローズド）メソッドを使います。終了値を含まないrange
メソッドとは異なり、rangeClosedメソッドは終了値を含みます。rangeClosedメ
ソッドはストリーム・パイプラインのソースです。

▌開始値以上で終了値以下の整数を生成

```
IntStream.rangeClosed(開始値，終了値)
```

　rangeClosedメソッドにMath.sqrt(x)を指定するときには、(int)Math.sqrt(x)の
ように整数にキャストしてください。キャストしないと、「不適合な型: 精度が失わ
れる可能性があるdoubleからintへの変換」というコンパイルエラーが発生します。

▼ Match2.java

```
 1  import java.util.*;
 2  import java.util.stream.*;
 3  public class Match2 {
 4      public static void main(String[] args) {
 5
 6          // 2～99の範囲で、素数のリストを作成
 7          List<Integer> list=IntStream.range(2, 100).filter(
 8
 9              // 引数xが素数ならばtrueを返すラムダ式
10              x -> IntStream.rangeClosed(2, (int)Math.sqrt(x))
11                  .allMatch(i -> x%i!=0)
12
13          ).boxed().collect(Collectors.toList());
14
15          // リストを出力
16          System.out.println(list);
17      }
18  }
```

　上記ではallMatchメソッドに、「i -> x%i!=0」というラムダ式を渡しました。
rangeClosedメソッドの働きで、iは2から(int)Math.sqrt(x)までの整数になります。
これらの全てのiでxが割り切れなかったら、つまりxが素数ならば、allMatchメソッ
ドはtrueを返します。

Chapter **15**

04
ストリームの要素を集計する

このallMatchメソッドの戻り値をfilterメソッドに渡します。結果としてfilterメソッドは、2〜99の整数の中から素数だけを選別します。

```
> javac Match2.java
> java Match2
[2, 3, 5, 7, 11, 13, 17, 19, 23, 29, 31, 37, 41, 43, 47, 53, 59, 61,
67, 71, 73, 79, 83, 89, 97]  ← 2〜99の範囲の素数
```

今回のプログラムのポイントは、2〜99の整数から素数を選別する外側のストリームと、2〜(int)Math.sqrt(x)の整数を使って素数かどうかを判定する内側のストリームの、2種類のストリームを組み合わせていることです。もし、ストリームを使わずにプログラムを書いた場合は、例えばfor文の2重ループ（Chapter6）になるでしょう。

このように、for文などによる多重ループは、複数のストリームの組み合わせに書き換えることが可能です。多重ループを使うべきか、ストリームを使うべきかは、状況によります。プログラムが簡潔に書ける方法、あるいは高速に実行できる方法を、状況に合わせて選んでみてください。

次は、ストリームの要素を数える方法を学びましょう。

要素の個数を返すcountメソッド

count（カウント）メソッドを使うと、ストリームの要素の個数が得られます。countメソッドは終端操作です。

| 要素の個数
```
ストリーム.count()
```

countメソッドを使ってみましょう。**問題15** **前問のプログラム（Match2.java）を改造して、2〜99の範囲にある素数の個数を出力**してください。boxedメソッドとcollectメソッドを、countメソッドに置き換えます。

```
 1  import java.util.*;
 2  import java.util.stream.*;
 3  public class Count {
 4      public static void main(String[] args) {
 5
 6          // 2～99の範囲にある素数の個数を出力
 7          System.out.println(IntStream.range(2, 100).filter(
 8              x -> IntStream.rangeClosed(2, (int)Math.sqrt(x))
 9                  .allMatch(i -> x%i!=0)
10          ).count());
11      }
12  }
```

　上記のプログラムでは、countメソッドの戻り値を、System.out.printlnメソッドに渡して出力します。

```
> javac Count.java
> java Count
25   ← 2～99の範囲の、素数の個数
```

　ストリームの要素を集計するいろいろな終端操作について学びました。また、ブロックを使って複雑なラムダ式を書いたり、複数のストリームを使って多重ループのような処理をしたりする方法も学びました。
　次は並列処理を使って、ストリームの処理を高速化してみましょう。

Chapter
15

04
ストリームの要素を集計する

05 ストリームを並列処理で高速化する

前述のように、ストリームは並列処理（へいれつしょり）が可能です。ストリームに含まれる要素を
マルチスレッドで分担して同時に処理することにより、実行時間の短縮を狙います。

最近のCPUは、複数のスレッドを同時に実行できるマルチコアCPUが一般的な
ので、CPUの性能を引き出すためには並列処理が重要です。実際にプログラムを
動かしながら、ストリームによる並列処理の手法を学び、高速化の効果を体験して
みましょう。

逐次処理では時間がかかるプログラムを書く

並列処理を行わずに目的の処理を順に実行することを、逐次処理（ちくじしょり）と呼びます。並
列処理の効果を実感しやすいのは、逐次処理では時間がかかる処理を並列化（並列
に実行）するときです。

時間がかかる処理の例として、「素数の個数を求める処理」を実行してみましょう。
2〜9999999（2以上1000万未満）の範囲で素数の個数を数えて出力します。

並列処理によってどのくらい高速化されたのかを明確に知るためには、実行時間
を測定するのがおすすめです。本書では、処理前から処理後までの経過時間を実行
時間とします。経過時間を測定するには、例えばSystemクラスのnanoTime（ナ
ノ・タイム）メソッドが使えます。

▌ナノ秒単位で時刻を取得

```
System.nanoTime()
```

nanoTimeメソッドは、ナノ秒（10^{-9}秒）単位の時刻を返します。ただし、
nanoTimeメソッドが返す時刻は、現在時刻とは無関係な値です。nanoTimeメソッ
ドが返す時刻は、2つの時刻の差を求めることによって経過時間を計測するためだ
けに使います。

経過時間を求めるには、次のようなプログラムを書きます。long型（64ビットの
整数、Chapter4）の変数を宣言して、nanoTimeメソッドを呼び出し、開始時刻を
記録します。そして、経過時間を計測したい処理を実行した後に、再びnanoTime

メソッドを呼び出し、記録しておいた開始時刻との差を計算することによって経過
時間を求めます。

▌経過時間の計測

```
long 開始時刻=System.nanoTime();
経過時間を計測したい処理
System.out.println(System.nanoTime()-開始時刻);
```

　前問のプログラムを使って、逐次処理による実行時間を計測してみましょう。

問題⑯ Count.javaを、2〜9999999（2以上1000万未満）の範囲の素数の個数を出
力するように改造したうえで、実行時間を計測して出力してください。rangeメソッ
ドの引数を、(2, 100)から(2, 10000000)に変更します。

▼Parallel.java

```
 1  import java.util.*;
 2  import java.util.stream.*;
 3  public class Parallel {
 4      public static void main(String[] args) {
 5
 6          // 開始時刻を取得
 7          long time=System.nanoTime();
 8
 9          // 2〜9999999の範囲の素数の個数を出力（逐次処理）
10          System.out.println(
11              IntStream.range(2, 10000000).filter(
12                  x -> IntStream.rangeClosed(2, (int)Math.sqrt(x))
13                      .allMatch(i -> x%i!=0)
14              ).count());
15
16          // 経過時間を出力
17          System.out.println((System.nanoTime()-time)/1.0e9+"sec");
18      }
19  }
```

　上記のプログラムでは、ナノ秒単位の経過時間を1.0e9（10^9）で割ることにより、
秒単位で出力します。10^9のような数値は、このように指数表記（Chapter4）を使っ
て書くと簡単です。

```
> javac Parallel.java
> java Parallel
664579        ← 2〜9999999の範囲の素数の個数
3.6112035sec  ← 実行時間（秒）
```

　上記のように、逐次処理による実行時間は約3.6秒でした。もし、お使いのコンピュータにおいて実行時間が長すぎる場合や短すぎる場合は、範囲（2〜9999999）を調整してください。

　次は、同じプログラムを並列処理を使って実行してみましょう。

ストリームを並列化するparallelメソッド

　ストリームで並列処理を行うには、parallel（パラレル、並列）メソッドを使います。parallelメソッドは、ストリームを並列化します（並列処理に対応させます）。parallelメソッドは中間操作です。

┃ストリームを並列化

ストリーム.parallel()

　実際にストリームを並列に実行できるかどうかは、ストリームの内容によります。ストリームに対して行う操作によっては、並列に実行すると正しい結果が得られない場合もあります。

　ストリームで並列処理を行いたい場合には、例えばラムダ式を書く際に、そのラムダ式を複数の要素に対して同時に、あるいは順不同に適用しても問題が起きないように書く必要があります。複数の要素を同時に処理したり、要素を処理する順序が変化したときに、全体の結果が変わってはいけません。各要素に対する処理が独立している必要があります。

　前問のプログラム（Parallel.java）は、問題なく並列化できるプログラムの例です。このプログラムを並列化して、並列処理による実行時間を計測してみましょう。
問題⑰ rangeメソッドの呼び出しの後に、parallelメソッドの呼び出しを追加して、ストリームを並列化してください。

▼ Parallel2.java

```java
1  import java.util.*;
2  import java.util.stream.*;
3  public class Parallel2 {
4      public static void main(String[] args) {
5
6          // 開始時刻を取得
7          long time=System.nanoTime();
8
9          // 2~9999999の範囲の素数の個数を出力（並列処理）
10         System.out.println(
11             IntStream.range(2, 10000000).parallel().filter(
12                 x -> IntStream.rangeClosed(2, (int)Math.sqrt(x))
13                     .allMatch(i -> x%i!=0)
14             ).count());
15
16         // 経過時間を出力
17         System.out.println((System.nanoTime()-time)/1.0e9+"sec");
18     }
19 }
```

　実行すると、素数の個数は同じなので、おそらく正しく実行できたと思われます。実行時間は約0.96秒なので、約3.75倍に高速化されました。コンピュータが搭載しているCPUのコア数やスレッド数などによって、実行時間や高速化の倍率は異なります。

```
> javac Parallel2.java
> java Parallel2
664579      ← 2~9999999の範囲の素数の個数
0.962905sec ← 実行時間（秒）
```

　このプログラムには、外側と内側のストリームがあります。上記では外側のストリームを並列化しましたが、内側のストリームも並列化すると、さらに高速化できるでしょうか。 問題⑱ 内側のストリームにもparallelメソッドの呼び出しを追加して、ストリームを並列化してみてください。

▼ Parallel3.java

```
1  import java.util.*;
2  import java.util.stream.*;
3  public class Parallel3 {
4      public static void main(String[] args) {
5
6          // 開始時刻を取得
7          long time=System.nanoTime();
8
9          // 2～9999999の範囲の素数の個数を出力（並列処理）
10         System.out.println(
11             IntStream.range(2, 10000000).parallel().filter(
12
13                 // 内側のストリームも並列化
14                 x -> IntStream.rangeClosed(2, (int)Math.sqrt(x))
15                     .parallel().allMatch(i -> x%i!=0)
16
17             ).count());
18
19         // 経過時間を出力
20         System.out.println((System.nanoTime()-time)/1.0e9+"sec");
21     }
22 }
```

　実行すると、素数の個数は同じなので、正しく実行できたと思われます。しかし、実行時間は約12.8秒となり、逐次処理よりも遅くなってしまいました。

```
> javac Parallel3.java
> java Parallel3
664579          ← 2～9999999の範囲の素数の個数
12.7699402sec   ← 実行時間（秒）
```

　並列処理を行うには、スレッドを生成して実行したり、各スレッドで仕事を分担したり、各スレッドの計算結果を集めたりといった、逐次処理には無い処理が生じます。人が多人数で仕事をするときに、仕事の割り振りや連絡の負担が生じるのと同様です。
　そのため、無闇に並列化するのではなく、効果がありそうな箇所を狙って並列化

したり、何通りかの並列化を試して実行時間を比較することが必要です。例えば、多重ループのような処理を並列化する際には、最も外側のループを並列化するのが効果的なことが多いです。今回のプログラムでも、最も外側のループに相当する、外側のストリームを並列化したときに高速化の効果が得られています。

ストリームを使った並列処理について学びました。ストリームを使うと、スレッドを直接に操作するプログラムを書くことに比べて、簡単かつ安全に並列処理の効果が得られます。

本章では、ストリームAPIやラムダ式を使った、関数型プログラミングの手法を学びました。ストリームを活用すると、プログラムを簡潔に書いたり、遅延評価や並列処理でプログラムを効率化・高速化できる場合があります。もし、ストリームで上手く処理できるかもしれない、と思う題材を見つけたら、ぜひストリームを使って書いてみてください。

これで実践編は完了です。基礎編でJavaの基本機能を学び、実践編でオブジェクト指向プログラミングと実用的なプログラムの開発に役立つ知識を学んできましたが、いかがでしたか。もし、一度読んだだけでは難しいと感じた箇所があったら、気になったときに、あるいは必要になったときに、また新たな気持ちで読み直してみてください。本書で学んだ知識や技術が、皆さんの仕事・研究・学業・趣味に役立つことを、心から願っています。

Chapter15の復習

☐ ストリームの基本

問題❶ リストlistを宣言・生成し、1〜9の範囲で、2または3の倍数をリストに追加
したうえで、リストを出力してください。 558ページ

問題❷ ストリームを使って「1〜9の整数」のリストを作成し、出力してください。
➡560ページ

問題❸ 前問のストリーム・パイプラインに、2または3の倍数のみを残すような、
filterメソッドの呼び出しを追加してください。 ➡562ページ

問題❹ 前問のプログラムを改造して、1〜9の範囲で、2または3の倍数を出力して
ください。boxedメソッドとcollectメソッドを、forEachメソッドに書き換
えます。 ➡564ページ

問題❺ 前問のプログラムを改造して、forEachメソッドの引数のラムダ式を、
System.out.printlnのメソッド参照に変更してください。 ➡566ページ

☐ 要素の加工

問題❻ ストリームを使って、1〜9の整数を2乗した値を、リストに格納したうえで
出力してください。 ➡567ページ

問題❼ ストリームを使って、1〜9の整数にMath.sqrtメソッドを適用し、求めた平方
根（浮動小数点数）をリストに格納したうえで出力してください。 ➡569ページ

問題❽ 1〜9の整数に対して、StringクラスのvalueOfメソッドとrepeatメソッドを適用し、
リストに格納したうえで出力してください。「1」「22」「333」…のように、値の個
数だけその値が並んだ文字列を作ります。 ➡570ページ

問題❾ 文字列「apple」「banana」「coconut」のストリームを生成した後に、mapメ
ソッドを使って文字列を大文字に変換し、結果をリストに格納して出力し
てください。 ➡572ページ

Chapter
15

591

Index

本書サポートページ

https://isbn2.sbcr.jp/19244/

- 本書をお読みいただいたご感想を上記URLからお寄せください。
- 上記URLに正誤情報、サンプルダウンロードなど、本書の関連情報を掲載しておりますので、あわせてご利用ください。
- 本書の内容の実行については、すべて自己責任のもとで行ってください。内容の実行により発生した、直接・間接的被害について、著者およびSBクリエイティブ株式会社、製品メーカー、購入された書店、ショップはその責を負いません。

著者紹介

松浦 健一郎（まつうら けんいちろう）

東京大学工学系研究科電子工学専攻修士課程修了。研究所において並列コンピューティングの研究に従事した後、フリーのプログラマ＆ライター＆講師として活動中。企業や研究機関向けのソフトウェア、ゲーム、ライブラリ等を受注開発している。司 ゆきと共著でプログラミングやゲームに関する著書多数（本書で39冊目）。

司 ゆき（つかさ ゆき）

東京大学理学系研究科情報科学専攻修士課程修了。大学で人工知能（自然言語処理）を学び、フリーランスとなる。研究機関や企業向けのソフトウェア開発や研究支援、ゲーム開発、書籍や雑誌記事の執筆、論文や技術記事の翻訳、翻訳書の技術監修、研修用テキストの作成、学校におけるプログラミングの講師を行う。

著者Webサイト「ひぐぺん工房」 https://higpen.jellybean.jp/
※本書のQ&Aも掲載しています。

Java[完全]入門

2024年3月9日　初版第1刷発行

著者	松浦健一郎　司ゆき
発行者	小川 淳
発行所	SBクリエイティブ株式会社 〒105-0001 東京都港区虎ノ門2-2-1 https://www.sbcr.jp/
印刷	株式会社シナノ
カバーデザイン	米倉英弘（株式会社 細山田デザイン事務所）
制作	クニメディア株式会社

Printed in Japan　ISBN978-4-8156-1924-4